文淵閣四庫全書
元人別集補遺續

袁　冀編撰

文史哲出版社印行

國家圖書館出版品預行編目資料

文淵閣四庫全書元人別集補遺續 / 袁冀編撰.--
初版.-- 臺北市：文史哲，民 105.09
頁； 公分
ISBN 978-986-314-331-4（平裝）

1.四庫全書 2.別集 3.元代

082.1 105017038

文淵閣四庫全書元人別集補遺續

編撰者：袁 冀
出版者：文 史 哲 出 版 社
http:// www.lapen.com.tw
e-mail：lapen@ms74.hinet.net
登記證字號：行政院新聞局版臺業字五三三七號
發行人：彭 正 雄
發行所：文 史 哲 出 版 社
印刷者：文 史 哲 出 版 社
臺北市羅斯福路一段七十二巷四號
郵政劃撥帳號：一六一八〇一七五
電話886-2-23511028・傳真886-2-23965656
定價新臺幣三六〇元
2016 年（民一〇五）九月初版

ISBN 978-986-314-331-4 65038

文淵閣四庫全書元人別集補遺續

目次

一、元好問「遺山集」補遺

石刻史料新編第二輯（十三），九九八〇頁，定襄金石考卷二「元州將張侯墓表」：

張侯既葬四年墓有碑矣凡侯之有勞於吾州與父兄之所以不忘者皆逃之矣賓客故人念侯平生口口口以爲未盡也故又表而文之而元好問實爲之辭曰始予自汴梁客大名聞之鄉之人知侯之名固欲亟見之歲丁酉秋八月北來乃以州民見侯侯不以予老且謬若遂將受學者意甚懃貌甚恭挽予之歸爲甚力予承間爲侯言予不忘還歸猶痿者之於起而盲者之於眎也他日幸脫縶維以從吾侯游寔夙昔之願雖然予歸之與否於侯何損益而眷〻如是侯曰君歸而辱教我一言之利吾州之人不受君賜矣乎予謝不敢當問之州之士人皆曰侯於吾屬悉然不獨厚於子而然也於是益賢之維侯起田畝間跨弓刀以角逐於分崩離析之際出入行陳攻堅擊彊莫有敢敵者其於文墨特略能記姓名而已治吾州十五年州當朔南之衝營帳驛傳項背相望勳貴之下奔走從事事有便民者必死守而力圖之初不以威尊命賤而爲計也志膽如此欲使之略勢位折行輩自屈於一介寒士之後不階於矯揉不由於沽激高謇退而遜讓剛嚴化而和柔蓋亦難矣若夫單貧者業之散亡者合之疾病者扶之婚嫁者成之喪葬者舉之大望而不靳久溷而不厭懇切至到終始如一雖大夫士之篤於好賢者不如是之備也嘻人情甚不美重爲風俗所移父不能教其子兄無以制其弟鄉里督郵輩一奉州檄忽自忘其愚不肖屈陶靖節庭趨者皆是也然則吾屬之報於侯者宜如何哉宜如何哉壬寅四月吉日書

二、方回「桐江續集」補遺續

江蘇通志稿金石十九「居竹記」。

居竹記
士莫大於尚志子莫賢於克家家之所由
來者遠而承之以志之遠志之所期者遠
而家之所以光前裕後者愈益遠此理之
必然者也蘇長公有云可使食無肉不可
使居無竹士不憾於食之無肉而惟恐乎
居之無竹則其志遠矣食必有肉雖豹胎
猩脣而不足奢咲後爵必不器凡杯而友
管饜居必有竹則非天下之高人勝流不
足以外其階世之壓頹俗面之物望風而
退舍矣士之志宜在此而不在彼也孟子
曰士尚志易曰子克家志之遠者家之遠
君子以是觀人焉華亭縣脩竹鄉曹氏武
惠王之後自汴南徙所居據九峯三泖之
勝厥壤宜竹如其鄉名予友古睦玄同居
士邵君壻其家為予言曹氏家世之盛内
子之弟和甫字□達祖守齋先生提幹府
君年八十餘以壽終□□□先生司戶府
君前太學兩□甲戌進士蔚□□時聞人
仲達今年廿有五俊特英發於□父樂靜
堂之餘地財飾園廬植竹千箇以居竹扁
其書室蓋有取於蘇長公之言其意若曰
吾之先及吾之身豈不世世而食有肉吾
之身與吾之後不若世世而居有竹古二
十而冠三十而仕五十而後為大夫所以
有士冠禮而無大夫冠禮仲達以踰冠將
仕之年居是竹也而安異時雖為公卿當
常不忘是竹後之人居是竹也而久安孫
曾雲來常奕葉保有是竹是則以尚志之
士為克家之子曹氏豈不愈益遠而與是
竹相為無窮哉大德二年歲在戊戌二月
初八日乙丑通議大夫前建德路揔管兼
府尹紫陽方回記前集賢直學士奉議大
夫太原路汾州知州兼管本州諸軍奧魯
勸農事吳興趙孟頫書

江蘇通志稿 金石十九 十一

歙縣金石志卷三「徽州重建紫陽書院記」：

紫陽山去古歙郡之南門五里而近故待制侍講贈太師徽國文公先生郡人也合山與人稱曰紫陽夫子若洙泗先聖然此書院之所以作而名之曰紫陽也始郡守上饒韓公補作書院在南門之外倚山瞰溪陟其門朱榜金書折旋過風泉雲壑軒拜夫子祠趨而横入左右齋廡中而肄講爲明明德堂前爲書樓後爲宸奎閣而其上又爲披雲之閣閣之後最窅爲大成殿更六政而後大備紀有文刻有圖傳於世至元十三年丙子冬去始作時三十有一年矣鎮帥設險固圉撤城外凡屋爲柵郡檄俾遷於南門之内江東道院實古郡學遺址也諸生緜蕝妥靈明年建祠於道院西爲外門十五年按察使者至謀諸總府以書院地與古郡學地兩易以溪山偉觀爲明明德堂而書其顔得前進士汪君一龍曹君涇爲之師前貢士許君豫立爲學

正相與樽縮租入以其年冬經始與復得經歷趙君仲璋與今治中汪君元龍曰總府皆捐貲率同僚爲助而士亦醵泉相役平窪亢卑據亥揖巽爲先聖廟前門後殿各三楹而從祀之廡各倍之講堂東西齋廡之數視廟制而在其西又西偏足舊重屋爲三以大其門又别爲小重屋三面水西以倣披雲之舊服具器備以十七年仲春丁祭告成於是諸生相與言曰昔之書院向挾紫陽山於其左今之書院若廟若祠若堂皆南向得紫陽山之正學者俯而讀仰而瞻由是以想夫子之步趨謦欬將必有得其正傳者庸詎知書院之遷非風氣之所宜乎然回聞之土有廣狹勢有向背棟宇有隆殺儀文有盈縮皆物也有不物者焉先聖有言殷因於夏禮所損益可知也周因於殷禮所損益可知也其或繼周者雖百世可知也尚忠質文建寅丑子可以隨世損益曰綱曰常百千世一也則何損益之有古之祀也以尸爲主而後世肖形以象之古之座也以席以几而後世高座以華之古功臣與食於大烝而後世享先聖也以其門弟子及賢者侑之漢孔廟不出闕里許天下建原廟自唐正觀始唐釋奠惟侑顔子加以孟子自宋元豐始宋初止有四書院詔郡縣皆立學自慶曆中始近世所至有廟學書院而又升曾思之侑自濂溪至東萊俱列祀而又無不專爲之祠益從今尚損與古違世也抑所謂雖百世可知者能從而損益之否乎回嘗

陟古兗之郛觀魯之泰山與洙泗之水而識孔林之所在漢高祖引天下兵至而聞絃歌之聲魯恭王欲壞其宅而得科斗之書卒全護之歷世無恙歙今魯也紫陽今洙泗也夫子之教百世千世與紫陽不朽士欲與之俱不朽者其亦有道矣文足徵也獻足徵也五典五禮六德六行待其人然後行天地之常經古今一日也

石刻史料新編（二十），一四八七九頁，益都金石志，「元兀林答碑」：

大德六年壬寅夏六月望宣武將軍上千戶兀林答徽遣其子
兀林答希靖來口紫陽方回言徽之祖兀林答阿魯兀剌父兀
林答喜口口任益都路濰州防禦使葬益都路城北將以今年
十二月初一日還葬於益都路城南雲門山前卧龍磵口去城
十里諸先妣及口口完顏氏祔焉螭首龜趺之石宜求當世能
言君子文之而以屬回辭不可謹按兀林女眞八大姓也兀林
答阿魯兀剌仕金爲驃騎衞上將軍遥口陳州防禦使守把邳
州歲壬辰大元查剌温臨城以譯語諭之曰金國土宇河南河
北皆我朝有矣汝邳州不過一掌之大汝不知天命不順人心
不好投拜破城之日無男女齠齔不留徒死何益金之季年所
至口口糧器械運當鼎革軍若民告求生路以六月十二日率

百姓一萬餘戶軍五千歸附隨軍收復河南節次立功授金吾
衞上將軍右副元帥復改益都路濰州防禦使還居益都路錄
事司附籍住坐歲丙午病卒享年七十娶夫人魯氏生子六人
兀林答僖口口知學根於天性穎異秀發資質高明長遂爲山
東名儒歲戊戌三科中選及第歲庚子皇大弟國王令旨於益
都路取秀才三名賜行省選差赴北充塔察國王位下爲頭必
閣赤長於同列府事及文墨語言一切應酬無所不敍口口口
歲戊申得旨與父口口子濰州防禦使中統元年庚申世祖皇
帝即位二年辛酉再得口口充益都路行省大都督撒吉思仵
當管領權省職任兼濰州防禦使十三軍州口口四縣緊要差
發包銀絲線不擾而辦處危之間眞福星也家搉饒富恤貧振
之條惇給孤寡口饋一無所靳吟窗寒士懇土疲農頼敎載生
育之賜不小三年壬戌欽奉世祖皇帝聖旨降金牌懸帶四年
癸亥正月二十八日病卒享年四十六娶夫人侯氏生子二人
徽徽庶母王氏生子一人徽徵徵皆早卒徽承襲金牌濰州防
禦使改知滕州又襲父任必闍赤至元十四年自願隨劉簽院
北征以管民知州移沓察院願降口口口口授武略將軍管
軍千戶支請俸給北征還陞授武德將軍十五年隨伯顏丞相
率領侍衞軍一萬北征十七年聖旨於出征軍內摘撥五千人
令衆頭目一同管領迴還火魯火孫丞相爲北征軍官有功香

閤內引領朝見聖主賜宴賞賜銀一定段子一表一裏牙笏一
枝銀匙筯一副牙梳一隻翠花一朶十八年正月爲前件事軍
功超拜管軍總管二十年往福建督捕黃華二十四年南征交
阯師還復授金牌宣武將軍充管軍上千戶紫袍金帶以潁州
萬戶府保定翼鎮守杭州歷元貞大德今十四載乃祖乃父不
在其身則在子孫子斯見之娶夫人完顏氏大德五年辛丑三
月二十六日卒享年四十六今附葬子一人即兀林答希靖兼
才學識三長銘曰
是父是子爾防禦公天錫閒世才英氣雄父防禦公下邳孤墉
三月其久百戰千戈肩不釋甲手不弛弓糧竭口罄途亦云窮

始知天命明明口從拜官金吾副貳元戎削平河南蔚茲武功
濰水分符青齊之東益都相宅口壽考終于防禦公蔚爲儒宗
三科中第大鵬搏風國王有旨筆花是口訏謨密勿獻替從容
外補者兩有光乃翁箕裘嗣世袴襦歌童物無疵癘口口口口
金符自天華於厥躬家素饒儉恤士憐農以財拯施邱山其崇
衆賢口口惟孝口忠自拔南蠻如天飛鴻海岱臨淄改卜幽宮
夫人近逝亦祔其中口假視聽匪伊明聰俾口斯文鑱之堂封
異日衣錦言歸埽松口口保口左虎右龍　大德七年歲次癸
卯三月朔宣武將軍上千戶男兀林答徽口立石」

石刻史料新編（十六），一一六六五頁，安徽金石略，「元立晉新安太守程公墓碑」：「無年月，佚」。可補遺其作品之篇名。

三、鄧文原「巴西集」補遺續

石刻史料新編第三輯（八），一一七頁，湖州府志卷五十一，金石略六「湖州路歸安縣建學記」：

湖學自宋寶元間安定先生胡公以經學爲弟子師由是東南諸郡
知有仁義禮樂之教其後郡縣皆立學太學亦取以爲法故湖學之
盛最於它郡郡之倚郭縣曰歸安猶未建學附於郡學東偏池上校
官幸滿即代去因仍歲月漫不加省非闕歟夫循名而不責其實雖
善治者無成功而況學乎泰定甲子南陽完澤溥化擢進士第明年

湖州府志　卷五十一　金石略六　71

來丞茲邑頫瞻興慨曰余幸以儒決科筮仕之始釋是不圖予負丞
矣遂首出己俸買地縣治之東南阪溪山迴互面勢敞爽宜爲學者
藏修游息之所因謀諸長貳與職教者翕言允叶且召邑中慕義之
士而語之故咸樂輸助以相膚作於是鳩其榱題經度斡址爲殿四
阿以土以佾塑繪之事咸中儀式講肄有堂居處有舍重門修廡中
外具備肇始於三年四月越二年閏月告成以落之又置腴田造祭
器以圖惟永久士驩然曰學校風化所先知建學斯得爲政之本矣
昔鄭人欲毀鄉校而子產不可是以見稱於夫子也隆古盛時家塾
黨庠國學莫不有師而又有東膠虞庠成均瞽宗辟雍頖宮之等雖
異代殊制然大要使人崇本黜末由體達用自秦易郡縣置守令首
職功師法吏而教始大壞後世隆其棟宇優其廩稍學者得亦忘問

學以希賢聖而人才乃不逮古何哉宴安之習勝則刮磨淬厲之功
不篤外有利祿之誘苟可以干時名而梯進取者何不爲也而廉恥
之風微矣有志之士不偶於時則甯高蹈林谷被褐高歌有以自樂
雖時有用舍行藏而道無得喪榮辱是爲爲己之學流俗方訕笑以
爲迂而莫之從然則人才之作興亦難矣聖門弟子惟子游與人習
聞學道之訓施之武城弦歌而治故得士如澹臺滅明者古者國子
舍於王宮教于師氏而以時合於大司樂以習弦誦以學樂舞是絃
歌特學道之一事而聖人有取者因弦歌而知學道之化被於一邑
由是而之國之天下皆是道也夫子曰十室之邑必有忠信歸安壯
哉縣貞人勝士多栖息其間令丞之得士安知無如滅明者予老矣
願有聞焉

湖北金石志卷十三「大元隨州大洪山崇寧萬壽寺了菴明禪師重建寺記碑」：

大覺能仁以慈忍精進利己利物而遊人間世以戒定慧訓諸門徒正心誠意而行其道故時愈久而愈彰益誣而益信自漢至今建幢樹刹殺遍寰宇天秘名山雲藏福地必假云人而啓發之蓋由正報既勝則所依之處詎宜狹劣哉茲山之與唐元和開慈忍靈濟大師傳馬祖心印下五匝峰符隨止洪住之讖休息于此民依福善深感其德奉以薪沓山由是而名焉漢東之國隨爲大環隨皆山以大洪爲宗大師之神異地之形勝寺之沿革與夫甲乙十方之論見於吾靈居士之言襲羅兵燹化樓殿於灰礫山回嘉運必假人而興焉重開山第一代了菴卓禪師諱宗明江東上饒柳氏子志慕空寂依蘄州多雲山廣化寺師事長老文仙薙髮受具進以善業一朝慕道先哲飄然振遊方之□至漢東卓菴於靈濟故址披荆榛而侶猿狖晏如也屬歲大旱一方之民拾橡而食請禱於師師愍羣望以禪定力默起池龍雨亦隨至滂沛沾溉歲大有秋數年之間民歌屢豐實師之惠也議營棟宇答師之休由是雜然而趨樂然而會治基之穢壘磵之崩未幾昔之所化者今復存矣翼翼飛甍渠渠夏屋巍然如七金山照映林谷雄偉壯麗聳動觀瞻至於別館吹香銅魚喚粥檀施絡繹而供給焉至元二十五年春知隨州傅君安國原師之德偕其徒宗才至京師謁大司徒白興寺之由獲覲天顏封誦大般若經頒降聖旨護持勵興修之志師於元貞元年六月二十七日泊然而逝度徒弟五百餘人今住持宗上乃徒眾之上首志堅行潔服勤眾務大司徒秉人鑑之□謂能紹其緒續者必斯人也文□宣政院頒降聖旨凡修葺護持師之未了者宗上悉能了之壇場雲堂阿羅漢閣期於大備而後已吁豈天地萬物乘除於數而存諸其人邪抑山川之靈思革其故而謀其新邪不可得而知也昔靈濟以道存其誠斥龍濟旱致茲利之興今復以禱雨利民而興茲利歷時雖遠皆出於深惠願力勤苦諸行然後成觀昔世之豪宗富宅畫棟朱檐咄嗟可辦至於勢去時乖蕩無遺像欲類吾浮屠氏更廢而迭興者幾希蓋由願力與勢力不侔耳故系之以辭辭曰

至人不作　作必有則　立教垂範　惟一眞實
以眞實故　集其大成　正法眼藏　愈久愈明
震旦之區　寶坊星布　像設尊嚴　大張治具
隨之西南　山曰大洪　盤基百里　俯視漢東
昔靈濟師　發軔於茲　中罹兵革　廢而後治
後數百年　了菴出焉　卓菴付龍　豐雨沛然
境民蒙福　乃構禪棲　美奐美輪　雲繞璇題
紺殿耽□　萬象悉納　翼以修廊　冠寰革刹
緊大司徒　法門砥柱　以大願力　相吾鐘鼓
冉冉緇□　朝經暮禪　克昌道運　永壽堯天
龍蟄于山　豐凶所寄　□□帝力　爲民之利
洪山崇崇　湖水溶溶　磨石紀功　與山始終

石刻史料新編第三輯（九），六九頁，嘉慶山陰縣志卷二十七，碑刻「元重建南鎮廟碑」：

一周官職方氏辨九州之國東南曰揚州其山鎮曰會稽山各長其方岳貴與表而會
稽尤居先亦若傳志所載南海神在北東西三神河伯之上先王致祭常祀固自有旨哉地主

靜故物生而不息鎮山因地之厚而相其成功在人則方伯宣仁風致政本俾民阜康而不知
所利由是道也案虞帝巡守則望祀山川乘輿所經歲周四岳雖古者省方設教禮崇以嚴猶然
而迫川望遂郊秩時燠洪舉人之於民亦已勤矣自巡守道廢而望祀僅以名存歷世降訂益昧
厥本秦漢祭興五畤旁禮八神諸若陳寶碧雞淫星參一諸君武戍不有祠祭方祀異說
交興祈禳號祭降及隋唐先王之理天下所以存誠召化孚格神明者其道隱而非彰矣山林
川谷邱陵能出雲為風雨者禮皆列諸侯神而祀況名山且貯英鎮下土利澤周施非重崇山氣
勤郡定國禦災捍患者作稽古盛際四鎮咸在封域之內分合非殊政教弗通神或匿祀望元
啓運武殷亂略德懋好生天人順應四方臣服自昔非常合同之盛未有如其際者也文治
修明中外寵福則又懷柔百神示以禮秩命臣延祭推東南控帶江海附閩嶠嶽主京屏時與
可稱狀而會稽之山秀聳無儔明盛所司由階居置宋祝號祭式公王未升大德己亥詔升南
鎮會稽山為昭德順應王氣嶽治同祀使若肅將戒具白金函香絡以綺牲醑芳潔薦豆靜
嵩然而象飾非嚴棟宇挫撓庭序棧隘陛降蹶蹶宋不稱禋越十有一年為至大己酉嵩議大
大臣余見赤來守益士進詠祠下顧祀興嘆曰守臣職在祥宜神訓民敢不欽厥事乃集
衆議將大撤而新之請於帥府給緡錢二萬五千四百有奇已黑觀傾相役瓌材文石梓

輸羣工致其巧既新舊循屋舍且與殿宇周阿兩翼後棟表以重門翼以長廡齋廬觀闊深邃有所邦
人士攸宗視祠合正周亭飛閣可觀可憩嶽山遶溪若有風馬雲車降臨來假先是越大饑道
殣相望禱請征賑荒政嚴思及期年夏復旱臣余見赤禱於神得雨人謂神亦矜民易
以感後復有事於廟經度故址為畝一十五有半因發地得石具識深廣北東西臨溪南直
王當祭紀以宋大中祥符之二年視舊加斥克宏厥規豈神之宿留告曉於人固如此哉致諸
在昔崇以完氣至揭虔成罪將迎發育天道無損因時布令仁行於春禮繼炳文歲功序成
物遇崇亡維益越士祥飾服闓於今幾四千載乃者歲比道使皆為民祝釐望上紺承恭緒申
飭有司祗慶忠祀仁昭禮洽上以法天之運而元臣領輔同德協心若底康乂東南旅倪陶咏
宜風設誠宣澤生叢教訓用於億萬世江浙行中書省平章政事臣張閭等參曰南鎮廟成維
臣非有律令命儒臣文原為文以詔來者制曰可臣謹拜手稽首颺頌帝德且宣神功爰勒銘
詩氣益山無極北詩曰巡狩東南萬山之藪就殷益士相北溫厚先民有言山岳配天體坤之
成洽合靜出峙茲會稽列嶂岣嶁巍穴巖崵祭望辟彼江海百谷是王禮隆昭祀嘉薦苾
芳奕奕新廟徐望丹楹俯仰則闓瞻從郎物既和止神亦安娛盈存時飾貢然承思擁其休
嘉錫此南土豈惟南土九有伊祜惟皇繼望惟臣祇謁諸神道泰靖兆民允懷詩詠闕陵式揚壽
祉

石刻史料新編（十九），一六七七三頁，陝西金石志卷二十八「皇元特授神仙演道大宗師玄門掌教輔道體仁文粹開玄真人管領諸路道教所知集賢院道教事孫公道行之碑」：

天啟聖元丕昭神武撫綏萬方髦俊臣附亦既抒
智效能懋建勳伐惟秦雍古稱神明之隩乃有樂道修眞之士宣
陝西金石志卷二十八 元 二十六
揚玄風以上贊淸靜無爲之治際遇周渥振古所未有也若輔道
體仁文粹開玄眞人孫公幼穎悟甫能言母氏程教以孔孟書一
過輒成誦被兵孤即刻志恬薄寄迹終南山從穆眞人踰十歲着
道士服玄明文靖天樂振教大眞人李公器□之授易老奧義天
樂之教由馬丹陽于洞眞二眞君以次相傳其胠抉淵秘雅有宗
緒紫陽楊先生仕金嘗轉運河南與遺山元公齊名世稱元楊是
也先生耑慎許可過山中顧公屬句驚敏大嗟賞由是英譽日馳
遂爲京兆路講經師妙齡闡教流輩爲傾淳和眞人王公昇號曰
開玄大師提舉重陽宮玄壇事至元甲戌昭睿順聖皇后命公傳
安西王掌祠事祈繪歆格即充京兆路道錄亡何洞明眞人祈公
屬公典教開成然留王□不果行復提舉洞眞門下諸宮觀秦王
稔公才望俾提點道門之在京兆者玄逸眞人張公以秦蜀道教
提點所非瑰特士不可擢公通議官壬辰提舉大重陽萬壽宮宮
自甲午營搆歷歲五十有九而殿閣壇宇訖未完美至公而圖繪
黝堊陶甓墁□之土悉增舊觀遂由通議官陞副提點遣奉王教
藏事殊庭羣鶴來翔衆嗟靈異大德己亥成宗加璽書授陝西五
路西蜀四川道教提點領重陽宮事越四年錫御衣一襲寶鎭冢
陽殿弘璧天球莫喩輝赫癸卯冬十二月安西妃大宴興慶池賜
西錦衣□□□□祀□□宮□□□綺□玉鈎帶以旌之而公得
寵弗居益守冲約因乘傳之華山投簡龍湫西還道渭南河水暴
溢潰堤旋俛日暮虞即死遮道祈哀公爲前立奔衝默禱人人爲
公危而公神色□若有傾□□流民以□□上遣侍臣奉香幣即
宮而榮焉秦人至今德公能道其事壽拜諸路道教都提點公亦
感激眷知趣裝入覲留三載加體仁文粹開玄眞人領陝西道教
陝西金石志卷二十八 元 二十七
事寔武宗即位之二年也公歸終南將遂終老仁宗志弘道妙欲
簡用耆德遣使召赴長春宮掌全眞教至則見於便殿大悅制□

褒嘉陽□春育日賜上尊酒一以示優老終南有甘澇二谷歲收園林水利以贍其徒詔有司毋令侵奪煩擾前所錫御衣勑中書叅知政事趙世延爲文紀于石自公之來玄訓是崇祠宫祝釐貺施如響其大彰著者延祐乙卯旱公禱焉大獲甘雨宰臣致幣文臣師之冬十二月星芒見公肅將毖祀竣事而星退舍賜白金泉幣荐禱雨于兩京皆應不踰期帝喜謂侍臣曰眞老成人也未幾命翰林學士承旨趙孟頫贊公像且加御璽其上前是爲脩壽寧宫之北斗殿既又即長春建殿以奉法主令叅議中書省事元明善譔詞勒碑□公居終南嘗爲鳳翔李氏有禱致雲見五色大夫士競爲詩文以表徵祥人意公靈符秘籙動致孚感不知精誠之極與神明會非方士曲學譎恠怱荒之謂也公念道有統紀若于李穆王諸師請叙增封號用敦報本作甘河橋以昭金正隆間祖師遇仙之所時元明善遷翰林侍講學士勑爲書成績至是公老矣上章乞西歸逾年今上可其奏陛辭奩香給驛以還入關觀者夾道嗟異至治元年夏避暑靈泉觀八月朔夢作浪淘沙曲皆辭謝榮名逸老林泉等語越五日大雨盥浴作頌翛然委蛻無恒化意公生宋淳祐癸卯六月三日壽七十九諱德彧字用章其先吳人有官于蜀者自唐僖宗書孫氏書樓而族亦弘衍在宋則有御史中丞□以伉直聞公蚤棄俗志老氏學深有契乎見素抱樸少私寡欲之旨卒能以善終始保其名譽可謂有德君子者矣每暇憙作字爲詩文有希聲集傳于世牓其室曰履齋弟子任道明張若訥顏若退趙道直景若冲等卜是年九月十二日葬公于終南

山仙游園楊太初曰吾師往矣不可以無述來請銘文原忝居集仙之署義不得辭銘曰　惟道冲漠惟民敦茂俗化澆淳日與物媾至人虛靜□守□正一氣孔神百雲順令陟降在茲昭假非違道豈遠而方伎汨之纖業坤維峨眉之麓曰書樓氏右江鄉族學生聞孫潔身巖阿□性葆元抱德煬和維帝簡在鶴書來徵耆俊登崇玄教以興接神明廷祇祀靈時祈禳雩禜□□燮理帝用蕃錫曰予汝嘉緊黃冠師圭袞之華公念休老陳詞于再雲軺風馭飆其西邁居有園池□□松檟不辱不殆孰踰公者迅景幾何德人其亡不亡者存雲山蒼蒼終南仙游游乎大始銘詩樂石光昭曷已

元統三年歲□乙亥九月吉日　特進神仙玄開演道大宗師重玄蘊奧弘仁廣義大眞人掌管諸路道教所知集賢院道教□完顏德明上

石刻史料新編（十八），一三五〇一頁，常山貞石志卷十九「元贈推忠宣力功臣榮祿大夫中書平章政事□國趙國鄭武毅公神道碑」：

公姓鄭氏諱温真定靈壽人世次遷徙莫迹其所始大
父諱普□諱守德字輔之當
聖元啓運收名髦儁得辟除帥府經歷年四十有四卒
公早孤母夫人趙氏遣從師問學既冠趣尚不羣皙從
顏行以□□□脩會□□（下缺）于南土中書粘罕公任江
淮安撫使道行唐公上謁粘罕公與語大竒之留置麾
下每野戰攻城必偕由是躬甲胄冒矢石者凡□（下缺）署
合必赤千夫長開府萬戶史忠武公尤喜尉傑士稔公
名軍與得簡抜其部佐甲貿歳籍淅軍用公為都□撫
合州踞蜀阨塞
憲宗親征釣魚山宋將王堅城守不下公麾戰日數十
合因賜名也可抜都兒蓋士之伉健絶羣者譯語云忠

常山貞石志卷十九　三

武公拜経略使以
王命調戍卒遷敵境仍署公漢軍都捴管降金符戎軍
中悉從公節度粤七季建元中統又明年公真拜璽書
佩元降金符引兵（下缺）李璮反山東
世祖大興師討之公在行遇靈壽弗入其家疾驅至濟
南□彼圍數□急夜突入公營公追擊斬首虜五十五
級　　親王合必（下缺）董東兵竒公驍果賜白金百五
十兩及酒具等□敗益都□
上凟賜白金如前數至元二季擢真定彰德衛輝本翼
侍衛親軍総佩金符如故又□□□懐遠大將軍右衛
親軍副都指揮使（下缺）
車駕幸上京命除道崩労嶺公夷高塹深車得方軌大
兒嘉賞尋統軍□人與欣都□忽取耽羅耽羅遂將海
中舟颶颸馳乎海□（下缺）颶風驟作雨晝夜秖絶島篙師
莫知所為犁旦視之則明越境也時江南猶未款附師
無橈敗上功最擢右翼親軍都指揮（下缺）日著諸將亦推
公有緩急可大用阿里海牙任資德大夫中書右丞同

忠武公行荊湖等路樞密院尋拜平章政事攻岳鄂江
缺下皆下之公率精兵萬人馬二萬匹從攻靜江靜江地
控嶺海其民□勢難馴公搏戰六日血流道經略馬曁
等敗屠之班師缺下五十人白金五百兩將校賞賚有差
入　覲除昭勇大將軍樞密院判是歲冬

帝駐蹕上京應緣山畋庶易動以詆將以公領士卒鎮
遏其變公辭曰師行縛騷民益詾擾盍若專使諭之迺
安隨可其奏缺下八年拜輔國上將軍參知政事行江淮
中書省事揚州為省理所會用師日本公智器械糧餉
于吳川航海較軍典□缺下官士流德之方之古詩書元
帥江南歲漕粟數百萬石實　京師凡用舟若干艘
公至淮揚揄村□其工費浩繇識缺下不可白之　中

書卒從其請事以完集民不告病省遷于杭□□張祠
里伯卒叱陵道上夫人泣□請曰吾夫職司泉缺下盜出
不虞柰何公遣百夫長二人各帥其□護櫬歸塋下邳
公之侍僚友篤生死若此事聞
上喜曰是誠老而練於事者杭歲侵公不俟報發廩以
振餓者為石二十萬有奇　制詔遊苫公以其子銓
侍會　缺下徒撒里蠻曰
上適詰公安在其丞入　見既又問鄉年幾何□幾
人□□曰臣□馬哀邁七十有一長子欽□□親軍總
管□缺下仕敢昧死以請時
成宗居東宮遂給宿衛遷淮揚進秩資善大夫江浙□
中書省□□□□□安□□□□□□治□為韓缺下

石刻史料新編（十九），山左金石志卷二十二「紫府洞碑」，「東華帝君碑」，二碑均鄧文原撰，然無碑文，可補遺其作品之篇名。

四、胡祇遹「紫山大全集」補遺續

石刻史料新編（十八），一三九〇七頁，安陽縣金石錄卷九「韓氏新塋世德之碑」：

韓之賜姓命氏有國有家見於詩於春秋於司馬史記子孫
或晦或顯代不乏人遭秦并田既廢封建亦判罷賢望之後
同列編民離鄉去國譜世系族墳廬昆法偕亡散處四方流
落異域故莫考其世次宣武將軍中衛千戶韓進狀其考妣
之德業請銘墓碑韓氏世爲太康方城人完顏金亡避亂來
安北渡河遂占籍相之安陽伏恩宣武之考諱成妣朱氏朱
亡娶其妹生男七人曰興進舉冲惠忠璋今所存者進忠兩
人耳進即宣武公也孫男七人德榮德祿鵬飛德温德恭德
元女孫十人成隱德不耀孝悌力田終其身進結髮從軍隸
本路元帥李侯帳下以材勇爲百夫長攻釣漁下襄鄧破坦
賊屢以戰功受錦衣寶鞍之賜仍得拔都之美名至元四年
隸屬武衛出則先驅清道春水秋山入則守護門關修完城
郭首尾服勞者七年至元十一年九月樞府劄付管鎮襄樊
歸附新軍是月拜命同右丞洪公取日本奪敵旗馬鉦鼓以
功北京行省咨保於樞府樞府授以北京等路新簽洪軍一
口千名千口告身一通月俸十七貫文十五年正月勑牒
拜忠顯校尉管軍總把月俸有加十六年陞武畧將軍明年
八年宣命武義將軍月俸有加又明年陞武德將軍佩金符
復征日本不妨本職充行省都鎮撫兼提舉帳前總戎旗鼓
司事大德三年十月欽授恩命遷宣武將軍職事如故公孝
思追遠自謂以騎射起舉得至今日皆父母怙恃誨道之恩
欲報罔極七年秋卜葬考妣於清河之西域阡陌不可無旌
紀銘曰
集德在身弗仕弗耀天道昭昭以福酬報其報維何有子克
孝其孝維何宣武是蹈屢從勤勞雪衣霜幘衛侍謹恪雨牙
風纛公不及私貞不改操彤弓金符功賞加懋起宗榮親人
莫能到生事愛敬没葬豐茂來裔如林是則是效

五、趙孟頫「松雪齋集」補遺續

石刻史料新編（十三），一〇八三三頁，吳興金石記，記十三，「錯龍盤記」：

君記趙孟頫撰并書在天聖寺嘉靖中諸生爲太守立去思碑乃磨去其文用之

石刻史料新編第三輯（八），三一頁，湖州府志卷四十七，金石略二「湖州路總管府題名記」。

古者諸侯之國必有史官太史公始摭其所述年經而國緯之合以爲表叅將使有民社者幸而覽觀焉必且曰某時爲何時某侯爲何人而我何如也予視其書未嘗不歎其春秋之遺意自秦置郡縣始不容有私史且士人之爲王官者非幸相不得表於史氏猶幸有所謂題名者吳興爲郡曰內史曰太守曰刺史曰知州事由晉王羲之而下凡如干人亦旣列名於樂石矣粤自聖化南被國家遴選仁哲以惠茲土蟬聯踵相接而未有所登載也今達魯花赤正議總管高侯下車數月乃命伐石合長貳爲之記而屬予以序予唯題名之設所以辨歲月昭爵秩觀其所以去來之故而賢不肖可知也善善惡惡而懲勸存也此太史公之深旨而春秋之微權也昔司馬文正公諫院爲之目曰某也忠某也詐使來者知所擇而勿失其所自處烏乎豈獨諫官也哉

石刻史料新編（十），七七五九頁，十二硯齋金石過眼錄卷之十八「大報國圓通寺記」：

余嘗以道德扣諸老宿乃曰道何物耶依之而心脩從
之而理順德何物耶布之而利博積之而行圓返斯二
者則聖賢不敢焉伽藍者著明道德之大宅也西竺聖
人目圓覺而爲之充三際徧十虛貫一心成萬德故在
處僧伽藍與天地相爲始終者無他蓋道德之自任也
嘉定之州在吳郡之東南百里形勢平夷早潮暮汐風驅
浪舶樓臺市井今古鬱然大報國圓通寺際州治之東
北相距咫尺開山沙門明了族高氏壯年極厭塵氛禮
杭州般若寺住持懸叟賢公薙染至元丙戌手鋤榛翳
浩然有開拓之志經營既嚴材力相稱廣堂邃宇宛若
化成大德己亥春欽奉
璽書賜圓通爲額越七年丙午入
覲明年丁未冬
武宗皇帝加賜今額錫妙明圓悟佛心之號及欽受
今上潛邸賜旨護持至皇慶壬子造物欲大其規制一
夕祝融卷入無何明年癸丑奮志興脩昔之向方竭匠
氏之智取東山之材甓墁陶冶百尔咸臻延祐丙辰復
奉
旨加賜妙明圓悟普濟佛心大禪師之號感
恩優異思報無所三閱暑寒諸徒悉備重明突兀曰殿
崢嶸庫院僧堂儼從地涌鐘樓經閣飛跂雲端庖湢廡
廩之整嚴廊廡寮舍之深靚朱楹瑩礎雜影如林金像
寶髻交光若徒師資授受甲乙相承復建大吉祥皇慶
寺於州治之北可二里命淨行沙門十六員歲脩法華
長期繩繩觀室井井禪龕魚鼓燈香幻成淨土又建大
資福壽寧尼寺於州治之東南隅蒼松古檜碧砌朱甍
六窓自虛纖塵不到兩寺顛末具在別記奚財力之可
臻必願行而乃萃曉磬鳴而象龍集夜禪起而聲色空
真風扇有漏之塵覺花開無影之樹締搆之功什既八
九延祐己未建大佛寶閣九間于圓通寺後曇華萬朵
闕數其中金色光明照心奪目二寺贍衆之土厚薄悉
書碑陰遠持事狀請記以文余聞圓通大士從聞思脩
以至成就不思議無作妙德其尋聲感應如鏡照鏡豈
有爲功用所能比哉吾儒所謂寂然不動感而遂通之
謂也佛書以道德爲圓通之因圓通即道德所證之果
也繼繼於百世之下者苟知道德之可從則圓通未嘗
不久且大矣余何言哉是歲十月之望當寺住持沙門
明了立石」

石刻史料新編（二十一），一五六八八頁，山右石刻叢編卷三十二「大元晉寧路翼城縣金仙寺弘辯興教大師裕公和尚道行碑」：

佛以大慈悲隨機說法為世舟航所以付囑其徒者攝為五分曰素呾纜則阿難受持曰毗奈耶則鄔波離受持曰阿毗達磨則迦多演那受持即所謂經律論也曰般若曰陀羅尼則付之文殊普賢二大士其教雖殊其覺悟羣迷則一而已佛滅度後二千餘歲有脩其教者曰廣裕實通經律論藏蔚然為四衆所宗世家絳之稷山俗姓郝氏夙敏慧肄講肄日記三千言發軔於戒經決策於衆經論頓轡於惟識因明年二十衆推為座元講說法要人服其精詣出世住壽聖寺脩

千佛洞佛閣殿堂大門講席聽衆逾百檀施雲與次住華嚴院且營且講如住壽聖時次住十方仁壽寺肇建夏安居講堂安衆百五十又建冬安居靜講堂安衆五百重脩佛閣法堂僧堂視住壽聖華嚴日益大以肆於是移住金仙寺寺大而癈久住持者難其人師立志(弘)毅百癈具舉脩大佛閣造弥勒大像高百尺廣三之一飾以黃金置大藏經及惟識鈔疏四十部又脩法堂僧廊香積詹楹户牖金碧輝映為晉偉觀寺東臨澮師慮驚濤衝齧甃石為岸高丈又尋袤八十步住金仙三十餘年終師之世講下常不減百衆最後住勝因寺剏建法堂廊廡三十餘間凡常住所宜有者無不悉備師前後受四衆請更五住持一日必胥講亦不輟四方檀施金粟幣帛一委常住所至有餘積而已無私焉以其羸餘施十方僧又約其同倫為上生會精脩客行揩生兜術示疾一日面如生時其住持勝因也陝州聞喜各建大會請師為四衆受戒阿闍黎四方請疏常以百計住金仙日值

世祖皇帝設資戒大會師於大內說法默契

聖心賜以袈裟住壽聖日感聖僧化供帑廩常溢是則教中所謂志行精專有感斯應者矣師生九歲從顯公和尚落髮出家又十有一年而受具足戒又九年而得法於雲濤和尚又二年領衆住持住持四十又一年當大德十一年十月廿九日遷化于金仙寺越七日塔葬于寺後壽七十又二臘五十又二嗣其法者七十餘人曰才曰頭為衆上首並受璽書名播諸方滅度後十又一年其徒智貞狀其師之行走京師請紀師道行以傳不朽余謂諸佛妙儼秘密刹海等一義味

支分派別如月在水非論無以證經非律無以顯教究其指歸則一而已師能融通三藏(弘)佛法於一方而始終焉則其為四衆所宗宜也其往生兜術陀天亦宜也其嗣法上足繽燈覺爽亦宜也乃為銘曰

佛以妙法大啓羣蒙空有互彰理事雙融皇元肇興大教是宗裕公之生適際其隆聰慧夙禀博洽强記曰經律論等一義味利生接物像教攸寄受法布金雲蒸霞蔚磨楷地涌金像山宗天與其謀神默其功微言(玄)論滂沛心胸道契聖心大衣(弘)賁慈氏攸歸佛光逾熾惟晉之鄙惟澮之襄表是堅珉靈室茲閟

江蘇通志稿金石二十「崑山州重建海寧禪寺碑」：

皇元受命紹天應真撫運統合上玄澤眾無極巍巍乎灝灝
乎萬世烈矣五典既庸九品維叙迺聞竺乾之傳覆載化

之境一時金容晃耀慧日輝煌琳梵之宮棲真之所罔不
星羅碁置圮者新□者闢而無量法界寂遠徹言夜炬
之光茲慈航之權蓋正教之晦明有期亦含靈之升墜不
佛也皇慶元年孟頫被
命入集賢閣時職校讐而三藏之書□西崑者甚備暇得捡
誠披誦理□迷重無所證明會崑山州顧善夫以事拉都
善夫故從孟頫及幻住禪師游而實心至道屢叩祖庭因
得相與策發深慶未聞既而善夫袖香請曰余州婁東海
甯禪寺肇梁天監中蓋尼妙蓮故址也尼以矢節得度荼
毘日烟焰中皆現蓮華狀鄉人因以題菴建炎間地屬鄭
承直氏鄭復施僧設廬紹興二年改廣法教院入

皇元燬於乙亥之變而佛像獨存僧景宣披榛鼎建大德初
海水漲溢東起崇明西及真州時朱左丞清以萬戶佩虎
符于海上遂請額于
朝以歷之因仍其名賜焉先是景宣伐石識歲月謀其未備
會幻住師嘗往來其地一爲演法善夫請記于師師曰其

以原學士也敢請孟頫謝不敏者再而善夫請益堅余惟
雙林滅跡垂數千年而西方東土如日中天如水行地彼
之資迦此之三武不能蝕其耿光者佛慈無緣其成其壞
緣不能及辟之澄空亂雲出沒似假風力而空本無雲業
風旋轉亦倏忽而散耳澄空自在也惟大聖之三昧本願
安詳而起正法流傳差刻不爽茲海甯之興隆非應

列聖之奉願而適與期遇者耶顧居是室者其益紹弘大法
崇闡宗風俾龍象世出覺苑長開妙蓮再生求直復起眾
朝曠典
昭代隆恩庶無負矣若栖林有托到岸無期遂隊連牀長年
粥飯豈惟三寶之義抑亦信施之所子歸其勸諸禪流併
以諗幻住其謂之何善夫再拜唯唯越二年延祐改元徒
崑山州太倉歲詣海甯祝釐而達魯花赤蘇羅公知州吉
卿王公平江山長失年王公皆數詣招提就寅公問法而
上都國師亦取道茲境將附市舶往闍婆國寬歲時駐錫焉
信一時之盛事獨左丞以飛語捉法寶江南釋禪藉者證
成之也益知世界成□不常而因緣會遇無可□云者以

椽計若干鼎廷落成歲月具列碑陰

世祖聖德神功文武皇帝受命上天混一四海拔豪傑異
材以自輔翼益不惟處之將相大臣則有若開府儀同三
司上卿輔成贊化保運元教太宗師張公則以方外顯矣
公諱留孫字師漢系出文成侯至唐之宰相文瓘之子孫
始居江南其分居信州貴溪者世為士族公生宋之季年
因從伯祖閒詩學道龍虎山上清宮受黃帝老子之書及
正一符籙祠祀天地百神之法羽衣高冠修髯廣顙狀貌
甚偉有相者過之曰異哉貴人九分神仙三分宰輔也歲
己未世祖軍武昌已聞嗣漢天師張宗演名使通問及得
江南亟名之從其徒數十人以來皆美材奇士上獨目公
而偉之於是宗演歸而公留及入見有錫予上時時名問
因及虛心正身崇儉愛民以保天下之說深合上意裕宗
在東宮寢疾上以為憂詔公往護視疾尋瘳上悅上幸日
月山昭睿順聖皇后又寢疾上命貴臣趣公禱祈以其法

貴溪縣志　卷九之七　藝文　金石　四

中宮夜夢絳衣長背之神朱轂行青草間介士白獸擁道
以問公公曰青草生意也明疾以春愈果然后從公求所
禱神像禮之見畫者與夢契益以為神乃詔兩都各立上
帝祠宇皆賜名曰崇真之宮併以居公賜平江嘉興田八
百頃大都昌平粟園五千畝給其用而號公曰天師公曰

天師有世嗣臣不可稱天師於是以宗師為天師別號詔
尚方作玉具劍刻文曰大元皇帝賜張上卿佩之號曰上
卿元教宗師總攝道教服寶冠金縷衣玉佩朱履執圭以
奉祠祀仰家起其父九德為信州治中佐郡以恩謹問超
拜浙西宣慰司知政政浙東以便家進其高第門人皆給

符傳車騎行幸無所不從公或留禁中至夜即輟乘輿使
回導以衛士雖固却不聽也上曰古者天子皆親巡方獄
今海內初定恐勞吾民上卿其乘驛馬五十以代朕行是
時上急欲周知遐邇搜訪遺逸故以近臣介公而勅宰相
百官祖餞國南門外還朝多所奏薦上籍其名聘焉擢公
商議集賢院事初集賢翰林共一院公奏始分翰林掌詔
誥國史集賢館天下賢士以領道教諸道官及宮觀主者
給印視五品為其道者復徭役或以道家書當焚上既允
奏裕宗以公言請曰黃老之言治國家有不可廢者上始
勅焚集偽臣論定所當傳者俾天下復崇其教而嗣漢天
師之傳自宗演至於今凡四世皆以公論建矣會廷議開
運河未決名問公公曰河成誠便利願勅有司毋壅傷
民可也武宗在宗之始生也上皆命公擬名以進仁宗五
歲時諱為乳父今廟諱是也上將相完澤命公以易筮遇
同人之豫公曰同人柔得中而應乎乾豫利建侯象為君

臣咸吉誠相完澤天下幸甚明日拜完澤右丞相上不豫
諭降禱官曰張上卿事朕歲久終始一德宜令諸皇孫尊
信其道又諭公善事嗣皇帝云未幾上崩成宗歸自潛邸
隆福太后遣重臣從公郊迎行至公下馬立道左上命就
馬且語之曰卿家老君今猶術暇邪意謂焚經後道教中
衰也公對曰老君今當覺矣上悅傳爲屢覲祠崇眞勑留
守段益眞買民地充拓其舊期年訖功上臨落成明年有
星孛於正北爲公禱之公奏曰臣聞人事失於下則菑異
見於上願陛下省躬修德以祈天也上曰卿戒甚至朕不
敢忽未幾兩都及河東地震復命公禱之公曰今命臣祠
上帝徒取故事受辭於有司臣竊爲陛下懼上曰卿言是
也朕之一心天實鑒之賴卿禮祠以達之爾遂禱於崇眞
有白鶴數百翔集中庭詔文臣閻復等作頌刻石上嘗御
便殿命公講南華經公推廣成子語黃帝之說上感歎加
特賜上卿元教大宗師以公生日賜玉冠上尊良馬隆福

宮中宮皆有錫賚自是歲以爲常興聖太皇太后還自懷
孟以公先朝舊臣加禮尤重武宗踐祚歷公大眞人知集
賢院領諸路道教事尋加特進封其三代皆一品以其兄
弟之子二人備宿衛命其弟子吳全節爲元教嗣師文宗
雅好文治嘗從容召公論道公曰聖人至德保體清靜則
永壽萬年庶類以成而天下自治是時文學之士並進而
公言最爲簡要奏加號輔成贊化保運元教大宗師勑將
作院刻玉爲印文曰元教太宗師印以賜公上御嘉禧殿
詔宰臣曰知朕有耆德之臣乎張上卿是也皆對曰誠如
聖言明日加開府儀同三司封其弟子七人皆爲眞人其
徒佩銀印以宣命者十二人贈其祖師八人故弟子二人
皆爲眞人加贈其曾祖宏綱曰集賢大學士光祿大夫柱
國諡安惠祖粹夫曰金紫光祿大夫大司徒上柱國諡康
穆考九德曰開府儀同三司大司徒上柱國諡文簡皆封
魏國公其妣皆封魏國夫人其從子在宿衛者皆授四品
官公年七十詔圖其像命孟頫贊之曰道德之全元之文
元時而出之溥博淵泉其動也天游其靜也自然人皆謂
我智而我初無言人皆謂我貴而我不敢爲天下先贊化
而不居寶慈儉而乾乾故位三公揖萬乘獨立乎方之外
而坐閱乎大椿之年微臣作頌承命自天穆如清風萬古

其傳

石刻史料新編第三輯（十），一五四頁，安徽通志稿，金石古物考五「大元勅建泗州普照禪寺靈瑞塔碑」：

延祐二年夏六月三日
詔遣正議大夫隨路諸色民匠都總管僧剛剌麻□乘傳至泗
州重建普照寺□塔以七月廿四日興事四年七月廿四日
□□□成高一百五十尺放大光明萬目咸睹剌麻人衆
奏聞府儀同三司普覺□明□□三□法師□剌那室利傳
旨賜□□□瑞明年夏四月十三日翰林學士承　旨開
府儀同三司知　制誥兼修　國史臣埜仙帖穆爾傳　旨
諭臣孟頫曰汝其為文以刻諸石臣職在紀載不敢以蕪陋
辭謹按寺舊有塔唐國師僧伽之所作也肇建於唐龍朔年
間重建於宋雍熙元年凡十有三級建炎間金兵破泗州焚
其寺大風忽起雲靄四合咸見是塔若於空中飛去自是無
復建者至元十八年僧懷融者踏
闕請建許之經七年會融沒不果就至是用西竺表法改建焉
僧伽者蔥嶺北人問其何姓曰何姓問其何國人曰何國人
唐龍朔二年東遊至長安過洛陽入淮泗居楚州龍興寺一
日礼山陽令賀拔玄濟所有神異玄濟因捨宅為寺師曰此
故寺也掘地得金像師曰此普照王佛也又得石刻果然乃
故齊香積寺也由□□盛行四方歸之景龍二年中宗名見
賜號國師留四年坐化于京師薦福寺歸葬泗州宋大中祥
符加號普照明覺大師師平生及滅度後靈異不可悉數人
額觀音化身云弟子慧儼慧岸木叉三人俱有神通事見高
僧傳欽惟
安徽通志稿　金石古物考五　第十九頁
皇上得佛乘之原究表法之正程功度能觀協矩作是梵塔尊
重殊勝表標淨白從地湧出金鐸振響諸天遙聞天龍圍繞
人神贊歎一切含生凡在見聞普沾福利咸成正覺僧伽大
聖睹茲因緣亦大懽喜惟此功德不可稱量始自今日至于
萬世四方無虞五穀豐熟民無札瘥夭昏而物不疵癘蓋八
萬四千塔放大光明
宗社靈長
聖筭萬億凡此福德與天無極豈臣之愚所能稱述謹拜手稽首
繫之以銘其辭曰
佛法有塔其來遠古及佛滅度舍利分布八萬四千徧南贍部
崴提表法尊勝堅固上儀瓶缽下應坐具八部森列萬神擁
護西無僧伽來自西域慈照無方普濟諸厄茲塔之建歷年
□□數百燬于建炎風霧四塞塔飛空中變化莫測既廢不脩踰
三百年天啟我
皇歸心竺乾載大慈勇成斯勝緣莪莪浮圖起于淮壖諸天歡喜
萬姓恭虔放大光明照耀大千伊淮之水導自桐柏東入於
海濤瀾無極佛法無邊
聖壽萬年茲塔恒存永鎮中天

石刻史料新編（二十一），一五六九五頁，山右石刻叢編卷三十二「大元贈嘉議大夫禮部尚書上輕車都尉追封馮翊郡侯吉公墓誌銘有序」：

延祐三年
天子方廣孝治推恩羣臣咸得寵榮其世迺命有司著爲令
自而父祖至于曾祖若存若亡階官勳爵各眎其秩而等殺
焉示臣子以尊、親親之道休矣盛哉於是嘉議大夫嶺北
湖南道肅政廉訪使吉君天英品在第三宜得贈封二代遂
贈顯考鹽使□君嘉議大夫禮部尚書上輕車都尉追封馮
翊郡侯蓋距府君之卒葬廿有七年矣又明年君之弟承事
郎中書兵部主事天弼以其狀請於太史翰林承　旨趙孟
頫曰願有紀也既不獲讓□則叙而銘之府君諱祥字瑞之
其先家絳州金臺自其高大父始徙汾西故君為汾西縣人
府君生數歲而孤賴其母任夫人以克有立翰冦□□□吏
平陽稅課所尋以□廾知事由寶成倉使西京務使得授將
仕佐郎濱鹽司副使進將仕郎□南轉運使經歷又以承事
郎為臨水鐵治提舉轉廣平鐵□提舉遷同知平定州事會
朝廷方講求經賦以為鹽法久且弊有
旨起府君以舊官佩金符為濱鹽使居有間轉運使上其最
進□□□大即升大使□□二年春秋六十九以大德元年

〈山右石刻叢編卷三十二　三七〉

三月三日卒于家府君歷十官僅一試民社自餘皆主錢穀
專幹榷用其幹敏潔廉所至辦治在臨水廣平能究□窑冶
諸弊凡所更置法沠于今於濱自副使為經歷轉運司已□
河領使事地利之瘠豐民力之饒乏研計揣度無豪髮遺然
而本其誠心不專用法故役不衡時而人以安輯先時刑徒
鉗作往往死飢府君□至躬自節觀其食飲□得不失所免
去喝大葺呼謝府君晩尤好讀書慈良愛物其天性然也蓋
自中世以來用鹽鐵酒榷益賦縣官論者以為盡籠天下之
利而不知制兼并抑浮末要亦深□仁厚之意第令御事者
咸各盡其心則惠施劾集有他官莫之能先者以余觀於府
君則夫生有餘榮死有餘哀固不益可信歟然則士之為善
者其可不知所自勉乎哉府君之曾大父諱祐大父諱琚父
諱誠皆隱德不仕今以恩併□府君之父亞中大夫同知山
西河東道宣慰使司事輕車都尉封馮翊郡侯母任氏馮翊
郡夫人府君先配李氏追封馮翊郡夫人先卒三十八年今
配于氏亦封馮翊郡太夫人子男七人長曰天祚次即廉訪
君今以中奉大夫為淮東道宣慰使有能名曰天益奉議大
夫延安路綏德州知州公勤明敏曰天禧稻田鷹房民匠副
長官曰天弼主事君也由中書左司掾選授挺奇雋曰天允
國子生曰天興早世女適奉訓大夫巢(字)路摠管府推官姚
文偉孫男十人曰亭曰省曰魯曰朴曰延壽曰拴住曰長安
曰赦曰撳住曰家和其長男天□平昔和不失同儉而中禮
子省授承事郎寶坻縣尹其葬在所居縣東一里李夫人同
竁銘曰

〈山右石刻叢編卷三十二　三八〉

未童而羈　啓慶自躬　不掾其贏　以集于功　維卒
不有　厥聲以鴻　高王坎中　曰茲公宮」

六、吳澄「吳文正集」補遺續

休寧志卷三十三「謝徽菴程先生書」：

十月日學生吳澄皇懼百拜致書府博秘書郎鄉先生講席前澄嘗謂孟子沒而聖學不得其傳自我朝程夫子出而後有以接夫千載不傳之緒澄也厭科舉之業而欲學夫子之學久矣嘗恨不得生乎其時游乎其門顧徒私淑艾於遺編而想慕於異世雖夢寐間如或見之蓋今之世有程其氏者亦莫不願識其人以少慰予心之所思今先生職教於吾邦澄也一覩先生之姓恍然若河南二夫子之復出於今也柰以處於窮鄉遠於郡庠不得以挹坐間之春風立門外之尺雪未嘗不為之怏怏今秋試于棘闈幸為有司所錄因得進謝於先

休寧縣志卷三十三　九

生惟四六之文乃平生之所恥為用是更不隨例具啓以獻聊為言程夫子之所學而求印正於先生焉蓋澄聞之人之生也其心之所具有仁義禮智之性其發也則有喜怒哀懼愛惡欲之情其身之所接有君臣父子兄弟夫婦朋友之倫日用之間又有萬事萬物紛至沓來之變吾之一心則所以具衆理而應萬事者也吾心所具之之理即天下萬事之理理之散於萬事者莫不統於吾心理之具於吾心者足以管夫萬事天下有無窮之事而吾心所以應之者有一定之理人惟不能有以存其心而無以為一身之主不能有以盡其心而無以知天下之理是以往往皆出於私意人欲而不能自反也程夫子之教人也使人居敬以存夫心如主人在[illegible]侍僕之職各供其使令而不紊賓客之來各隨所應酬而無差使人窮理以盡其心如善知路之人知適其處當從此知適其處當從彼如善識秤之人知其物為若干銖知其物為若干兩是以處君臣則盡君臣之義處父子則盡父子之仁處兄弟則盡兄弟之禮處夫婦則全夫婦之別處朋友則全朋友之信以至處天下之事亦莫不各有以當其當然之則此程夫子教人為學之大畧也愚生自十五六時已有志乎此今用工七八年矣顧為科舉之業所分而未得以專繼此倘得免於科舉之累而從事於此焉則吾之志得矣若夫一舉及第做狀元而便謂終身事業已了當者鄙人也愚竊恥之乃所願則學程夫子先生同姓人也家世之所傳果

休寧縣志卷三十三　十

亦有異聞者乎願以教我不備澄皇懼百拜

又

孟子曰欲貴者人之同心也人人有貴於己者弗思耳此第一節言人皆欲外物之貴而不知有在我之貴也

人之所貴者非良貴也趙孟之所貴趙孟能賤之此第二節言外物之貴不足貴也詩云既醉以酒既飽以德言飽乎仁義也所以不願人之膏粱之味也令聞廣譽施於身所以不願人之文繡也此第三節言人能有在我之貴則自不願外物之貴也願即上文所謂欲也愚嘗聞之曰欲與思皆心之用也外有所慕者謂之欲內有所省者謂之思是欲者用心向外而思者用心向內也大凡人之有所慕於外者必其已之無是物也若已有是物則亦無所慕於外矣孟子此章當分為三節而觀之其第一節言人皆欲外物之貴而不知有在我之貴也第二節言外物之貴不足貴也第三節言人能知在我之貴則自不願乎外物之貴也內外界限截乎甚嚴孟子言之所以如是其深切者正以當世陷溺之深故耳嗚呼孟子之時陷溺之深者吾不暇論也居今之世為今之儒自其丱角讀書惟曰吾為應舉之文以取科第之貴而已一旦得官則自謂所學既效而平生之志願遂一身之能事畢矣其間見識之頗明趨向之頗正者能幾何人哉蓋愚嘗求一人焉以與之共學而不可得也是以私淑於經而無所師獨學於家而無所友今先生乃推夫子與進互鄉之心而曉之以義理愚也伏讀三數不覺惻然有契於心者焉思欲有言而不知所以為言也聊誦所聞如此蓋將演其義而未暇修其辭也外有私錄二集乃平日自警之辭孝經定本一篇又取他書之言孝者為外傳十篇而編次未畢皇極經世續書一編蓋以先天六十四卦分配一元之數其後復推古今治亂相禪之由若書與春秋則嘗欲集諸家之善為一家之解以補先儒之未及而方發其端未及竟也始以泰誓一篇隱公一年二年草稿為獻以求有道之正蓋多未定之見固有已覺其非而未暇詮改者幸先生察其所以而終教之

七、楊奐「還山遺稿」補遺續

石刻史料新編（二十一），一六〇九四頁，隴右金石錄十一頁「汪義武公神道碑」：

王名世顯字仲明鞏昌人仕金以戰功擢千夫長累遷鞏昌府便宜總帥
金亡踰年始屬國朝職仍舊賜金虎符伐蜀有功癸卯歲卒年四十九公
系出南京徽州歙郡之潁川貞祐二年西北繇階功起家爲千夫長入轉
領同知平涼事正大四年領隴州防禦使隨征從宜分治陝西西路時西
南調度窘廹公發家貲率豪右助邊鄰郡效之軍餉以之不絶六年以鞏
昌衝要之地陞鞏昌府改兼治中轉同知兼參議帥府機務是時所在殘
滅飢疫漸臻公與便宜總帥完顏仲德擁將士吏民出保石門九年仲德
勤王東下公拜便宜總帥制旨大約屬以社稷爲念公感泣自奮至於糧
械莫不精贍明年京師變郡縣風靡公獨爲之堅守越三年猶安堵如故
而外攻不弛謂其衆曰宗祀已失吾何愛一死千萬人之命懸於吾手平
居享高爵厚祿死其分也餘者奚罪與其自經於溝瀆姑殉一時之節孰
若屈已以紓斯人之禍乎會皇子頓兵城下率僚佐耆老持牛羊酒幣迎
謁焉皇子曰吾征討有年所至皆下汝獨固守何也有君在上賣國市恩
之人諒所不取皇子大悅勅其下絲髮無所犯蓋乙未冬十月四日也但
詣隨行帳寵之以章服職仍故云云即日南征鳩士馬截嘉陵賊大安未
凱旋疊承獎資丙申備前鋒進次大安田楊諸蠻結來援公揮輕騎五百
撓之衆亂首尾不相藉潰走日暮南將曹將軍潛兵作犄角計公單騎突
之格殺數十人黎明軍合殪其主將皇子嘉歎之賜兵馬佩刀退語所親
曰吾已撤蜀之藩籬行寢其堂奧矣丁酉春夜入武信城燈市帖然出其
不意全獲府庫遂蹂資普戎戍軍葭萌之南都統青澗劉阻山爲柵公選
數百騎奪柵而入多所俘殺得其輜械乘勝赴資州壁壘間識公旗幟駭
怖逸略嘉定峨眉以歸已亥秋俾隸塔海公節制道險霖雨阻潦攀木緣

磴徹開州聞蜀軍列萬南岸公伺夜伏兵上流舟北岸以疑之既而由上
流鼓口而下襲破之追奔直抵夔公返而搏之幾無噍類涉巫山與援軍
逆復剿三千餘級比春分兵拔江引還及涪州修浮梁信宿而辦以南道
之師環攻重慶守者開門延敵他將莫能支公提戈首入人服其胆勇蘄
併力以拔其城會大暑乃罷秋入覲帝數其功賜金虎符公拜謝曰賓陛
下威德所致臣何預焉上樂其知體首肯者再四辛丑蜀帥陳隆之自稱
百萬衆馳書索戰堅壁不出公曉以禍福十二日夜田顯縋城効款覺之
公曰事急矣叱梯城入敎軍民從顯而出者七千餘口獲陳隆之斬之五
日公領精銳五百搗漢州州兵三千出戰城閉盡陷三日軍畢集又三日
克之露布以聞王璽節欵賞仍賜田顯符印癸卯春公且疾怨被召即戒
途既見賜虎符擢便宜都總帥手詔撫秦鞏定西金蘭洮會環隴慶陽平
涼德順鎮戎原階成岷疊西和二十餘州事無巨細惟公裁決以憂深責
重疾再作竟不起公器局宏遠天資仁孝奉養太夫人斯須靡忘南征得
旨酒不遠數千里載歸以備滫瀡虎瘦不御酒肉劬勞之日必致齋薦祭
喜儒術聞介然之善應接無少倦羇人寒士解衣推食生館死殯各得其
所還自蜀載書數千百卷而圖書半之士卒必同甘苦如父兄之於子弟
然臨陣整肅無敢干者憫斯民未輯刑清役寡縱所不克猶乃緩期不至
急暴上下相安不聞告訐或有牽連議從寛釋同屬異主者多盡力購拯
之每事先意覘程而後處之及訟庭驛舍則靜若隆平時休沐對客命觴
雅歌投壺而已燕居逸游若不勝衣遇敵先登刈旗斬將勇冠三軍雖古
之名將無以加矣

八、劉因「靜修集」補遺續

石刻史料新編第二輯（九），六四九五頁，句容金石記卷六，「贈總制高公碑銘」：

高氏自吉安徙揚城復徙句曲者其地於今爲句容之驪山驪山之高其稱益久自
公復大著公諱仁字敏一宋理宗景定壬戌科武進士初授湖南昭勇將軍朱端宗
景炎丁丑歲遷制置大使帝昺祥興已卯年因國變隱居爲元人所逼拜總制提領
大使征交趾有功進封平南侯固辭不受乞歸田里銘曰烈烈丈夫逢時之顛忠家
許國摧剛挫堅仁智信勇所向無前去逆效順戰勝陲邊既明且哲不屈於元功成
告退理所宜然斵文于石後嗣永傳元至元廿九年九月九日右贊善大夫劉因撰

九、魏初「青崖集」補遺續

石刻史料新編（二十一），一五五五八頁，山右石刻叢編卷二十六「遼州重修宣聖廟記」：

政以教為本善為政者必推其教之所自出使民油然興起
而知所趍向也夫民受天地之中以生其見於惻隱者仁也
其發於羞惡者義也至於辭讓是非即禮與智也由是克篤
父子之親君臣之義夫婦之別長幼之序朋友之信無所往
而不在故堯舜禹湯文武周公之所以率修者此道也及王
政下衰三綱淪五典廢人之所以得於天地者無幾矣當是
時吾
夫子禀大聖之資而無位無權不得見諸行事如堯舜禹湯
文武周公之時其所以救慮萬世至深至切也遂刪詩定書
繫周易作春秋修禮樂使人心之所以與天地並者至今昭
灼而不泯如日月既晦而復明山嶽既裂而復合古所謂賢

於堯舜者遠豈不誠然乎哉自漢晉歷南北隋唐迄于五季
于宋于遼于金悉建廟于國都自國都以及府自府以及州
自州以及縣咸以王者禮祀之繼繼承承典冊具在
聖元有天下干戈方殷日不暇給
今天子神聖崇尚文德
詔諸道監司以宣布教化修舉學校為急務故所在文廟燦

然一新遼州今隸平陽舊有廟歲久圮毀中統五年州之尹
劉其姓者與同知州事王其姓者共建正殿十有二楹達魯
花赤　國朝通府州縣各置一人位在尹右譯言按治約束
之意前之任是職者創建東西賢廊凡九十六楹三門講堂
共二十有四楹今之任是職者乃像設大聖及十哲又繪七

十二賢二十四大儒衣冠文物煥爛整肅大為一郡所瞻仰且請文諸石初謂聖人所以與天地叅為萬世法者非有甚奇恠恍惚可以驚動觀聽者之所為也亦曰率性修道而已矣如菽粟布帛飢者必食寒者必衣不可一日無也故為政者守之則治不守則亂夫君令臣忠父慈子孝兄愛弟敬夫和妻柔是豈頃刻造次可離者耶後之為政所以不及古者不可以他求也治於人者不能率是性治人者不能修是道也今子數子能知其本之所自出揭以示民使奉崇而率修之他日州民之秀萃者慎思篤行一有成就得承官之使德澤施於時則子數子之功也其有常才細民使之由之用天時因地利耕織刈穫用孝養厥父母以敬供公上亦子數子之功也詩曰思樂泮水薄采其芹又曰敬慎威儀惟民之則子數子有焉初不能文聖人不可名姑以人心之所固有者相告語且為時當二仲釋菜時使工歌之庶幾易以興起且奠來者有以考其用心之知本也劉諱義王諱德寬前之建門廊而堂者屈出不花今之克像而且繪者亦黑迷失不花

秩秩遺城　殖殖孔庭　喪亂既革　如礫斯平　邦民窘朴　莫知所止　俟誰啓之　曰子數子　有嚴斯政　有廊斯翬　由門而堂　君子攸躋　有儼者像　有繪者儀　春秋奠設　衣冠委蛇　下民仰止　罔不自治　若子若弟　讀書誦詩　敬恭朝夕　雍雍熙熙　孰頑不格　孰嚚不移　孰悖不順　孰愚不知　如水在器　圓方自隨　伊人之情　伊牧之司　後之來者　其將有考於斯

十、胡炳文「雲峰集」補遺續

石刻史料新編第二輯（九），六五〇三頁，句容金石記卷六「天王寺碑記」：

天王寺額自唐中和始寺初名豐樂在茅山之陽後遷浮山伽藍神顯大神通環金陵數百里禱水旱疾沴如響聲靈聞於朝咸以爲伽藍神即毘沙門天王乃賜今額天祐二年詔天下無額寺皆毀近如承仙道德敬仁三鄉（沉鎮邑志但有通德政仁二鄉原碑乃稱道德敬仁蓋理然亦當存其實也）凡九寺毀其八惟天王以額有宋至道二年詔如天祐寺存如初元符間寺弊僧法超刻志累終撤而新之辛勤餘十年乃成居無何宋南渡金兵沿（第祭卽）及寺殿桷水出如注泥像觀世音眼有水如泣金人駭㩦火隨止建炎後僧守一嗣葺唯謹治之未幾而壞已隘之矣大德丁酉僧行超號物外不假衆緣慨然修已橐創大殿越三年佛像供設具又數年創僧堂厨堂堂後浚大井復得衆耆舊及富豪相之寶藏經閣鐘樓兩廊三門成棟宇宏麗金碧焜煌超公又買田一千畝歲入米八百石鐘魚之響不絕包笠之來如歸自有天王以來斯爲盛矣徒僧法閑從日述脩建始末求記且曰開山融禪師受法茅山貞觀中居牛頭石室永徽以來負米丹陽朝往暮還八十里供僧三百衆又念山之廢興凡四天王著靈在唐僖時前超經營一嗣兹在宋南北將分時今有田可食且可贍往來視開山負米時何如今超公建造當天下太平無事視前超脩創時何如知恩報恩吾徒當何如用力耶余聞其語歎而言曰其不昧所自而持心堅固如此爲吾聖人之徒者可愧矣遂爲之記

江蘇通志稿金石二十一「句容縣學鄉賢祠記」：

祠鄉賢所以善風俗表忠孝所以厚綱常容邑祠非其鬼者甚衆　所謂鄉先生沒而可祭者學未有祠非缺典歟泰定乙丑乃始闢講堂之西爲之按邑志及史書唐有張公諱常洧居喪盡孝廬墓三十六年劉公諱鄴事主盡義當黃巢之亂不臣賊而死此正李泰伯學記所謂爲子死孝爲臣死忠者也祠之于學見鄉先生之所以可祭者如此見士之所以爲學者當本乎此高山景行之思秋蕕寒泉之薦使人覩之尊尊之天油然不能□□者其或士之躬行於此稍有歉焉不可以升斯堂扣斯□矣然則此舉有關於綱常有補於風化不淺也可不爲之記云

石刻史料新編（十六），一一六五五頁，安徽金石略，「宋環綠亭記」：

「無年月，佚」。

然雲峰集卷二有「環綠亭記」。

十一、王惲「秋澗集」補遺續

石刻史料新編（十七），一二八二六頁，閬中金石志卷十三「秋澗老人蟠桃塢詩刻」：

都會東南亦可夸衣冠文物見多儀儒風興盛猶唐
館霸氣沉雄入釣池海近亞城朝日早江闊平野暮
潮遲道山亭過斜陽晚一片琉璃晤語時

吳興劉氏希古樓刊

石刻史料新編（二十），一五五二五頁，山右石刻叢編卷二十五「解州聞喜縣重修廟學碑銘」：

堯舜用道以治天下孔子任道以善萬世其所以明倫建極
論政造士邇說遠懷者不外夫術有序國有學而已後之君
人者思欲化隆唐虞坐收牖易之道舍
夫子之教將安適歟我
國家尊師重道明德新民風動海寓爰自京師達於郡國鄉
遂率建教官勉士以德趨民於學其比隆致治之意固云極
矣而承宣奉行寔守令之職是則道生之本教始之基其可
後而聞喜在秦曰左邑桐鄉逮漢元鼎間始易今名其為縣
浸董澤奠鳴條雄盤遠帶風土夷沃通晉丞蒲古為咽會名
鄉碩德代不乏人顧山川之氣鍾靈萃秀必自人文德化薰
陶浸漬輔相裁成者耳縣廟學舊矣枕城之艮隅地埶穹窿
如神龜負圖背露淵水蒼官蒼鬱環列庭戺秋煙古色望之
儼然皆數百年物也按廟碑由宋汔金宰是邑者增崇非一
故制度宏麗甲於諸縣還革已來神棲碑屋幸脫煨燼然歲
年綿邈人跡罕至浸淫于壞蔡草棘而宅狐狸蓋有年于茲
至元已巳從仕郎張君來尹是縣首以營治為任迺謀於同
僚曰是役之興雖仰體教條當以身帥先贊襄者緊公等是
賴於是監縣事脫台簿司天祿佐史劉瑞爭出廩料資所須
而濟厥嬍爰及吏民咸其誠敬聿來趨事如樓棟桷櫨之傾
腐者瓴甋陛堦之缺裂者舉易而新之復起講肄之堂齋廬
之位洎夫神門庖庫畦圃游息之所莫不畢備用至元十年
春二月釋菜禮告成厥功百年偉觀頓還於舊學明年春佐
史劉瑞介汾西前尹王廷季持溫國文正公學記踵門而請
曰不腆敝邑猥致力於鄉校功甫僝而尹適去於可俾上官
之善蕪焉無聞於後以職以分瑞也寔任其責擬揭諸麗石
以告來括不肖素陋於文以懇禱堅切辭不獲已敢勉為書
之又竊喜幸得列名於司馬公之下風固所願也尹晉之臨
汾人諱仲祥資明良果於從政故其為善卓卓有成也如是
較夫從事於簿書期會之末者不曰有志於李知教之所興
欸新令尹蕭君復繼而克行以增益其未至者異時化成俗
美不權輿於諸君者耶誠可歌也已其辭曰
維漢聞喜古桐鄉東浸董澤南條崗千年高木秋煙蒼廟宮
盤盤枕艮方平時絃誦溢兩庠代不乏賢古明良如儉顯魏
庾相唐風雲感會龍虎驤至今德業何昭彰神屋雖存圮且
荒蒿萊沒人狐兎藏風雨穿漏摧棟樑張君下車心慨傷首
以營治如弗遑同僚見義為贊襄咨嗟吾道百孔瘡頓還舊
觀蔚有光齋廬有室講有堂我南丞蕭過此邦覿觀咸事思
彷徨吾儒有例善則揚作詩豈惟示不忘士民嚮化此本張
嗚呼廟碑古甘棠

石刻史料新編（二十），一五五二五頁，山右石刻叢編卷二十五「絳州太平縣重建文廟賢廊碑」：

二帝三王之道遠
孔子而後明然師受私淑傳之後世俾彝倫攸叙而不斁者
七十子有力焉是則配侍於聖人也宜矣太平晉國故封
今為絳之劇邑襟山帶河衝會南北故其俗率勤儉剛義憂
深思遠有陶唐之遺風焉為縣者必欲明倫復古吾夫子之
教其可後乎縣有廟學舊矣
國朝以來具法宮而虛兩序春秋奠獻自侯以降位設牖下

山右石刻叢編卷二十五　三六

其於典憲是殆闕然迨至元八年夏進義副尉平遙任輿嗣
來主縣簿覩其如是慨焉興感廼祗會教官張鑄孫天鐸賈
彥良洎邑之士人相與庀材僦工經營以方不期月而告成
厥功凡為室東西各五楹翬飛翼棘奐焉維新遂圖七十子
肖像於壁元哲當座素臣儼如載尊載儀咸列斯宮吁其偉
哉以至元癸酉秋八月釋菜之禮用安神棲邦人嚮化士興
於學若任君者於承宣之職可謂知所先務爰作詩以歌之
其辭曰
元聖垂教　先天後終　用廣發越　群賢之功　於赫
魯語　如日在空　建極明治　萬古攸同　宜其報禮
極熾而隆　奕奕兩序　厥功固微　小善罔棄　大
焉可希　刻詩廟門　來者庶幾

十二、姚燧「牧庵集」補遺續

湖北金石志卷十三「襄陽路重修廟學碑銘」：

聖元為制凡士其名而儒其服不糅之民而殊其籍惟貲田租商徵自外身庸戶調無有所與者將百年於此矣世祖詔即闕里聚孔顏孟三族置官而教之以俟其成德達才者垂三紀焉是皆無聞歷古而獨見之今者也陛下繼聖恢前皇之遠猶舉厥未修之典封衍聖公屢下明詔還正貢莊學田俾完廟養老資廩師生其於世聖人之胄學聖人之徒覆毓漸涵德澤至矣府州縣邑為之牧守令長者率以作新廟學為政務先而恐風行聖化之後也襄陽宋之鄙城也金社既墟當歸吾元由於忽棄不戍故宋竊築為荊北門殆四十年世祖徵兵天下不忍徼利一旦以鬬吾民包漢峴而城之視猶虎圈待其自斃五年迺下則其受大兵也為最久城門闕矣廟學前火閫帥武臣因陋就簡而為之不稱神居勢宜改為田之在郊籍既失存民亦廢耕主吏去之無有知其在所

不敢視江南他州之有夙儲者其施力又若甚艱此前政所以苟於其事者惟總管陳術經度之已而受吏今總管陳義謀之吏民曰明詔如是吾方權輿表田募民覬利何時使是學媿德他州則二千石為不職且受譏矣不眾為之就緒無日吏此者割若俸戶此者捐若財應者讙然辭出若一帥守兵家亦勸赴功猶不足用取餘公帑治之二年聖哲中殿贊

儒旁序門堂齋庖楹礎林立朔望春秋皆奠薦講肄籩豆鐘鼓有踐與節人之戾止新視易聽起所墮習而祇畏矣燧嘗過之拜其下庭猶有可憾焉者自唐開元配食顏子拔曾子於諸子以足十哲前宋則躋孟子與顏子並雖經百年未之或改後宋則益以曾子子思進子張於曾子之舊故江之南位十哲上亞聖人者四焉宋平北方學者安顏孟而異曾思閩憲首請黜之當國之臣不然之也其後一侯為憲河南是時襄陽未入山南猶其所治也不請而遂黜之由是廟配止顏孟自今以觀顏曾之於夫子同見而知伯魚前死則子思亦見而知者惟孟子後百有餘歲為聞而知子思學曾子孟子學子思而得其道統之傳則曾思之功果不優於孟子乎顏氏前死有聖人者存未嘗為書質之於經事十九見質夫子者纔一問仁與為邦二焉一以修己一以治人他皆見稱於夫子與不待問而自謂之者也曾子述孝經大學子思作中庸孟子則自著七篇之書學者賴之至今為書三子二子獨見黜是外其師而弟子是尊於聞而知者仍祀不變而顧後所見而知者焉皆不知為何說也或曰子記汴學已識立顏路曾晳伯魚於序而坐三子堂上今何云然燧曰嚮所疑

者以崇子而抑父弗安順於倫理非曰可併去之也今江之南已配享者可不請而黜之則江之北有功會思者可不請而配享乎燧故嘗曰人臣有見列而上之則可若制度考文之事天子司之以宰國家追於稽古之事雜天下學禮之臣羣然議之必得所當義者而後可也侯礱石求銘奉議大夫山南江北道肅政廉訪副使馬公煦分刺是郡亦以侯嘗勸心宜若可言燧曰嗚乎是豈可易而爲乎哉孟子稱智足以知聖人者宰我子貢有若子貢有若則以爲自生民以來未有宰我則以爲賢於堯舜遠猶未曉言聖人之所由以然孔子語堯曰蕩蕩乎民無能名焉則遠賢堯舜者益難名矣然自孔子沒訖漢之世將八百年廟焉而不碑其見之金石者孝桓元嘉許魯相瑛置百石吏領禮器與孝靈元興魯相晨

奏依社稷出穀王家共禋祀二詔魏曹植始碑之唐則作廟之州必碑最盛以眾就其善言者韓愈氏處州柳宗元柳州處州曰自天子至於郡邑通祀遍天下惟社稷與孔子又曰仲尼之道與王化遠邇二帝三王無以伴大不敢一言以贊其道無他蓋聖人之道天也善言者繪工也於山川鳥獸草木之爲物與人執事或可圖而肖之以語繪天設色而得其彷彿萬一者古今人無能爲者也故惟著其始踰而今完者以告夫後之人銘曰維襄形勢始終一地視時屯亨而爲險易昔焉晝守負而江山動天下兵五稔悖頑時匪無學士日介冑以扞天刑追事俎豆皇輿既逖江南海涯顧爲士中襟帶安施猶爲名城于漢之域惟廟弊軋不堪瞻視帝舊文教延佇憂憂于學須材如護仰屨是邦承流其陳兩侯術也經晝義成其績桓桓新宮實教所基嗟哉襄士佻達何爲聖人遺言具在方冊口誦心維奚異親炙朝趨斯庭夕休斯廬亦奚以閒闕里卽居行見接武賓興成德作之君師實帝之力刻詩麗牲用示無極

馬案右碑首行題襄陽路重修廟學碑銘并序第二行翰林學士朝請大夫知制誥同修國史姚燧撰第三行大中大夫襄陽路總管兼管本路諸軍奧魯總管內勸農事王艮嗣書第四行資善大夫中書左丞行荊湖北道宣慰使史杠額文後銘銘八十字二十句後題大德六年二月既望襄陽路總管府題控案牘程將仕佐郎襄陽路總管府知事李徵事郎襄陽路總管府經歷張承務郎襄陽路總管府推官任承務郎襄陽路總管府判官郝武略將軍同

知襄陽路□管府事管領元來人匠句當懷遠人將軍襄陽路總管府達魯花赤兼本路諸軍奧魯總管府達魯花赤兼內勸農事以上所列之官有姓無名者五又有官無姓名者二案元史傳姚燧字端甫謚曰文至元七年始爲秦王府文學未幾授奉議大夫至大元年除承旨學士尋拜太子少傅辭不受明年授榮祿大夫翰林學士承知制誥兼修國史四年告歸尋卒謚曰文今碑大德六年稱翰林學士朝奉大夫知制誥同修國史史失書湖北金石詩注

石刻史料新編（十九），一四七六一頁，山左金石志卷第二十三「大元太師武穆王神道碑銘」：

當大德癸卯燧持憲節使江之東三年光祿大夫上柱國江浙
行省平章政事公之三子內□□太宮宿衛渾都與江東建康
道肅政廉訪副使伯都及行河南省參知政事埜仙帖穆而譜
其系狀其事以請曰先公三宿墳莽矣其忠以事國孝以繩家
光大而雄偉者不及今焉鑱之金石將日遠日忘奚以示遺胄
於無窮敢屬筆子燧以與憲副聯事此道義不可辭乃序之曰
公忙兀氏諱博羅讙畏答而公之曾孫蘸木曷公之孫瑣魯火
都公之子始畏荅而與兄畏翼俱事太祖時太疇盛彊畏翼謀
往歸之畏荅而苦止曰帝何負汝而爲是竟去追又不復雪泣
而歸請獨宣力帝貳之曰汝兄與衆皆往獨留何爲無以自明
乃折矢誓曰所不忠事帝者有如此矢帝感其誠易名屑塵約
爲按答蓋明炳幾先與友同死生之稱帝後與王罕陳於曷刺
眞彼衆我寡敕兀魯一軍先發其將兀徹帶玩鞭馬鬣不應屑
塵請曰戰猶鑿也匪斧不入我先爲鑿請君斧繼顧帝訣曰臣
萬一不還三黃頭兒將軫聖慮者辰入疾戰大敗其軍哺猶逐
北敕使止之乃旋師免胄爲殿腦中流矢帝傷之曰朕戒卿早
休兵竟創而歸親爲傅藥寢與同帳踰月而卒帝曰曩只里吉
爲敵將貨欒屑塵其以只里吉民百戶屬屑屑塵子世世歲賜勿
絕其族散亡者收完之卽封北方萬家太宗以其子忙各爲郡
王又俾貴臣忽都忽大料漢民分城邑以封功臣劃泰安州民
萬家封郡王歸奏帝問忙兀之民何如是少對曰臣今差次惟
視太祖之舊舊多亦多舊少亦少帝曰不然舊民少而戰績則
多其增封二萬戶與十功臣同爲諸侯者民異其編兀魯爭之
忙兀舊兵不及臣半今封固多於臣帝曰汝忘而先玩鞭馬鬣
事耶後諸侯王與十功臣既有土地人民凡事干其城者各遣
斷事官自司聽直於朝公年十六爲斷事官世祖正宸極以從
征叛王阿里不各功賜其軍驊馬四百匹金銀幣帛稱是尋詔
入宿衛曉近臣曰是勳閥諸孫從其出入禁闥無輒誰何李璮
反詔將忙兀一軍圍濟南鈔益都萊州賊平決獄燕南人稱明
允賜衣一襲雲南王虎各赤爲其省臣寶合丁輩毒殺事聞敕中
書擇可治其獄者凡四奏人皆不當旨丞相先眞舉公且言敗
事臣請從坐帝曰之人則可公辭臣不愛死第年少目不知書
帝曰朕方恃卿求皇子死尚書別帖木而知書惟可使之簿責
其事是否一委自卿明日愼無歸咎輔行也且聞卿不善飲彼
地多瘴宜少飲敵之未至四五驛所寶合丁遣人負金六籯來
逆公曰雲南去朝廷遼邈省臣握兵不安其心擁懼而變乃好
爲語遣之既至盡以金歸省而竟其獄得置毒情殺之而還奏
可顧先眞曰卿舉得人賜兼金爲兩五十武備寺奏今入筋角
惟忙兀以時彩於常歲帝曰其報賜之自今凡忙兀事無大細
如札剌而事統丞相安童者省統於博羅讙八年授昭勇大將
軍右衛親軍都指揮使虎符大都則專右衛上都則三衛兼總
十一年授金吾衛上將軍中書右丞太師南伐分軍爲兩制曰

其右授丞相伯顏阿朮節度左丞委卿指一犯法臣曰如別急烈迭失朕不責也俄授兼淮東都元帥軍於下邳公策諸將曰清河居宋北鄙城小而固與泗州昭信淮安寶相犄角當水陸衝未易卒拔可頓大兵為疑海州東海石湫違此數百里其守必懈吾將輕兵倍程而東其守臣可虜也師至海州丁安撫果下石湫東海隨下清河史安撫聞之亦下不一月而下四城宋主既降而淮東諸州猶城守故太傅伯顏入覲還密詔以公進兵拔淮安南堡戰白馬湖及寶應乘高郵不攻由西小河達漕河據灣頭堡斷通泰援竟拔揚州斬其制帥李庭芝淮東諸州悉下賜西域藥及蒲萄酒介冑弓矢鞍勒會分江南諸州隸諸侯王及十功臣又益封桂陽州十四年遣平叛王只里斡帶於應昌賜以鞶帶幣帛與傅羅同署樞密院事未久授北京右

丞既至台還會南土多反者詔募民能從大軍進討者俾自為軍其百夫千夫惟聽其萬夫長節度不役他軍制命符節一與正同已行矣公疾不能自陳令董司徒文忠入言今者日所出入勝兵何啻百萬何假此曹無賴僥倖之徒以壯軍威臣恐一踐南土肆為貪虐斬伐平民妾其婦女橐其貨財民畏且仇反將滋衆非便召輿疾入帝視其色瘁然賜坐與語重陳董奏可之適常德入寇唐兀帶一軍殘暴其境如公所策敕斬以徇諸是軍皆罷之十六年曷剌斯博羅斯斡羅罕薛連干皆彊宗也勢不相一求遣大臣來涖詔令公往凡居是二年十八年以右丞行省甘肅時大軍駐西北仰哺省者十數萬人自陜西隴右河湟皆不可舟惟車輦而畜負之塗費之餘十石不能致一米石至百緡公經畫得方供億不乏賊不敢窺邊者二年廿有一

年授龍虎衛上將軍御史大夫江南諸道行御史臺事黃華反徵內地戍兵進討未能平賊多奴良民以歸公令監察御史提刑按察司隨在糾覈皆止還之以疾歸會諸侯王乃顏反帝欲自將征之公曰始太祖分東封諸侯王及侯其地與戶臣如知之以二十率之彼得其九忙兀兀魯札剌而宏吉烈亦其列斯五諸侯得其十一彼力滋多吾力滋少吾有衰耗彼亦衰耗然要其歸五侯之力終多彼二惟責徵兵五侯自足當之何煩乘輿臣昔疾今愈請事東征制可賜介冑弓矢鞍勒命公董是五諸侯兵以行與乃牙接戰屢摧其鋒再與其黨一王塔不帶戰霪雨不止軍以乏食求却公曰兩陣之間勿作事先已而彼軍先動公悉衆乘之逐北二日身中三矢禽塔不帶斬忽倫輩後與月列魯太師合力始誅之賜銀為兩四百五十幣帛九不再

月其黨一王哈丹復叛公再請往詔與諸侯王乃馬帶討之公狃於屢勝一日不虞賊游兵卒至止從三騎返走有絕壑前廣二丈深加廣半追兵且及獨公軍馬能越三人後者皆見殺人以為天相忠義後逐北極於東海之壖哈丹自引焚獲其二妃斬其子老底於陳凡戰四年所俘金銀悉散將士以故人致死力賊平敕一妃賜乃馬帶一妃賜公陳金銀器延春閣召東征諸侯王及公至將分賜之

問公卿家是器幾何鞶帶有無公曰以　陛下威德奉身之物亦畢備矣

帝曰朕出此本以嚌卿曹之勞在人則伐其能以幸多取

　朕問猶曰既有可謂謙挹不貶于貨者豈令其徒手歸姑

[illegible]賜是器五百兩二十八年改河南宣慰司為行中書省求

可首是省平章者凡三　奏皆不　允末乃及公則
可授榮祿大夫平章政事淮鹽爲引歲六十五萬前政
多逋至公如額而集　賜異幣一開封監縣帖兀兒告廉
訪使胡某不戢其民昏集蹘散縣簿陳勣僵巡屋器械於村叉
周劉光店爲墻四其門扃鑰司夜出入　詔公按之皆誣
杖而徙戍南邊河水遷流無常民訟退灘連歲不絕或以其地
投獻諸侯王求爲田民自訴公　奏正之仍著爲令河後
泛濫隄埽橫潰歸德睢州汴梁水及城下溝爲巨浸公親行水
督有司捍完之　皇上元貞二年遷公平章陝西未行而
改復爲河南入　覲秦忙兀一軍戍北歲久衣弊故弊請
以臣泰安州五戶歲入絲一斤積四千斤盡輸　內帑易爲
匹帛分賚諸軍

上以爲益　敕遞車送達軍中　賜銀爲兩百五十
幣帛三　陛辭之日
上諭之曰卿今白須
世祖德音實足聽聞事更加慎中書平刺眞宣政院使大食蠻
合　奏始者伐宋
世祖分軍爲兩右則屬之伯顏阿朮左屬之博羅驩今伯顏阿
朮皆有田民而博羅驩獨不可後
上曰何久不言豈彼恥自白耶其於淮東所嘗戰地高郵已籍
之民　賜五百戶以上中下率之上一而中下各二及圖
背銀比再至汴踰年凡流外官久滯不銓旅食道宮者旬□□
□之大德之元叛王岳木忽而兀魯速不華來歸公遣使驛
聞始是諸王叛由其父是輩小弱若無與知今焉來歸宜棄前

惡以勸未至
上曰是奏深契朕衷改平章湖廣　賜金鞍勒至汝寧合
福建省于江浙授公光祿大夫上柱國江浙等處行中書省平
章政事　賜　玉帶夏大旱隨禱而雨杭之豪民十家入
賂於官大爲醵務高其估而專其利酒日漓惡公變其法改省
四憑其富蓄淩轢府縣肆爲姦利自刻木牌與交鈔雜行民間
實侵貨幣與　國爭利又盜隄海之石公欲斬之而中書
刑曹當以杖然亦由是大姓始知重足立矣以大德庚子五月
二十有二日薨于臨安寓舍年六十有三以其年七月八日葬
于檀州西北太行山不封最其平生典兵則右衛都指揮使都
元帥樞密院風紀則御史大夫宰相則三爲右丞四爲平章與
夫四十七年馬足所及西南雲南西北金山東北海隅東高句

驪東南吳闔再討叛臣四征叛王其間事平而疾聞變請行惟
以有國艱虞爲憂視轉闘乎萬里之遠歷歲之久若堂奧之朝
夕焉雖風雪皸瘃其膚鋒矢交集其躬飲食饑渴不時其口體
皆不避恤必致寇首戲下歸報□□而止眞凜凜有曾考風
上尤眷重之若
世祖身御橐鞬弓矢皆萬世傳寶不以　賜臣下者惟以
　賜公海東青鶻雛
先朝多或十　賜惟至白鶻觜爪玉如
聖語曉曰是禽惟朕及鷹師所構以卿世臣□□宣力之多日
桑榆□□□嫉心河南治地平衍而遠且多陂澤鵝鸛所集時
出縱之使民得見　昭代春秋蒐田之盛不敢萌啟邪心
皆殊　錫也夫人兀怯烈氏□按檀氏□札剌而皆前公

卒今夫人札剌而氏王氏拔檀氏宏吉烈氏男□人太宮憲副
參政博羅公於　庭臣居家最名有法夜分不寐諸子列
侍其前聽談
祖宗故實無敢或歸私室燕奉樽俎迭歌舞以娛賓亦無有酒
失者女六長適國卜伯次□□徹千平章子僉書樞密院事完
者次適國王弟孛闌肹次適太師弟怯烈出次適山東宣慰使
必宰牙幼在室男女孫如干銘曰
皇矣
太祖肇造方夏右之左之惟十臣者公之曾考展一其中矢矢
瀝告
帝視友同敵陳來加挺戈而出大崩其軍兔冑而入五兵之長
無矢不仁由賊叩輪懋功是創

帝惻其心百夫償死
顧成嘉止既王其子遠分茅土
帝自等差國以泰安二萬其家公祖王季勤勩克類再傳而公
世祖之事勳閥遺苗

帝植以培而獨於公嘗譽其材聽於　禁闥無止入出翼
翼其心彌謹自律隨遇而安利患靡干承　命卽往奚遠
奚難東北海邦西南南詔甌閩炎陬金山遐徼聞有囏虞必請
赴趨大獄叛藩無一漏誅人臣憲憲曰省臺院平章大夫宥密
鈞踐
先聖
今聖賚予優優艮駟　天閑豪隼　御構橐鞬介冑
鞶帶衣裘黃白之金委家如邱皇矣
太祖于疆于理惟公曾考實成其始遺厥大囏畀之
神孫神孫
世祖闢乾翕坤考其皇輿南北猶判孰是澌右厥鬼歆祼大輿
師征巖業古城罔不簞壺竭歷義聲傳其國都孱王銜璧蕞爾
淮東諸州□□　詔公進攻蠻殲渠兇九域攸同公焉成
終□□之意悠悠或在成始之孫宜際斯會益封桂陽江嶺外
內於乃先烈克光以大嘗聞古先誓侯功臣泰山如礪國以永
存嗟公王孫國泰山下權輿礪如其自今也

石刻史料新編（五），三六三〇頁，金石萃編未刻稿卷上「有元重修玉清萬壽宮碑銘」。

雍西之山曰岍又西曰隴隴之山北起五原挾崆峒而
南抵吳嶽隴左諸水北受之涇南屬之汧汧之源發小
隴山甚微步仞可越迤邐循岍而東貫石門始奫淪又
迤邐南折而入于渭岸石門而宇者即通微洞真兩真
人為道之故廬也初長春愛其地築全真堂後為玉清
觀今溢名為宮通微蒲察姓道淵名洞真于姓善慶名

洞真始師丹陽丹陽返真師長春二師皆受全真學於
重陽全真之名重陽以道德性命之學實倡之金正隆
大定間自是以來為其言者雌從雄鳴百千為曹而縣
官懼其搖世欲錮其說以叛渙其群勢如風火逾撲逾
熾獨何自而然哉亦嘗思之群斯人之難也未若渙之
而人不小有創焉又群之之難也今夫帥三軍之衆者
操斧鉞之威懸爵賞之欲投之所向無不如意脫有崩
挫衆氣一歸輒鳥散而不能軍是威能必民之懼不能
得其驩心欲能鬭民之貪不能得其死力也況無二者
乎以貴則一夫以富無尺田非明識髙世強力出物能

鼓舞其下者不若是敢為上之抗而曰凡民能之乎然
猶未及夫生人之功也一傳而為長春函夏陽九適遭
其時衰斯民將膏砧鑕大闢元門為趨生之塗實拯億
兆於滄海橫流之下於戳事不要其終徒始之究者殆
不得而見天之所以昌斯教者其用以就斯乎宜羽服
琳宮日新月盛乎金之世星羅躔分於我
有元之坤輿也追乎長春返真清和嗣教無幾時舉斯
位屬之真常而休居當是之時求長春高弟與有生人
之功道價清重克繫西望者授付祖庭俾綱維關隴之
教而洞真始西轅洋時七十有三矣又十有二年而後

厭斯世焉嗚呼斯宮也真人其始基之乎基之而不忘
之亦人之情嘗求之吾身曰靈臺曰魂池曰神庭曰崑
崙之墟猶為晝夜呼噏精氣神明之所舍況靈山邃川
磅礴而雄高清駃而幽深騰雲而蟄雷伏至寶其間為
中州淑氣之歸會今真人者心雖理融而不膠物爲知
不瑰遊寂山之一覘夫故廬乎其徒有講師馮姓名道真

圓明號高姓名道寬提點魏姓名道陽三人者集其朋徒一力協中㑹明敬䖍乃崇斯基乃考斯宮題節山層丹腠翬飛林林百楹如峙如立凡二十三年而後成可見夫竟就之艱隴邑户來姬帥德通賓倡賔先可見夫佽比者之夥也教門提點李道謙為誦其麗且請銘曰得若夫瀡石潭鉤弦鼓出五色之魚以齵叚太尉之墓釀其餕於張女之祠然後求秦穆之鑄劒爐鼓而漱之以健吾純鈎飲馬馬跡泉而歸援翰賦詩併刻碑脇以侈美斯宮者又俟夫他日焉銘曰

行者於塗有佽以趨舂者歌呼相杵之相扶尚力氣之休蘇雖遊方之外之臞豈是焉殊學必有與俱不栖栖而縈居通徼洞眞膠投漆如曰訪道其有閽求至璞之全混必離廉而毀觚握手高蹈誓與世疎擁腫大樗斧斤不鋤西南雍都有嶽維吳穴石以自廬或擇勝而娛

北渝濯乎弦蒲寒暑切膚編笠草屩木菜結襦侶麋鹿而友雄狐彼不駭以安舒視為栩中之枯株日餘一盂隨青山以為廚心焉扶搖鵬南斯圖滯矣哉血肉之軀不逮其翰搶鷽鳩於尋丈之枋榆維丹竇之在吾亦何嗇夫握璧而懐珠非有道能然乎是其為教雖或高出乎纏披之上而君子過諸然並夫啜糟是餔飲濁涔之洿者不猶太山之與錙銖或浩浩其長辭返廣莫之無鄉吁道眞三人實維其徒懼靈跡之夂蕪菑翳是誅恢皇舊撫力不足而舉贏餘心雄萬夫人矜以孚貧力富帑視口子之須心焉驩輸曾日月之幾何屹雲構之渠渠亦戛戛乎其艱劬我銘翠玦終千斯年兮不渝

石刻史料新編（十），七九六一頁，十二硯齋金石過眼錄卷之十八「有元故中奉大夫江東宣慰使珊竹神道碑銘并序」：

推采其世與
國國家同源而殊流者珊竹氏其一可系則自圖魯華
察以豪傑驍果服其部族名爲拔突生烏也而以開國
功官金紫光祿大夫北京兵馬都元帥生撒里姚夫人
張敎之讀書世金紫爲北京等路都達魯花赤留後强
諸侯恃其險反
大帝躬之罷諸侯之世其士者官昭勇移河間等路總
管兼諸軍奥魯管內勸農事生公諱拔不忽劝師李康
伯成童入侍
裕宗東宮一日賜問占對當旨
令歸卒業時故翰林學士周止方參北京宣撫司議公
遊其門命之吾爲若講授者皆聖賢性理格言而猶以
國言□不可更曰介字仲清中統三年同知北京轉運
司事□曰泄□□□不煩□勞前政禁民盗食及干之
者罪沒其家惟□海鹽以濟民收其征□公請□等是
道戶□而無□之均賦其課永不失額□□□鹽海鹽
從民雜食一境利安其年校功實最他道官武節金符
又二年官奉政凡貳官六年其年陞朝列遷尹濮州至

則便施弊除民胥愉樂暇則新廟學舉李和之爲師公
淏萃羣吏受學以□□□僿艍之習恂恂□逢掖然用
兵襄陽
詔籍民以濟師公抽田丁中者遣備戎行人無尤言爲
時憲司初立部使至郡率曰珊竹侯所爲事有乖義者
耶何肅銷稽其書徑越去廷臣以□爲漕而課入羨復
遣爲貳公辭曰吾先世無治賦者既一爲之理不可再
廷臣以
成命難於中格遂行無巽時改平灤路揔管虎符明年
官嘉議江南浙西道提刑按察使時宋平財三年杭其

故都自北而東此者莫不化其奢淫勠賜浙西宣慰使
恙□伯上海摠管呂謙貪黷非度獲華亭亂首唐思月
引出將斬或以不請而專殺不可公曰殺一人而生千
百人何憚不爲或
朝廷見咎能身任之不以相及竟尸之市羣黨散亡事
聞甚爲
大帝所嘉十八年改江北淮東提刑按察使楚之監州
木少里凡民稱貸其家責償不足則爲木韓錮其足夏
日諸庭冬則□闢空室冰□地以苦之人目爲閻羅劾
上其事廢棄□身後召入爲刑曹尚書復無幾時官中

奉出爲江東宣慰使一年以病目去家真揚間爲諸子
擇師初延孔顏孟三族教授張𩓐再延今國子監丞吳
澄朝夕聞其誦說遂致知義理之學而篤行之身履如
是脩之於家事□□其子恭□諸弟以愛輯嫵里以睦
至大之元冬十月廿有八日疾作支持憑几弟子跽受
其言吾事親事君不敢不服勤者汝曹身之年六十四
而死非天所甚悲者委九齡之毋身先朝露而使□□

□□倘何言狀□□□□□□□□□□□□□□
□□□□未旣也□□庛子予□□□其平時貫業
四子各善守之無訟而爲人隍跏第三孫婦盛年而□

紼子其歸父母家遂絕明日而蘇艮已則置酒高□
□□□□□□□□□□□□□□□□□□□□
□□□□□□讖者□別□□百石以給奉宮第五
子病瘳其加賜楮緡五千蜀同士腴予預爲兆夫不□
他塋葬無納金玉于臨壙築□□□□□□□□□
□□□□□□□□□□□□□□□□□□□□
□□□□月□已出越五月辛酉窆蜀岡義城里太夫
人鮮卑氏七子公爲之冢拔忽帶管軍摠管拔忽滑德
拔都魯□□□□□□□□□□□□□□□□□
□□□□□□□□□□□□□□□□□□□□

□□□□摠管史楫女三子珊竹帶承務河揚州真
滁通泰等處屯田打捕提舉司達魯花赤阿臘鐵木而
同知宜興州□□□□□□□□□□□□□□□□□
□□□□□□□□□□井樹松晨夕號莫其間曰

非君姑太夫人在堂必日至城一問安焉用生何爲若
欲與同穴者闔者莫不嗚咽以爲益足悲愴□□□□
□□□□□□□□□□□□□□□□□□□□□
一子□□僉江北淮西道廉訪司事男孫八人嘉興牛
兒三寶卜鄰吉帶鐵木兒卜□吉祥奴也速苔而牛前
卒女孫四一適平章政

□□□□□□□□□□□□□□□□
□□□□□□□□□□□□□□□子書與事狀句
述墓碑嗚乎燧尚以□餘詠故人耶然以卅年交舊義
不可以衰謝拒回槧而言衆所甚惜謂公不疾癈廢其
先德□秩二品積是廿年疆場□□□□□□□□□
□□□□□□□名臣若有不難爲者而遽已哉固爲
知言非使得志乎是世之仕優而得者幾人求以先王
之道日滅胥中尊閣而仕其知脩作潔義樂天以終吾

身則有□□□□□□□□□□□□□□□也其□
無得夢不大相□□乎哉□其令妻壽毋既多慶祉有

足匹□□□銘曰
觀人之道不於其通而於其窮始卒概公其通如何尚
論其世源遠未分天宗之自公祖裔孫華胄之承從我
聖武金源是膺畧地於營於焉開國傳甫一世於濂以
沒公其孫于治賦長民與夫持憲在在有聞何天窮之
俾耆作夜歸休於家不自逸暇孰爲善士我禮以延俾
横遺經聖謨日宣匪資□耳責以身履俛兔周旋動必
循禮天實窮之通不在人人定勝天此語益真素位而
行忘憂以樂古之先民處變不怍顧言瑣瑣即死所藏
魂無不之何必舊鄉番絕不亂足徵學力詩刊蜀岡來
者是式

石刻史料新編（十九），山左金石志卷二十四，「岳氏宗塋碑」，姚燧撰。然無碑文，可補遺其作品之篇名。

十三、程鉅夫「雪樓集」補遺續

休寧志卷三十二上「送程梅亭序」。

徽程氏本忠壯公後自子王父縣徽徙郢徙洪余叔父
徙盱粤若稽古譜諜則徽程氏也余幼逮聞王父言初
竭来郢時吾家洛水事寧宗為翰林學士院移文郢州
曰是程內翰户以故家郢若干歲無力役之徵前輩不
挾貴長敦族誼類如此長讀書臨汝侍洛水猶子徽菴
先生道洛水尤詳蓋余家古多奇士近世能以文字行
天下者薦紳曰洛水韋布曰徽菴然洛水宗歐蘇其學
長於文章徽菴宗程朱其學源於性理二人自不能以
相一徽菴句辯字義至及文章事讀寧宗遺紹邵州防
禦使某沂靖惠王之子亦朕之猶子則又亟稱所為文
不在漢制下余雖不逮事洛水而見徽菴上與其文在
洛水他日必尊徽菴之性理無疑也然徽菴太極圖所
說近思錄字訓講義等作余諸父暨余槃童而習之獨
洛水文集不多見徽菴每教余作大文字盍歸求之洛
水及余索餘藁徽菴亦茫然無從得歎曰既鏤而燬之
矣時口授數十首余把筆識之終宋季不及見其全至
元十有五年余待罪翰苑每有撰著腸枯血指恐縮不
敢書余徐悟徽庵時嘗令余學洛水類前知者一日盡
得洛水集若干卷讀之渾厚悠長明白正大蓋其曾孫
景山收拾殘文斷墨於名山大川摹刻與天下士共之
有日矣今年春坐待御史臺有通州教授程君入謁問
其鄉邑新安問其族曰內翰曾孫嘗編註其文集者於
乎余違臨汝十年而始得見洛水之曾孫使來見也無
所挾余將張之況文與理不失其世守年少而志銳惜
乎余於洛水無能為役而其言不足見信於世也為書
平日所覩聞於先祖於徽菴叔祖者以勉之至元二十
八年龍集辛卯七月望日族人集賢學士嘉議大夫侍
御史行江南諸道御史臺事文海敬書

夫子之道與天地並縣圖教立庚申距今千七
百七十六載改物凡幾代未嘗不右斯文我先
皇帝混一函夏詔天下郡國士習先聖之術者
並復其身厲賢也新天子嗣位訪落重申前詔
以惠博士弟子員繼志也文海際遇兩朝德詔
七閩奉條奨勸屬所撰行義年尉薦宣花迮凡

職于教者蔡室館士儲書不誨思其居處臨海
教授浙安許种元不遠以書來諗台舊有學學
有明道堂歲丙子燬于兵瀕月丰部使府侯
至坐直舍如斗大餘皆露立灘葬中前此庀事
者恍日惕歲忽不省存种元始至即謀此郡耆
宿得錢氏屋五間脩廣深以儒人所取衆而倍
直庚之移為講堂翼翼嚴嚴右祠先賢左庋器
服從祭象似尊罍胡簋應圖合禮盥庶庖湢普
燕令治凡席坎翳百須具備經始於癸巳陽月
落成於甲午相月又闢小學於門左侗穉師必
士民之選章逢來者都授已課試署甲乙猥曰
居官無官之事處事無事事之心非教授職也
事容解淺頤賜一言以記顛末文海竊請官先
事矣士不先志可與否也吾儒何儒斯文何文
文王而不惟周公謚文憲夫子謚文宣周公之
文制作之文也夫子之文雖不得位而制作豈

止性天道云乎哉文不在茲之嘆豈止刪詩定
書明禮正樂脩春秋云乎哉如有用我東周可
西時輅冕武規模四代泰伯堯曰歷序唐虞夏
殷周聖學之傳治道之感此則吾夫子之儒之
文宇宙宏闊學問浩大今儒無科舉之累而或
昧辭讓羞惡之端有志理義之實而或欠經天
緯地之畧平居講貫無半知解異時臨事必錯
路岐故不患百年之無善治決不可一日無真
儒俗流變俱溝瞀嚾嚾解果其冠屈奇其服[illegible]
稟孔氏之門直視越下之蓀若斯儒也有之無
益無之無闕以人材器也教授造人材官也儻以
余言朝夕誨儒書者庶幾台之人云一一人材
大器遠識時乃之德令聞高風時乃之功

十四、陳孚「陳剛中詩集」補遺續

當塗縣志卷二十八藝文「謫仙樓」：

昔年李白身翩然袖裏明月乘上天罡風吹落瑤圃前雪寃蹤落千丈泉白也已去八百年明月猶向江中圓我行萬里攜鐵綺樓根偶繫東歸船三生似結明月緣銀光射廬須我眠夜深忽夢羽衣仙袂如碧河浮疎蓮腳踏赤霄路紫烟問月何在搖玉鞭聳身忽誠鳴騶醉覺來識鼓朱絃起誦國風月出篇開篷對月周滿川魚龍吐浪聲濺濺

石刻史料新編（二十一），一五六五四頁，山右石刻叢編卷三十「解梁儀氏□□記」：

子自翰苑于(寧)還台□別駕儀侯踵門請曰家解人也世為
望姓先君子昭武公魁梧英鷙以行義聞于里□之末□□
□□□□□□□□□□撫使翹□超距霆迅飇馳行省
材之檄攝虢州操闖戟鏖藺石下晝夜不少休俄虢弗支則
堡中條之上豺狼所嘷荆榛所□□□崇以□□□□□
□□□擾鋤騈肩聽命三舍□遠廬放櫛比會金竄於汴
鋒鏑蝟起大河之北血丹原野骸積如阜聖朝不□民之荼
毒命使者傳堡下諭以面內公大集將佐諭之皆頳頳頁□
欲背城借一曰惟有死耳□□告□□□□□□□□□
□□以萬計何事爲□金□足為之死哉叨慣毒痛天始絕
之河朔列城百數皆號金湯舉若□□然豈人力乎今虎旅
雲集鉦鼓震地□□□□□□□□□□□□魚肉矣與
其束手待盡孰若去虐效順為昇平新民乎不然吾不能血
数萬生靈以釣身後名也眾驩曰善遂以州歸職方氏　聖
朝嘉之不戮一人市披者如故□賜公金符解州節度使居
無何慨然曰吾奉□歸命治鄉□耳非利之也今□□□□
□□□□□□□老既得謝□巾苴□倘徉聖諱開念祖父有
令望而潛弗□以死且□在淺土惟是春秋窀穸之事曠□
久之□寢□嘗長號欲絕以□□□□□□□□□於紫
金□之陽芟其灌莽胥其隰原躬自負土纍以□垣塋之若
堂若斧悉舉數世之喪序以昭穆窆焉禮也公壽七十有四
乃死不肖□以□□□□□□□□□□□□之□□□
麗牲之石未□之紀大懼無以光昭先君于地下公知□□
且□太□氏敢固以請乎□之□然□嗚呼美□昭武公□

□乎□□□孝□□□□□□之際□□□以迎義旅遂成
千里之安非識天命者乎苦塊之餘卜年□□□襄事遂
成千載之安非盡天性者乎惟其識天命故□□之□□以
死□□□□所謂□經合道者是也惟其盡天性故不
死其祖父而有以(寧)其死孝也□□慎終追遠者是也□□
□□□之人未□有全焉昭武公知之□□□□□□□
□□□□父爵同知解州□有政績既而尹曲沃隰川修武
済陰皆以□□民治聲載□□□□□遂□保德武義深
□□州者□其在台□□□□□□□□□□□惟□□
□□晏如野無吏跡非家庭有以訓之□□故□□載□
□□□□□□□□□□□信之方伯連率薦之未嘗有
一政之□□□□□□□□□□□□□卓举有立可謂
家之孝子國之純臣民之慈父毋矣今又以其□拳拳焉
求儒者一言以垂不朽於是知□□公之孝之□與別駕之
所以□儀□□□□□□□□□千人者子孫有封衮安
陶侃告以葬父吉地為時鉅公夫吉于其人不于其地葬地
之吉孰若心地之吉安與侃□□烜赫其忠□□□□□
□□□助□□□□氏先塋在紫金山之陽中條諸峯劍
揷於前□河□□繞于後山川扶□清淑之氣鍾而為人
為子必孝為臣必忠將如鳳□□□□□聖世之瑞別駕
與其子孫能因昭□□德擴而□□事君必忠事親必孝
□幽可以通神明□□以厚風俗其不為衮安陶侃乎然□
吾於儀氏深□□矣昭武公□肅□□□□□□於□□
□別駕□□□□□□□同知台州路總管府事□大□
□年□月□天台陳□記

十五、陳櫟「定宇集」補遺續

弘治休寧縣志卷三十七「吳金子造朝陽樓」。

氣勢薄層霄樓高百尺雄屏圍山聳翠鉦掛日升紅直

可卧餘子端如見乃翁胷中梓人傳相業在胷中

黟縣志卷十四藝文志，元文「重建忠孝坊記」：

旌善以坊蓋古者式閭表里之遺意新安郡合城坊二十有六其關君親大倫足以示勸者惟東北隅忠孝坊爲然坊始於前太守魏公克愚爲諫議盧公臣忠暨諫議六世孫郡學掌儀錫建之也按郡志諫議公黟人政和間上舍及第高廟南渡以右正言扈蹕幸金陵冦逼御舟公嗔叱之蒼皇踏雨舷溺而卒鶩沒來者見其拱立江底儼若奏事狀上憫焉賜錢㚃衣以斂贈右諫議大夫葬黟之雷岡端平間詔立祠賜號褒忠子孫逮今猶蟬聯世其家其一支居郡城掌儀則尤馳譽者母唐病危藥莫療刲股食母隨以安郡守嘉嘆上泝世美由掌儀之孝推諫議之忠標其居榜其坊厚倫美化天下國家要務也庸人慢之賢守愼焉魏公可謂知務者矣證之昌黎伯朱文公皆言刲股事然發乎念之誠天且鑒之人胡得而議之子之事親平時之孝人鮮克知履變如掌儀而後孝之名彰臣之事君平時之忠人亦鮮克知履變如諫議而後忠之名顯爲臣子者豈願變故而求名聞哉上之人贈之表之將以勸世之爲人臣子者盡忠孝於平時而不轉移於履變之際褒贈旌表非諫議意也亦非掌儀意也坊燬於元貞元年九月逮皇慶元年十有一月重建歙縣尹張侯某身任之嗟夫事有曠百世而相感者天典民彝時有古今人心天理無古今也掌儀之子顯祖誠慤敏練能世其業請予記之辭不獲爲摭實書之如前系以詩曰古來忠臣孝子之宗能世其孝必世其忠名以變彰不變者理匪私其廬奮勸臣子延祐六年八月二十二日甲辰陳櫟記

十六、貢奎「雲林集」補遺續

當塗縣志卷之二十八藝文「落能山」：

山轉覺無地人家近隔村野田秋穫
盡爾路曉林盎用滲雲生石溪平水
到門僻事高士
隱幽況逢畬尊

十七、馬祖常「石田文集」補遺續

當塗縣志卷之二十八藝文「過采石」：

采石江頭秋月白，蛾眉亭上江聲咽。繡衣玉斧瓏霜寒，同是天涯苦行客。酒仙一去海生塵，青山玉尺埋衣巾。青江白鳥自今古，岸草春花秋復春。我欲御風遊八表，醉裏高情寬三島。閶闔雲深不可攀，回首江南數峯小。

皇太后既全付有家於
明宗皇帝之子師保大臣協恭寅亮曰口有日內外臣庶僉
和胥悅謳歌道逺乃口徽政院事臣住童而言曰
宗廟社稷之事則大正矣予何憂焉若昔先妣
皇姑徽文懿福貞壽大長公主口口口口来嬪
帝室克享終始
母儀天下茲皆公主之教而何敢忘焉口于引者思服事恭
闓願謹小心予追口口極之報
先皇帝假汝官中政使覃恩祖考光施口口汝宜慎之引者
思猶言勝者也臣口拜而對曰臣今又叨貳徽政寘過
待罪世出
太后陛下父母家
太后孝思父母推及臣先臣口口　口家之口口請刻
之于碑以示臣子口觀而勉焉諭臣祖常製文謹按臣
住童系本張氏家牒亡所自三世而下籍雍吉刺部雍
吉剌之口口口王戕封秦魯與　國家為世姻貴
亞於　國姓賞食口地曰全寍曰應昌張氏居全
寍者四世矣祖諱伯祥贈嘉議大夫同知太常禮儀院
事上輕車都尉追封清河郡侯祖妣王氏追封清河郡
夫人考諱應瑞攝魯王傅贈中口河南江北等處行中
書省条知政事護軍追封清河郡公妣剛氏追封清河
郡夫人臣揩於載籍富貴利達雖閒有偉致然口有世
德啓迪之功則善慶之道不口也臣住口名位不大顯
於時倚陪臣於異姓一旦由陪臣而列官
志四　圭
天子之朝侍講口口學士中奉大夫進資善大夫中政使存
者享爵祿之崇歿者口口口之美矧又有勞有勤纂著
中外豈非有世德啓迪之功者歟不寍惟是天曆之初
大臣建義迎
先皇帝於今中興脫使者於厄以濟大事
先皇帝嘗嘉賞之夫人忽都替口氏封清河郡夫人子三人
長都閭僉口政院事口口倫宿衛次卜蘭奚是於法皆
應銘刻敬承
太后之旨乎臣祖常百拜而獻銘曰
維張受氏　始出清河　載合載口　其支則多
全寍口口　口口口口　爰有張世　譜亡厥系
雖則譜亡　卓矣獨昌　姓自我著　全寍之張
光奕寵榮　閱其門閭　口口則遇　口多休聲
始也　公主　百兩口口　口
帝媵臣　從官
帝所　曰匪私口　是口口事　掘衣禁闥　履踐不口
口口口口　孰口口口　口口口口　而得餅繒
張氏先德　潛而弗耀　孫曾費之　以其象肖
寫龜負碑　望蟠蛟螭　口有行者　口我銘詩

石刻史料新編（十八），一三九四五頁，安陽縣金石錄卷十二「胡參政墓碑」：

公諱景先字彥明少端愨有遠操內自脩飭不求當世譽事寡嫂盡禮育其孤如己子人有貸錢爲本業子本相將至萬千數貧莫能償主責之棘多自經公捐資爲償之里人謝爲券質公所公火其券歲大侵出廩實以賙其鄉既匱又賣田繼之至孰人將酬之不受盜有竊其牛羊者又竊所乘馬公知賊處不問人嘗具饌奉公公食而甘召庖人問之曰燔能澤濡能燋味奐是適庖對以法上下釜皆新鑄合兩其中容其欵頂跡加火焉公曰毋得釜損乎味於適而器於弊吾弗忍平居恂恂恭謹遇人無戚疏豁然無機𨻶或欺罔之不以爕春秋高矣出入閭里常却車馬不御與故人父老遊或具几杖□□□鄉人尊之謂翁其長者謂其子弟必教以□□已致和元年卒年八十子爕由丞相作起□□□部主事官十轉爲中奉大夫職十有二遷爲侍御史爕爲河南行省左右司員外郎河南大饑使先發廩者如繹省臣以格未即許爕時代判省牘乃專發米三十二萬石所活五十萬餘人其

爲河西隴右僉憲隴右地極邊吏往往闒冗乾沒無所顧爕按摘姦贓罷坐者十有一人釋濫繫者八人没□四百五十萬緡其爲右司都事有以西域僧卜兆言釋重囚以解除者中貴人傳旨引當人於當死者至內廷將脫械爕白宰相置之獄其爲御史爲員外郎左司所言於上悉同宰所不能具不敢言者臨事裁決引大體略細故矯無所屈又聞其爲尙書戶部也天子入正大統故典親王宗臣戚官衛士錫予之數爲金幣穀帛以萬萬計時浹月間舉故典者再執事者請括金民間以充用時廷臣多是其議爕獨以爲不便乃稽諸內府之隱覆郡縣上供之實內帑藏積之羨不給則令搵商入銀以準弊大朝會遂無闕事臣攝官御史中丞知經筵事實與爕同署又見其蟬聯慤紀糾繩官衷入侍講幄考質經義究觀前世之變理亂與衰之際必委悉焉士論咸以諭爕而爕之語臣必曰魏公之教不敢忘意觀爕之事而質以其言蓋可以知公矣

石刻史料新編（十六），一一七四四頁，安徽金石略，「元安豐路修學宮記」：「泰定四年，在壽州，未見，文載壽州志。」按：乾隆壽州志，光緒壽州志，均不載此文。可補遺其作品之篇名。

石刻史料新編（十七），閬中金石志卷十三「閬縣造萬壽橋記」，馬祖常撰。然無碑文，可補遺其作品之篇名。

十八、虞集「道園學古錄」補遺續

休寧志卷三十二上「贈趙子當序」：

子常自新安來袖其書敘其為學知尊其心而以求放心為事求放心固其要也集又安得則有其要焉于常告于常之言曰雖有[illegible]之富而擴充變化之無窮[illegible]雖有[illegible]而持守堅定之未能則求隱微之[illegible]微之萌[illegible]而不自知者[illegible]於波流風靡而吾之所謂至尊至貴者亦從而蘖矣斯言也集固嘗以為憂而未能有所進也即于常之言而思之擴充之有道則變化無事於期必持守之無間則堅定同歸於性成得於天之至尊至貴者終無可褻之理隱微過差之不覺將無滋養以先為之地者乎幾微之間極難識察先儒各以所成於己而教乎人者必思之思之而又思之此子思子既言博學而必繼之以審問慎思明辨而後可以篤行也陸先生在白鹿義利之講亦以此言以訓學者大人君子之心夫豈有我哉愚見如此未知是否因其歸也賦詩以送之恐所見未然同志者尚因之以加有以教之幸甚

大茅峯之下當華陽南洞之便門有崇壽觀者本晉洞天館主任敦故宅宋元嘉十
一年路太后始建壇宇太始中廬陵太守孔嗣之重立以奉曲阿高士華文賢齊建
元二年勅句容王文淸仍立而主之名崇元館武帝以太子時至焉唐貞觀初勅改
爲崇元觀有太極元年所樹碑石完而文泯可識者左拾遺孫處玄文楊幽經書數
字而已天寶七年李玄靜先生奉勅重修復民百家備修葺寶曆三年主者有賀思
晉則因器物銘識而考見者也宋大中祥符七年勅賜今名大元至治二年句曲外
史張君嗣眞始來主之顧瞻方臺近對南而左峯巒玉右引大茅之支而回合焉定
錄君嘗言大茅山下有泉水近水口處可立靜舍陶隱居云近南大洞口有好流水
而多石少出便平比有王文淸居之則此觀是矣乃呼曰山中館宇自齊梁唐宋至
於今代有增益求諸晉人之舊惟此與玉晨許長史宅耳而吾所治乃傾廢隘陋特
甚豈不在我耶於是度材鳩工更後堂爲太元殿以復舊規象三茅君於中東爲任
華王李賀五君祠西爲陶隱居祠充前殿基爲弘道壇自製銘其上壇東爲玄武祠
西爲廣惠祠後爲文賢講堂而前都門門外浚古玉津池甃受大茅南面諸原之水
循池西南得昭明太子讀書臺臺東有井曰福鄉井福鄉者因昭明道館名也出諸
榛莽著文刻石覆之以亭而岩洞泉石之勝近在百步間者皆按圖表之可以觀覽

泰定元年上淸四十五代宗師劉君大彬朝京師授予始末俾爲之次第焉張君吳
郡人名天雨內名嗣眞字伯雨別號貞居年二十棄家入道徧遊天台括蒼諸山吳
人周大靜先爲許宗師弟子得楊許遺書張君從而以爲師悉受其說眷從開元王
君受符入朝被璽書賜驛傳顯受敎門擢任非其志也卽自誓不希榮進因從三茅

句容金石記　卷六　十

之招追奉任君而下五君爲文而告之願畢力茲宇所著外史山世集三卷碧岩玄
會錄二卷又尋山志十五卷考索極精博云嗚呼自任君始居此餘數百年才五人
傳焉其自致於久遠者果何托也豈若後世各誘門人系以私屬如家人父子者哉
故寧希闊而有待今張君无前代錫予之助徒草衣木食以營此而曠然思與四方
之士共爲千載之期豈非磊落丈夫也哉予故與君爲方外友奇其能先予遂舉也
故系之詩曰大茅南垂元氣積陰關閭扉陽洞闢曲穴流泉保靈宅任君來御黃赤
石天一召錫太元册曲阿受養良有擇構宮方殿自王伯淸蹕臨止叢響格虛林森
爽化赫弈福鄉帝子發甘液不食何年喪遺甓白雲暎空玉淸客開元全盛煩百役
持節旁午致纁璧爾來蕭條世代隔石甃刻文士沒實誰其啟之規古昔句曲外史
美冠舄研書千卷視貞白天眞景隨玄系繹玉室金堂萬無斁已

嘉慶蕪湖縣卷十九，藝文志，「觀音院記」：

觀音院在蕪湖縣之魯港市桑門道圓所創也前時市西有靈順祠祠以水潰而毀市之人族而謀曰吾里中佛者道行信於人人莫不道明若也遂相與造而請曰神之所以福國福民而天下通得祠之者惟靈觀神爲然今祠毀於水無以妥神而吾民之罹旱暵札瘥者將無所趨向請禱焉師其念之乎道明起募於衆咸出財徵工致木石之堅良者而惲氏施市東地以基搆之至大戊申歲祠成而像設供器具焉又明年道明卒皇慶壬子明之徒道圓於神祠之右爲觀音像而院焉圓物故道興道全繼積三十稔而院之殿宇門廡齋廚寢舍始集於成實里人張茲善輸財倡之也院濱大江接通衢凡過從問學之士俾得以休息其間懼今者不知所自走書求文以記其事嚱昔余汎彭蠡而來金陵也嘗艤舟魯港追想故朱之季權姦賈似道督師江上至是憮然而懼一鳴鉦而三十萬之衆潰矣世殊事異悵然久之若所謂觀音院者曾一遊憇而詎不得讓焉遂書以爲記

新安之休寧實鄣山之在麓而浙江出焉山峭厲而水清激人生其間稟其氣而食其土其情性習尚不能不過剛而喜鬭此吾朱夫子之言也然其細人不可以力服而可以理勝其君子高行奇節而尤以不義爲羞然則亦善用其剛者哉其縣吳所置歷晉宋齊梁陳隋其邑名治所雖時有小改易不過百廿里間定爲休寧至於今六百餘年其爲學也邑人之言曰故宋慶歷時詔天下郡縣立學休寧即其治之東街爲屋數間以奉先聖先師之祀紹興丙辰縣尉錫山陳君之茂以從學者衆庠舍不能容遷學於縣南門之左二十二年郡守番陽洪君适爲之記淳熙戊戌縣主簿傅公本修之邑人吳文肅公儆爲之記又三十年縣令毗陵張抃又修之邑人端明殿學士程公珌爲之記淳祐壬寅端明更作大成殿而自爲記及歸國朝皆因之至元二十九年則閣歲五十矣廉訪分司茂公關山謁廟邑士朱震雷請出私財重建記之者行省檢校官杜與可題其碑端者翰林學士涿郡盧公摯也自是至於至正五年則又五十四年矣縣每修學取財於儒家煩費於吏手而學舍之頹圮自如也是年三月吳興唐子華爲邑令始至謁廟而觀於學凜然職思其憂延邑士之老人承直郎建康路判官致仕汪君巽元等升堂爲席坐而語焉謀所以新其學者畧計其財木工費則皆曰此不過前數十年繕完之費耳行之有道用無旁落作之有法工有成能則雖數十年可也分任而歡趨之起手於六月告成於十月亦可謂敏也已矣大成殿有先聖先師之像配享皆在焉殿之門有列戟兩廡有從祀之位國之定制不可踰也因地之勢而加廣因材之良而加崇梁柱棟宇可以加壯門墉牆甓可以加堅是則可爲也講堂可以稱其大齋舍可以列其多庖廩几舍足以備用奐然一新旁近郡邑觀者以爲莫能及也歲未盡一月學之士友告諸邑大夫使其學者趙汸來徵記新安吾朱子父母之邦其亦難於言乎然竊於朱子剛之一言有感焉夫剛出於氣質者固有所偏勝矣其君子之爲剛也以不義爲羞則能無爲其所不爲矣羞惡之心發見也細人之可以理服者是知理之所在矣是非之心發見也此天理之不可掩者也知反求其所稟於天以懲創其所感於物者而是剛也有足以成其爲善者矣剛有善惡柔亦如之柔之順從或近於爲善然又恐其惡沉溺淪陷不足以自拔及其爲善又恐有纏繞眛溺不能

大有所發明是可憂也若剛之惡固有過暴之害以其介之屬陽明也一日或有以自反不可禦也則其爲善者健決而果敢無復顧慮於其間有以自信而速化也剛其可少哉是故與其得柔順而爲善不力者不如剛勇足以自勝之爲快也夫行諸官府者治也施諸學校者敎也敎行治亦行矣令之致意於學者如此亦知所以化其剛者乎我義有所不爲我理有所不當而氣質之剛何所施也吾聞之也無欲則不屈於物不屈於物則安有不從吾治敎者哉崇山幽谷之間豈無得諸父兄者尊所聞行所知修諸身以教其鄉里必有可爲法於當世者出焉所謂高節卓行抑又其次也盍亦盡其老成而問焉取其俊秀而達焉誠得一二士以報天子令之爲學誠非他縣之所能及者矣昔之千人與貢者何足多哉令起家文學晚而臨民有淸才逸思觀於風雲之變化以致其性情之發揮新學之建下車之始事也故具道其風俗之舊迹其先賢之論而告之三年有成凡爲令者必來取法矣簿明理溥化名家子以善佐其令聞故并書之

婺源文公朱子父母之邦也其先吏部在宋政和戊戌以上舍出身調建州政和尉丁艱服除調劍之尤溪歷靖康建炎至四年庚戌文公生焉亂亡未定涪湛莞庫以自給同郡張侯敦頤敎授於劍邀與還徽而吏部之來閩質其先業百畝以爲資歸則無以食也張侯請爲贖之訖十年之入可以當其值而後以田歸朱氏癸亥吏部沒張侯以書慰文公於喪次而歸田焉既葬吏部於建之崇安丁卯公自建寧舉進士明年登第授同安簿紹興庚午省墓於婺源以其租入充省掃祭祀之用乾道己丑丁母憂淳熙丙申歸省故鄉松楸已傷於鄉人矣與鄉子弟講學於汪氏之敬齋脩墓而去宋之將亡徽建阻於兵族人藏其契券而竊售之又見侵於富民而某邱某方父老猶識朱氏故物之所在也內附聖元將三十年朱氏之學徧天下而朱氏子孫志猶未足以復其舊五世從孫炎訴於浙省閫憲者又將三十年而後兩府以屬婺源守臣前進士干侯文傳始復其宅基於城南請於朝得旨立徽國文公廟於其地則後至元乙亥三月八日也而田則未歸無以爲祭炎又以爲言同知州事茶陵李祁之來亦進士也得田主名召與之議三分其田償其賈之二歸其田之一約雖定賈無所從出其二亦未肯歸也歙士鮑魯卿聞廟之成也願割私田以供祭未果行而卒其子元康見吏民之紛紛思成父之志於是賣其私田若干與材木之山得中鈔者一萬五千緡以贖舊田三分其賈得元直之二其一則歲收其租而還之滿其數而止既成約而田歸朱氏之廟矣今奉祀者文公五世孫勳謀諸守貳父兄邦人請置張鮑之祠於廟側張侯字養正卒官知衡州鮑文學字景曾而其田之畝數與其租額之數錄其券之副而刻諸碑陰云

石刻史料新編（十三），一〇二一一七頁，江寧金石記卷七「方山重修定林寺碑」：

集慶郡城東南出三十里有方山焉敦厚方正歸然在埊於地勢爲貴重者也故宋乾道中蜀僧善鑑築佛寺于山之半請上定林之名而名之度弟子以居二百年于茲矣世有廣學博聞之士出於其閒蓋人境相成爲勝者也國朝至元初開講席於郡之天禧眞定德公實來上稟朝廷之旨下爲庶民之歸宣通要言闡見開悟居數十年學者日盛德公之歿用其法闍那之煙焰所及凡竹石林木皆成舍利紺碧圓結人爭取而奉之以求福焉嗣其講者則瓦官戒壇東魯儒公也志樂閒退委而去之自方山來主其席宣慈恩之教沛然於是邦者則退巷無公其人也天歷天子久潛金陵清燕之暇洗心于佛乘凡行道明教之士莫不知名歲己巳無公與二三大僧同朝于京師其徒嵩公偕行召見講法深稱旨意寵遇之厚久留弗遣明年俄示寂焉上加閔悼思所以繼之者平山嵩公簡在上心卽遣近臣今湖廣行中書省左丞王士宏浙西廉使伯顏帖木兒錫命嵩公主天禧之席嵩公曰上恩深重非所敢當況我遵行有絕流演公請以命之上嘉其能讓不違其請又興歎若曰雖佛氏之言無所忌諱無公既退京[illegible]滅又以絕流繼之非所以廣學海而興大乘也時虞集侍立奎章詔爲更之集以上意更之曰道源于是命士宏傳詔俾演主講于集慶而嵩次之賜伽黎衣織金爲文妙麗殊勝上嘗奉觀音大士香像于內閤及北還出付演嵩崇奉之至是兩賜錢凡伍萬餘緡俾爲閣以居之日致瓜華之供皆士宏所傳旨也既而衣以重幣錫以名香加以美號恩數之隆演嵩二公蓋無異也及嵩繼演今上皇帝御極嘉惠法林金衣香幣之賜名號之美亦一再至而天禧之盛洋溢于方山之表矣定林三出名士寵光相承迄觀東南未有能及之者矣嵩公思定林之舊而受業師妙至在焉不忍亡其初也乃出衣盂之資與土木之役加意于定林大修寶殿經藏僝及修廊與凡屋之爲羽翼者弊而圖全與更新無異所特作者寺之僧堂三門鑄大鐘建樓以居之買田得若干畝取其租以備歲月之完葺者焉功成今浙西廉使伯顏帖木兒治中與集皆同朝過行臺見嵩之成績以書相告請爲之紀焉其來者徑山第一坐道甫蚤受業于定林者也至于山中相從易朔而後從容及之可謂委曲者矣集嘗聞之衆生自無始以來執著諸有以受苦極諸佛悲憫示以空法又懼滯于空寂中道出焉是故無有亦有無有亦空則妙有眞空無閒然矣使彼蠢然含靈之衆日用而不知者以冰釋疑須識根本此吾佛教意自世祖至于今上皇帝列聖一心崇是教以福斯民有在于是其可無以記之哉崇公身任講事之重不違世法又廣刹海以表其初心道甫分席之山其所以來告者不墮于有爲不滯于無爲故集得以緒言記之也如此

石刻史料新編（十三），一〇一一九頁，江寧金石記卷七「集慶路卞將軍新廟碑」：

君子之爲治也先事而致思舉一以諷百是以皐陶伊尹舉而不仁者遠孔子作春秋而亂臣賊子懼孟子以比於洪水之平知幾其神乎此識者之所以撫事而三歎也東晉之興僅以自立詩曰無競惟人不有君子其能國乎卞將軍與王茂宏諸人共佐成帝將軍慷慨之論茂宏猶將愧之蘇峻之召將軍蓋力論之而庾元規不察也峻入而事迫以都督出戰力疾赴敵以死二子從之雖將軍父子忠孝垂諸千載而無愧贈官表墓疊見於身後而温之跋扈元之僭逆相望而起使將軍在豈復有敢侮而運者乎後之國于東南者顧瞻山川思其風烈廟祀固有不可廢者矣宋之慶歷可謂全盛金陵邈在江南而守臣刻

石衣甚以來其人者其志亦微矣迨至元祐口忠厚老成之君子其餘無幾而一切功名之說其禍未已守臣會公肇大興將軍之祠作文以記之其意之所在以爲西晉以來清談勝而節義廢學士大夫不以苟免爲恥慨然於將軍之所不可及者孰謂無數十年而宋遂亡其致禍之由豈眞淸談之流乎宋之南渡視晉不甚相遠巽懦苟且阿附患失之小人瀆亂國是有志之士不遠去則死耳卒不得畧如其志若魏國忠獻張公其人也胡忠簡公銓以口語爭之卒陷大禍宜其於將軍之祠髣髴慷慨而不能自已是以胡公爲張公記將軍廟事將以發千古之悲開來世之烈後十餘年文武之臣有以禦侮而定難以存社稷者蓋諸君子相與風動之也嗚呼往事不足言矣洪惟我世祖皇帝觀兵大江隨定南服方伯連帥列置郡會惟金陵東

南之總也是以挈其領而爲治焉置行御史臺等耳目之寄以臨察之潛機深略聖謨宏遠矣哉是以江海之表大小率職民物乂安則咎有以畏服其心而然也噫天下治平之日久矣列土分邦豈復有前代一隅之慮乎然安不忘危治不忘亂此識時之俊傑常存心于不見是圖之時也是以令臺臣激濁揚清其生存于今者固無不盡而荒邱遺廟近接見聞有可以表章若卞將軍之祠者亦無所遺忘長顧却慮致悠久之思於隱微之間此豈非世祖皇帝至于列聖之所以望于耳目之臣者哉使封郡受事之吏四方遊觀之人有所觀感焉而傳誦無遠不

居忠孝之念油然而生於國豈小補哉傳曰出其言善則千里之外應之況其邇者乎然則非獨爲金陵之邦修其廢墜以行其常事而已新廟之作實始于至正二年臺臣用監察御史言命集慶守臣白于行省出金穀材木而更作之廟室三閒奉將軍像以其子眕盱侑食其寢則奉裴夫人之主居之周以行廊前崇重屋繚以藩垣表之三門以成廟之制凡廟皆新材惟寢則撙節舊廟之尚可用者可就之也計其費爲中統鈔二萬七千五百緡粟二百石廟在將軍墓南實古冶城道家永壽宮在焉宮之主者陳寶孫守祠事相凡役以究其成使其徒來求述其事以作迎饗送神之詩歲時行祀典奉明詔有所昭享則用之于時臺官御史之爵名下至郡縣之執事者列而載之以示永久其辭曰

鍾山出雲旗纛徘徊大江揚靈赫若風雷顧懷舊邦新廟翼翼誰其從之二子在側勸孝表忠自我臯司著萬千年君子之思天子仁孝見帝于郊錫享遺忠𢧐纛毛炮肅肅駿奔臨以執法

孰玆來宗訓厲承乏豐草宿露冶城之下斂爾貔貅考我鐘鼓先民之遺爾子爾孫夫人在房祀以義存匪忠非臣匪孝無子相爾室家神其燕憙精明在天聞者作興司憲有爲諂淫是懲覆燾者天臨照者日桓桓將軍作我民則神來我依神去我思有貌如生何日忘之

石刻史料新編（十九），一四七七六頁，山左金石志卷第二十三「敕賜瑯郡公王氏先德之碑」：

元統元年十月二十八日中書右丞相伯顏等言於
上曰中書左丞王懋德蒙　恩褒贈其二代久矣謹具石表先
塋以侈
皇上之　恩澤請以刻文屬諸　國史虞集
制曰可臣集受
命案王氏系出瑯琊自宋初占籍高唐金人入中原有為宋將

以其軍南渡而族人留居焉　國初里中八九十歲老人能言
王氏數有衣紫佩金魚者歲時上冢必為王氏子孫言之而譜
牒軼於兵諱字爵謚不復聞有諱善者勤儉自保不忘於學與
人居恂恂然足跡未嘗至公府平居寡疾性不餌藥目能視遠
至耄不衰生逢亂離鄉里親戚多不免於難每誦佛書以致其
悲思至元十年卒年八十二夫人周氏生二子曰玉先卒曰璉
幼以孝弟聞年二十九而歿今贈嘉議大夫兵部尚書上輕車
都尉追封瑯琊郡侯夫人薛氏追封瑯琊郡夫人子男四人曰
祐字景福者參政公也是時方用兵江南大發民為兵公之家

祖父既老薛夫人寡居公纔十有七諸弟更幼於是公告其母
曰自先世粗有田業視其籍不能已於行與其私胥史以幸免
將不勝其誅求奮身戎行男子之事也安知其不可立功成名
乎夫人勿以兒為憂也薛夫人泣涕而遣之遂行從攻襄陽二

年克其城軍中以公善書計推擇為吏軍帥總兵守通州立安
撫司兼治軍府之事州民新附未閑於　國制多犯禁者公為
敎飭而調護之其民遠罪而心服遂以無事坐曹終日觀古人
之書以自勵以廉能聞淮東宣慰司辟為掾弗果從事鎮江總
管府遷丹陽佐史今制郡縣及五品以上官府行省為調年勞
吏一人為之僚領案牘之會位在命吏之亞於事無所不得與
聞公任是職歷杭之鹽司澉浦之市舶饒之餘干常之總府昇
之溧陽所至有能聲其在丹陽表閭巷以正民俗治亭驛以待
過客民不知勞行省求故宋公田而增其租公力爭之民懷其
惠以為前後來佐縣無如公者或値貧虐者至相與斬之曰此
吾王君耶在杭州鹽司無所取於人家甚貧長官念之出公帑

羨餘使貸得子錢以自養公辭之其後官錢法密或以是取罪獨公介然無所預人服其先見在餘干民有竊人衣而偶傷人者吏當之死公曰良民也迫於飢寒耳盜已非其意初豈有傷人之情乎決而遣之常州兵後民間事多草創公不以矯訐立名不以因循廢事簿書期會之間民有所未便法有所未安或直言或委曲必期於中理乃已在官未嘗妄施鞭扑有小過教之使改不幸麗法不可免則哀矜以道之苟可減則減可緩則緩是以得公為佐者上無失刑下無廢人也移調溧陽卒於位民亦至今猶思之今贈中奉大夫河南江北等處行中書省參知政事護軍追封瑯琊郡公娶同里吳氏先公二年卒追封瑯琊郡夫人子曰懋德今中書左丞也娶下邳張氏封瑯琊郡夫人孫男克脩祕書監著作郎曾孫男二人緜緜老老王氏之塋在高唐之西游家里懋德嘗謂臣曰昔先君以早從軍不得肆意於學問及仕吳越間故宋學士大夫搢紳先生多有存者公事之暇得以考德問業焉自六經諸史莫不徧讀久而益精時與客論治亂成蹟首尾歷歷得其情致如身親見之宿學老生自以為不及事上官必本於誠待下必主於恕故雖以小官終其身藹然有聲於當時而流澤於子孫非偶然也懋德始就外傅程其課業甚嚴旦暮歸省每侍立逾時不敢退自經義時務處己待人之法貪廉義利之辨引據譬喻使之通習未嘗稍假以顏色或曰君一子宜少寬之公曰有子不教我之罪也不為之變是以懋德粗守禮律宦學以至于今不致廢隊以傷　朝廷用人之明則皆先君之敎也吳夫人相先君能儉約以成其廉食無重味衣其浣濯首無金寶之飾身無綺繡之華待妾御寬而有禮視庶子不異於己出終身不見怒詈而家自肅如也後懋德得厚祿夫人年且高足以為養而夫人猶日親紉緝懋德率子婦秉間言曰夫人可少自逸乎夫人正色曰衣服之共婦人之職也汝敢有其厚祿乎自是家人以下惴惴然不敢少自懈怠而懋德得自守以成先人之志不別治生以求贏而妻子安之者毋夫人之教也先君歿時庶弟懋昭懋功懋敬長者纔十五餘則甚幼懋德以先人之教教之今幸皆以儒試吏粗有成立而克修亦不敢令廢于學也臣聞其言而感焉以為懋德蒙

上知遇身歷顯要其本有所自立哉懋德由憲府御史臺中書掾除戶部主事拜南行臺監察御史內臺御史都省左司都事御史臺都事歷河南燕南兩廉訪司副使天曆初　召僉中政院拜左司郎中陞參議明年立詹事院改詹事參議未幾復參中書俄拜治書侍御史陞侍御史謁告歸高唐　召還以疾未愈辭又拜太禧宗禋副使又辭

上使近臣為書諭之來又辭久之遷淮西廉訪使遷江浙行省參知政事　召拜資善大夫御史中丞尋拜中書左丞在行臺時言海北猺民之亂蓋有司多攝官無愛民之意所致也窮之以兵不若喻之以理憲司如其言兵不用而叛者服居者安又言貪暴吏不得志於良民入其罪而擅赭其門非與人為善之意必請于　朝而後可從之在河南言臺官為權臣倒剌沙所羅織下獄賈胡積年獻寶以罔　朝廷必空國賦以與之官吏以贓敗者既伏其罪又欲誘而改之皆非

祖宗立風憲之意當是時無敢言者此章上中外肅然在燕南

時大名廣平飢有司請度地計口則費寡判其書曰非一視同
仁之意也爲請于　朝得鈔十萬粟二萬五千計口全活者二
十萬餘舊制罪囚因盤詰而自首或以所得贓還主者得減罪
免刺而用刑者不知用則爲之申請使人得遷善焉在淮西取
郡縣囚繫親錄之閱實其牘必得其情而後已是以詿誤得釋
者六人坐誣寃得減死者數十人民以爲神明去淮西之日民
相持泣不聽去蓋其明恕平反者甚衆類如此在省臺每入
殿中奏事獻替黜陟皆係　國體人才之大者敷對詳明辭氣
愿欵
先帝每顧視之曰王侍御識治體有君子之風廊廟遠大器也
屬意甚厚臣又嘗侍　祠南郊見懋德以侍御史冠佩裳衣攝
助奠官在
天子後玉立長身肅然以溫侍從者咸歎以爲有德之容也詩
云如珪如璋令聞令望豈自外至者哉自其家之雍睦所養者
厚矣臣嘗爲之著德符堂記以爲今所得者因於昔矣今其家
父子守先德不敢廢墜則今將爲感而後復應之其所以爲
國家用者詎可量哉故爲之銘詩曰
高唐之墟　瑯琊來居　歷數百年　桑枌翳如　戴白之老
習知其素　結綬擁戟　有文有武　陵高谷深　物以代遷
孰微而興　孰强而騫　君子有家　世保令德　我菑我畬
弗幸於獲　昔生亂離　鄉邦弗支　我獨允臧　卒歲以嬉
乃生尚書　年不及秩　耄期在堂　寡幼在室　天誘瑯琊
俾奮以興　荷殳前驅　嬰城以升　乃治軍書　佐于幕府
彊恕而行　莫予敢侮　新造之邦　俗不識禁　在宥以教
我翼我蔭　積勞以遷　屢佐列城　贊之用寬　民用不驚
位雖不充　盛德則有　於粲輝光　紆鬱之久　在今左丞
奉其教忠　非禮勿履　非經弗窮　侃侃在朝　不徐不亟
言端氣溫　爲國司直　先帝有言　我之棟梁　金玉遺音
云何可忘　出入踐敭　王事靡盬　道經先廬　亦莫敢顧
鬱鬱舊阡　恩命維新　詔勒斯文　以勸後人

石刻史料新編（二十一），一五七二八頁，山右石刻叢編，「故通奉大夫參知政事大興府尹贈正奉大夫河南江北等處行中書省參知政事護軍追封平陽郡公諡忠肅姚公神道碑并序」：

至順元年五月丁卯有　詔命　國史臣集譔姚忠肅公
神道碑又　詔臣集　曰鑒書博士柯九思其壻也可徵
其家世行事歲月臣集奉　詔再拜稽首而言曰臣前未
奉　詔書忠肅公子侃嘗以其父事求臣為文臣以為天
下　國家之方治也天必為之生剛毅正直之材奮其百
折不回之氣䥢姧邪之機而奪其魄摧强暴之鋒而壞其勢
嬰犯危難若嗜欲然然後不仁者遠而君子之道行矣辟諸
農夫之無利鋤則無以芟薙稂莠而遂嘉禾之成虞衡無彊
弓勁矢而繼夫火烈之舉則龍蛇保菹澤豺虎橫道路民物
何以為生乎若夫揜阿巽懦之徒日為茍容之計不順從則
委去　朝廷緩急何所望乎世之論治者徒知雍容廊廟之
為美曾不及先事敺除之助者殆非通論也昔我
世祖皇帝既一海內臨　御三十五年隆平之效近古所無
也然方其圖治之切而共鯀之流因其憸壬之材以自售其
貽毒於當時蓋亦幾矣而去凶除暴從諫如流卒不蹈其弊
者固出於聰明睿知而任耳目之寄當彈劾者亦厥其有人
哉嘗考記載摻乎見聞而得之忠肅姚公其人也公諱天福
字君祥姓姚氏系出唐宰相文獻公崇其後有諱伯祿者為
絳州觀察判官卒於官遂居稷山南陽里大父處士敬父處
士居實當金季避兵鴈門壻于趙秦進士家生公稍長有材
鋤懷仁縣推擇為吏同列或弄文墨嘬蔵甘歠為得志公鄙
之去從儒者學春秋通大義固以節誼自期矣父母亦奇公
日勗忠孝之事而公之所見已不與常人等矣當　憲

宗皇帝時　世祖以太弟駐兵白登懷仁當以蒲萄酒
進行幙公以吏在行應對敏給　上奇之留備宿衛至元
初遂為其縣丞丞相塔察兒奉　旨睦親於北藩代守楊闕
闕出以其才薦丞相與之偕以為能五年立御史臺丞相為
御史大夫為之屬者聲名風采必極天下之選以公為架閣
管勾兼獄丞即獵獵言事如御史然十一年真拜御史服其
服入論事當是時羣臣　奏事皆便服衆見公朱衣抱笏以
入駭汗相顧莫知所為入見　上首論省臣阿合馬擅政
柄為姦利事出詣中書省執之以見　上阿合馬亦期得
對必殺公及至　上前探皁囊出廿四事抗聲論之才及
其三已情露引伏　上為之動容曰即此已不容誅況其
餘乎　國人謂虎為巴口思　上嘉公之膽衆猶虎也因

賜為名以表之而諭之　曰有敢違
太祖皇帝成訓而干紀犯法者御史擊之勿縱時方以利權
為
上所倚未即罷而公迹危矣公按事北邊道過家拜
母趙夫人於堂下母見之大怒曰汝為御史胡為私至家即
遣去誨之曰汝第盡職勿以吾為慮苟以御史言事得罪不
測吾雖為汝死亦甘矣　廷臣聞其母之言以告　上曰
賢哉非此母不能生此子　命近侍董文忠公以其言付史
官書之大名守小甘浦侍宿衛之近冬獵于郊民不保其家
室有訴于　朝者　上命御史按之反為所毆而還更以
命公公則微服廉問得實即名馹馳至府設獄具立捕至庭
劾治之連及他淫虐不法事其人素貴纍出不意見折辱皆
款服械以俟　命近臣捄之幸得驛騎過臺門故有誶誚語

公適坐察院曰敢尔耶驅吏卒執之於佩囊得其與侍御行
賕自免之記詰之知賕在某道士處公因夜巡入道士家得
賕如書而侍御史不知也明旦方坐府公入臺叱左右撤其
按手執之絕衣以逸公持其贓入　奏　上曰小甘浦
之釋也得毋為　朕私之今其跡見矣雖然　朕嘗貰
小甘浦死罪至十猶免之公曰今其罪十有七　陛下赦
其十死其七誰當之且　太祖之法其可壞耶遂誅之而
侍御史雖免官猶得以近侍與大夫孛羅宴見奕於　榻前
公入　奏事引其衣而出之曰罪人也不可與大夫偶衆失
色而罷時臺有兩大夫事皋制多不定臺臣患之公抗論
上前　上曰朕亦惟之御史言是大夫孛羅自以年
少求退而專任月魯郍演矣初立臺之明年各道立提刑按
察司以通遠情去民害察隱慝以防未然肅庶政以一風俗
天下甚賴之有近臣私黨布在中外者不便　奏罷之
上既許之矣公為大夫反復言所係之重大夫默然久之曰
非御史幾失此計夜　上在卧内大夫辟人入　告上
亦大悔未旦趣　命中書復立之　上嘗諭公曰昔唐太
宗嘉魏徵之言無隱嘗有賜　朕今賞卿勿辭公曰言臣
職也憂以不盡言得罪敢受賞乎固辭　上始怒終悦其
言而阿合馬畏公之久在御史也謀所以去之者　車駕
時巡上都行既遠託他事使兵馬司帥騎士猝縛公以去大
索其家無所得徒有脫粟数升耳因欲羅以他事而無其說
徒執公而鍛鍊成罪公曰宰相反無　詔旨自行在來而欲
擅殺御史固將反耶雖得釋猶左遷同知衛州路事左司召

之受　命公曰吾先受旨毋遠去臺俟得見　上乃行而
省臣亦不敢强也臺臣亦懼其激怒致傷沮　奏公為河東
按察副使時朔方兵興方冬盛寒役太原民轉粟民不堪命
公　奏曰外患未(寧)而先失内郡民心可乎　上悟太原
飢公蔡廩而後　奏有司覩望反劾公　詔亥問入拜治書
侍御史十六年除淮西按察使江南方内附民未安蘄黃宣
饒徽婺等路或相挺為盗輒起兵誅之而大掠其傍郡淮西
之地故宋宿將家多在焉而守將每造事稱警輒屠略之或
使人奪良家子女託為俘獲而轉口口率以舟計公曰是皆
天子赤子也孰敢尔即津隘置吏閱察非臨陣之俘悉還之
痛繩掠寶之罪得還者數千家人至今祠之十八年徙節湖
北時官江南者樂富庶之可漁欺斯民之無告以掊取為當

然行省平章攻戰功多回西鎮之公劾其不法以聞不報公
入　朝親言之出境而遇盜或過之皆曰此姚按察船也盜
曰公正人也不可犯其為人感慕如此相告遠去臺臣既以
所劾者有功當議宥征乃顏之役遼東宣慰使阿老凡丁以
軍興擅盜粟萬石者事覺被問輒佯死吏不得詰獄久未決
臺省以　上旨俾公問之公察得實即至其處命樹栰于
庭曰尸贓吏於此獄必竟遣捕之其人曰我詎能支姚公哉
遂伏罪內或救之幸免得見　裕宗於　東宮泣告
曰巴兒思鞫臣如執豕然　裕宗曰巴兒思無濫刑汝
罪當尔故雖得釋而衆莫不震肅矣十九年阿合馬死阿老
凡丁其黨也有不法事数以　恩幸免至是又遣公繼問
獄即具械以歸報廿年回持憲山北遼東境內蝗公至而蝗

死又有蒿黎蟲方害稼晝隱而夜食人莫致力焉一夕亦不
知所在民饑相率逃去公使止之而發公廩以賑其民郡言
于　朝遣使止之公留使盡賑乃已　朝廷亦無以為罪平
灤吏有巧文法為酷害者民甚苦之至形於歌謡莫能治公
得其情罪之吏悅服一郡皆喜郡民以畜牧游獵為業始教
之農桒其民日以富庶所至立學校延師以教之民有性至
孝者廬墓以盡哀人莫知貴公責有司上　聞而旌之有親
叔姪爭田者數十年不絕公按其事先問其姪曰今有毆尔
叔父者尔救之乎曰救又謂其叔曰今有戕尔之姪者尔讐
之乎曰讐公曰然則尔何爭耶皆感泣相持而去不復爭民
亦大化廿二年　上選六部尚書　問巴兒思所在　召
拜尚書有疑獄讞上不肯署而同列遂決之公以不得其職

去居歲餘所讞事白如公所疑而　朝廷亦知公之明而非
苛矣初　朝廷以昂吉兒有軍功於淮西授中書右丞宣慰
使事倚特重其子昂阿禿為萬户父子総兵者廿年寖為不
法淮海之間有盜七人自宋末為暴莫敢捕治宣慰使父子
交通愈不可制復　命公為淮西憲使捕得七人者併獲所
匿軍器或蔵之幾逸或援之不得急者問所連逮蹤跡甚著
盡擊殺之而劾宣慰使贓鉅萬時行臺揚州公親詣臺言之
昂吉兒使私人兵校丁文虎將盜殺公于途不能殺公併得
而執之事　聞　詔遣近侍阿木治書萬僧按問昂吉兒懼
貯黃金館人米囊中以入公知之隨之入發囊按上具得金
昂吉兒情得伏罪杖之昂吉兒還　京師以擅殺賊事譖公
　上曰殺賊何罪廿八年丞相桒哥誅其黨人多在平陽

者移公尹平陽時有男子偽為女巫言禍福民為驚惑公曰
亂常而汚俗者立命撲死于市平陽郡大統州縣數十四方
之使過者甚衆又多貴近而供億無從出歲給之費什不及
一公決平湖之水為磑者四生財以足用種樹以供薪民力
以紓而貳憲速魯蠻行部反沮公公不為動速魯蠻受賂以
還公逖闕而劾之貳憲坐廢三十一年拜甘肅行省參知政
事以母老辭行元貞元年復為陝西憲安西郡守亡其印吏
議悉罷一府官公曰罪在掌印吏尔省府不從兩上之卒如
公議　朝廷以真定為難治擇舊人守之六月以公守真定
自東西南入　朝者皆會真定而後入出使者至真定乃分
道又多　宗王貴臣往來亭驛不具為口舍亦不足雜處之
民閒室家弗㊫焉公大為館舍而民不覺勞推其法於屬邑

皆便之務甓不給又甚於平陽廣平陽之政而行之民又以
為便而部使者不以為可兩言于　朝　天子以公為是
命書諸令毋使他郡傚焉新樂小邑也有驛在焉民尤不
堪於過客公還驛遠之且便道而水暴至為害公草檄喻水
神明日水退二十里驛成　隆福太后作佛剎於五臺山
郡於山最近地大民衆受役者多真定之人方麥熟徵役甚
急公輒止之他吏咸懼恐不測公遣吏上言請俟農隙卒從
之灤城有過賈見殺于逆旅者縣長吏暴急不能得賊執逆
旅主人隆氏父子三人鞫治之誣服獄三上公三疑之縣吏
卒不肯改　朝廷遣決獄使者且至則就竟矣公問死者之
母曰尔子所賫鈔有私識乎曰有取隆氏所納贓則無公曰
信寃矣乃假他死囚之辭留其狀居一月得真盜於德與寃

者釋郡有罷吏朋黨數十人援憲府為聲勢漁獵良善民不
得息公悉知其名執而擊殺之懼而逸去者弗追也其後公
道過他郡有儒衣冠来見者公問其鄉曰昔居真定有罪畏
公逃去曰折節改行求為君子故願見公矣公待之如未嘗
得罪者而其人益自勵云元貞元年　天子遣分道問民
疾苦公奉使山東二年乃還大德三年拜江西行省參知政
事病不赴四年以通奉大夫參知政事行京尹之事公明敏
吏無敢欺民大悅服三河縣耕者得古銅印於田中未及送
官怨家告以為反縣吏究之既誣服事上府一府愕然公取
印觀之則故三河縣印也笑釋其縛而遣之立治縣吏與告
者罪民有寡婦朱屬其弟以錢為商者弟因以富而姊日貧
姊徵諸弟弟弗與更苦之姊告諸官率以無券不為理公得

狀令其姊還家以待而召其弟曰尔昔貧今富何也今某盜
言尔實與偕信乎弟惶懼言某因姊錢經營粗有餘有簿書
可徵公即名其姊按簿分其半與姊皆感悅而去其斷決明
識類如此六年正月以疾薨官護其喪歸葬絳之稷山先塋
之處且有遺言曰必歸葬我公之尹平陽也嘗歸拜墓下郡
人刻石識之至是公父子以次還葬先塋矣贈正奉大夫河
南江北等處行中書省參知政事護軍追封平陽郡公謚忠
肅夫人趙氏楊氏皆封平陽郡夫人子男三長壽童早卒次
祖舜秘書著作郎先公卒次侃內贓庫副使楊夫人出也侃
子椿童女一歸柯九思嗚呼古人有言曰太剛必折公為御
史數年六持憲節一為臺官所劾治皆權姦強酷之吏及治
民大邦摧強扶弱理寃肅化尤為誠厚切至逾於在風憲時

向非　明主在上一舉事不死則斥不復起矣安能屢成
其功哉此固非特公之能也實繇　世祖之聖明焉故曰
天下　國家之方治則天為之生斯人豈不然哉臣所書如
此　國家稱治獄三事殊神怪臣不敢書察問故吏考其
事實今奉　明詔得而并書之公為山北遼東按察使武平
路武平縣車坊寨劉義軍籍也其兄成暴死詣官告其嫂阿
李與建州王懷通疑其為所殺縣令丁欽驗屍無死狀言諸
府府不能決以告公公曰安得無死狀期三日必如期復命
府以責欽欽憂不知所為其妻韓問之曰何為憂若是曰劉
成之獄有其情而無其跡府期責甚急且姚公不可違奈何
韓問其事始末曰驗屍時曾分髮觀頂骨乎亦觀之無見焉
曰子不知是頂中當有物以藥塗之泯其迹耳欽即往濯而

求之頂骨開得鐵三寸許持告府府詣公言公曰敏哉令胡為前迯而今得也名欽來賞之欽至具言得妻韓教事公曰法當賞韓以他事苛留欽而以欽言召韓於家韓至即引至公前公曰汝能佐夫不及甚善汝歸欽幾何時曰妾萊州人嫁廣(字)李漢卿為妻漢卿死十月貧無所依適丁令半歲矣公曰漢卿今葬何所曰寄殯廣(字)某寺中貧未能還葬也乃以韓付有司曰是有事當問即遣憲吏劉某晝夜馳四百里至廣(字)會官吏即某寺果得李漢卿棺啓而視之其顱則廣如劉成也取廣(字)文書封顱鐵以還公以鐵示韓韓即款服而欽亦自縊不旬日而兩獄皆具平灤守控古伯盜用年銷錢事覺御史府檄公親問之控古伯逃吏張仲威請追之公曰勿追也汝往城西橋候之并執以來仲威僞為漁人坐橋

下果有舟至府官吏在舟中持其印印文書仲威突登其舟曰按察名汝奪其印與文書則年銷校也遂并執其入以至欵立具公因其人而親入報道過景州今遵化縣也未至州數十里有羊角風起馬前公曰此必有寃告我吏心誚公而不敢言公曰苟有寃風當先我至驛即不見及至州驛庭間蓬蓬然轉旋不去公召尉選老於游徼者二人曰汝隨風往仍諭風曰人行勿越山踰水三人者從風行盡一日野宿口風復作於前從之又半日至澤中葭葦深處得殺死者五人皆無所考辨獨一人胥間繫小印持還以為左驂公曰吾得之矣乃召州長吏語之曰我奮奉檄市布帛賞工数甚夥盡括逆旅所有徵驗之印文不類曰殊少不足用也使人四出邀行買吏出西門有四人載布五驢北行者即止之曰官市尔布曰吾弗粥也曰官市汝安得辭即盡驅以至州市布上印文如所得者即推此四人問以葦中殺人事款服無異辭事　闘取而尸之　京城之外云此二事世所傳説多有之而姚公之事歲月地理人氏名姓悉詳如此故可書銘曰

昔在　世祖百度維新乃崇憲綱以勵具臣維時擇人罔或不正才或不齊職各思盡岳岳姚公百鍊之剛疾風震霆烈日嚴霜孰狠孰詐孰暴孰倖孰惡而肆孰黨而横彼為患失念在子孫若昧不知若隱不聞公曰皆然　天子何賴有姦必擊矢死無悔柄臣盜權謂天不知朝服出簡盡抉其私　上壯其勇錫名曰虎賁視魏徵亟出少府徵受公否寔邁昔賢盜索其家粟無餘饘古之遺直豈以為厲視民如傷莫敢不至相時小人歎愧心降孰謂君子不與其忠至元之

域地大物衆容有姦慝乘間以縱縱而卒誅伊誰之功　君能用言臣悉敬恭用能貽謀以遺孫子有勸有懲孰謂風紀雖或其人不皆如公貪廉薄敦凛其下風持憲終身抨擊日報而賞仁恕愛民有道稷山之墟善復其神君蒿上升肅贈偉人　聖皇有　詔信史紀實何千萬年來者敬式

石刻史料新編（十八），一三五七七頁，常山貞石志卷二十三「大元故榮祿大夫御史中丞贈推誠佐治濟美功臣河南江北□□□（按：等處行）中書省平章政事柱國追封冀國公謚忠肅董公神道碑銘并序」：

至正六年夏四月
大駕時巡上京命榮祿大夫御史中丞董公守藺留居
大都五月庚子以疾薨于位省臺以聞
上為震悼賜錢二萬五千緡給喪事以六月癸酉葬於
真定藁城九門之先塋公卿大夫相弔於朝士庶交歎
於其里親戚故人近則聚哭遠則以書相慰唁無間言
也故事大臣既葬則載其功德行事歲月於金石表諸
墓道禮也昔在我
太祖
□宗時□與朔方中州離□□□尤甚□□□□□□□
□□□氏□□□光祿大夫司徒趙國宣懿公昕其
子曰贈推忠翊運效節功臣太傅開府儀同三司上柱
國□□□□□□其衆來歸其歲□□右□□□
□□□□□□□□馬衛上將□行元帥府□□□
副元帥□□□□其□□□□□□九子皆篤
□其長曰資德大夫中書左丞僉樞密院事贈宣忠佐
運開濟功臣太尉□□□□□上柱國趙國忠獻公
諱文炳□□□□□□□□□□□□吉資德大
夫□　制誥□□　國□□□□□□□□□□

□□□□□國忠穆公□文用其□曰資德大夫僉樞
密院事典瑞卿贈體仁保德佐運功臣□□□□□同
三司上柱國趙國正獻公□文忠□□□□在□□□□
□□□□資政大夫御史中丞□□□□肅政功□□□□
□府儀同三司上柱國□國清獻公□士珍之第五子
也我　國家之法信尚勳舊子孫之□□□□□□□□
而論之則存乎□人矣□□□□□□□□□□□□
□□□□帝□□□□□分□其大者□□□□□
□□□□□□□□□□左丞率師取□□□成
功忠穆公文學□□狗□論□為時師表正獻公淵亮
園□□□□□方符寶非純□□□□□□□□
□□□□□□□□□□□□□□□□□股
肱心腹□□□□□□□□□□□□□□□□
□□□□□　此下空
□□□□門□□□□□至□□□之□□
一二□□□□□□□□□□□□本有如董氏
之□者也御史中丞之位公家居之者六人在□□□
□□公在大德則忠獻公□子忠宣公士選□□□□

□□□□□□□□□□□□皆□□□中丞□□□
□□□□□□□□□□□□□□□□□□□□□
□□□□其純□□□□□□□□以他族罕比也
國家禁衛之□□□□□□ 國□至如□□□□□
□□□□□□□□□□□□□□□□□□□不□
□□□□□□□□□□□□□□□□□□□□□
□□□□□□□其年□□□□□□□□□□□□
□□□□亦如之延祐中公□□□□□□□□雖成
□如□□□□□□□□□□□大□□□□□□□
□□□□□□□□□□□□□不知□□□□□□
□□□□□□□□□□□□□弟得以□□□□□

常山貞石志卷二十三　卅五

□□□□□□□□□□□□□□臣兄守中是□□
□□□□□□閒□伹□初置集□□□□□□□□
義以輔□聖□臣實□□□□□□□□□□□□□
□□□□□□□□□□□□□□□□□□□□□
□以公□□□□□□□□□□□□□□□□□□
□□□□□□□□□□□□□□□□□□□□□
勿 缺下空
□□□止□□□□□□□□□□□□□□□□□
□□□□□□□□□□□□□以□□□□□□□
□□□□□□□□□□□□□□□□□□□□□
□□□□□□□□□□□□□□□□□□□□姓

而□名其第亦異數也□□□□□□□□□□□□
□□□□□□□□□□□□□□□□□□□日臣
有父師□□□□□□□□□□□□□□□□□□
□□□□□□□□□□□□□□□□□□□□□
□□□□□□□反復命 上日來何進公□□□□
□□□□□□□□□□□□□□□□□□□□□
□□□□□□□上曰卿朕之汲□□□□□□□□
□□□□□□□□□□□□□□□□□□□□為
政平易□有□民□□□□□不能□公一日盡按而
除之民□□□□大旱□□□□□□□□□□□□
□□□□□□□□□□□□□□□即□□□□□

常山貞石志卷二十三　卅六

□□□□□□□□□□□□□□□□□□□□□
□□□□□□□□其□□□□□□□□□□□壽
□此□□故慮□□□□□□□□□□□□□□□
□□□□□□□□□□□□□□□□□□□□□
□□用矣□□□□□□□□□□□□□□□□□
□□□□□□□□□□□□□□□□□□□□□
□□□□□□□□□以至□□□□□□□□雨□
□□□□□□□□□□□□□□□□□□□□□
□□□□□□□□□□留之□□□□□□□□□
□□□□□□□□□以□□□□□□□□□□□
□□□□□□□□□□□□□□□□□□□□不

□有□□□□□□□□□□□□□□□□□□□
□□□□□□□□□□□□□□□□□□□□□
□□□□□□□□□□□□□□□□□□□□□
□□□□□□□□□□□□□□□□□□□□□
□□□□□□□□□□□□□□不能□□□□□
□□□□□□□□□□□□□□□□□□□□□
□□□□□以□□□□□□□□□□□□□□□
□□□□□□□□□□□□□□□□□□□□□
□□□□□□□□□□政□□□□□□□民□公
如自□□□□□□□□□□□□□□□□□□□
□□□□□□□□□□□□以□□□□□□□□

□□□□□□□□□□□□□□□□□□□□□
□□□□□□□□□□□□□□□□□母□□江
□□□御總管□□□重□□□□□□□□□□□
□□□□□□□□□□□□□□□□□□□□□
□□□□□□□□□□□□□□□□□□□□□
□□□□□□□□□□□□□□□□□□□□□
□□□□而□□□曰朕深知卿淮汴之政□□□□
□□□□□□□□□□□□□□□□□□□□□
□□□□□□□□□□□□□□□□□□□□□
□□□□□□□□□□□□□□□□□□□□□
□□□□□□□□官□□□□□□□□□□而□

有疲不□□□□□□□□□□□□□□□□□□
□□□□□□□□□□□□□□□□□□□□□
□□□□□□□□□□□□□□□□□□□□□
□□□□□□□□□□□□□□□□□□□□□
□□□□□□□□□□□後必□□□□□□□□
□□□□□□□□□□□□□□□□□□□□□
□□□□□□□□□□□□□□□□□□□□□
□□□□□□□□□□□□□□□□□□□□□
□□□□□□□□□□□□□□□奉不以□為□
□□□□□□□□□□□□□□□□□□□□□
□□□□□□□□□□□□□□□□□□□□□

□□□□□□□□□□□□□□□□□□□□□
□□□□□□□□□□□□□□□□□□□□□
□□祖父之□□□□□□□□□□□□□□□□
□□□□□□□□□□□□□□□□□□□□□
□□□□□□□□□□□□□□□□□□□□□
□□□□□□□□□□□□□□□□□□□□□
□□□□□□□□□□□□□□雨大□□□□□
□□□□□□□□□□□□□□□□□□□□□
□□□□□□□□□□□□□□□□□□□□□
□□□□□□□□□□□□□□□□□□□□□
□□□□□□□□□□□□□□□□□□□□□

□□□□□□閣□□□□□□□□□□□□□□
□□□□□□□□□□□之人而□□□□□□□
□□□□□□□□□□□□□□□□□□□□□
□□□□□□□□□□□□□□□□□□□□□
□□□□□□□□□□□□□□□□□□□□□
□□曰□□□□□□□□□□□□□□□之□以
□□公□□□□□□□□□□□□□□□□□□
□□□□□□□□□□□□□□□□□□□□□
□□□□□□□□□□□□□□□□□□□□□
□□□□□□□重　上曰□□□□□　缺　下空
世祖□□□□大功大□□且弓矢豈獨以漢人□之

□□□□□□□□□人皆得執弓矢□□□□□□
□□□□□□□□□□□□□□□□□□□□□
□□□□□□□□□□□□□□□□□□□□□
□□□□□□□□□□□□□□中書方□其用□
且□者　上曰□□□□朕□□□□□□□還中書
未晚也□□□□□□□□□□□□□□□□□□
□□□□□□□□□□□□□□□□□□□□□
□□□□□□□□□□□□□□□□□□□□□
□□□□□□□□□□□□□□　缺　下空
□□□□□□上□□□□□□□□世□□有大□
□□□□□□□□□志其進階榮祿大夫□□□□

□□□□□□□□□□□□□□□□□□□□□
□□□□□□□□□□□□□□□上之屬□□公
者方□也公感激□□心以□□□□□也□而□丁
□□□□豈非天乎公幸子□與諸□□□國夫人祟
氏子清□公□□□□□□□□□□□□□□□□
□□□□□□□□□□□□□□□□□□□□□
□□□寶其□□□□□徵起其瑞也□□得之□□
□天□為□□甚□□者與□第九十□也□以　國
家□□□臣見之皆禮敬乎感以文□□□□□□□
□□□□□□□□公□□氏□□□□□□女□□
□□人□□□□□□□□□經□□家教子有法次

夫人王氏克守□□子二人長曰鉞□□保□先訓在
□宿衛先公卒次曰鎧□□□立女二長適秘書監丞
鄭鄭次適□□□丞張□□□□□□□□□□□臣
□與國公□□忠□□□□□□□□□□□□□□
　旨遐祭祀則致以□婚喪皆有所給公□□書而□
□□所□□人□□多士大夫與于□淮泗□□□□
三皇之廟家居訓子必延碩師里中□□□□□□□
□□□□師之所用公盡資之□□□□□□□□餘
□以遺□□□□士大夫必以禮待鄉□亦以其敬富
貴之氣未嘗少見于辭色公將屬續台鉉告之曰先清
獻公神道之□未立我深念之在中書時有□□命翰

林學士承　旨歐陽公凤張公起巖妣公甫□□□□
□我不諱汝趣成之我死見先人於地下乃無愧矣無
一言及其家事得年五十有五公葬鐙即代石樹清獻
公碑卒成公之志董氏先塋在九門東五里高里村集
賢以諸生受知忠宣公銘□其□旬□□一謁清獻公
公進而與之坐□□□則□□大臣之言□□其子靖
獻公□仲游每歎其言直應簡溫有古昔世家之度集
後以文史經誼待罪館閣一二君子天下□□共□□
□□者二十年來去世盡矣集屢証知耄耋之齒後死
窮□而復執筆書中丞公之事平趣□銘以□之其辭
曰於皇聖明　中立覆載　至仁至誠　天與同大
□□如陽　無間內外　高厚悠久　以振元會　聰

求元臣　代我天工　天職天祿　□爲大公　顧□
□□　自我
祖宗　六世百年　文言武功　有懿孫子　□在百
□　□藝甲胄　進退出入　清慎如一　梁氏莫及
簡在
上心　匪私匪亟　惟中丞公　忠厚粹淳　溫溫其
恭　惟惟其真　惟　國惟家　于心于身
今之純臣　古之德人　史古執法　□□嵩極　□
我
皇心　堂□太息　歸禮其家　有□有棘　求忠定
來　其□□□　言觀葉城　□於九門　陰陽流泉
往來風雲　□□□林　君子之文　我辭□之
以相後昆

石刻史料新編（十八），一三五七五頁，常山貞石志卷二十三「元故懷遠大將軍洪澤屯田萬戶府萬戶贈昭勇大將軍前衛親軍都指揮使上車騎都尉追封隴西郡侯謚昭懿董公神道碑」：

惟董氏世為真定之藁城人
國朝興翔方金人不能有其土董氏三世隱田間未有
以自拔也至四世以勇冠其鄉邑糾之豪傑畢起而從
之遂率其衆歸 國朝而藁城為根本之地歸為之令
謹守望以保生民操才勇以待時用時官制未定歸

常山貞石志卷二十三　十八

國者增戶口田賦之數以考大為滕軍興輙受其弊藁
令獨以小邑受事力紓而役減邑境以圖數乖
□□□□有事於金奉命戰金主於河南死之而董氏
之宗自此始是為龍虎衛上將軍左副元帥諱俊累贈
推忠翊運効節功臣太傅開府儀同三司上柱國趙國
公謚忠烈者也忠烈□九子次六文振次九文義先卒
其長以中書左丞將兵滅金取宋贈宣忠佐運開濟功
臣太尉開府儀同三司上柱國趙國公謚忠獻諱文炳
次二侍衛千戶諱文蔚 次三以文□立 朝為御史中
丞贈宣猷佐理功臣翰林學士承 旨銀青光祿大夫
知 制誥兼修 國史少保趙國公謚忠穆諱文用次
五以副使宣慰荆湖諱文毅次七順德□判官諱文進
次八事 禁衛典瑞內廷僉樞密院贈體仁保德佐運
功臣太師開府儀同三司上柱國趙國公謚正獻諱文
忠其次四則繼忠獻令藁城諱文直者也忠獻上其贈
光祿大夫司徒趙國公謚宣懿諱昕是為董氏不遷之
宗身為禰而子孫宗之者則次四府君為洪澤之宗矣
其令藁時昆弟有王事皆仰給于家得以廉節成其功
皆□令之力而其民之生聚教養尤裕如也及藁有新
令即斂裳弃梓而兄弟皆貴顯忻然無所動其心而終
身焉及忠獻替大軍臨江宋將張世傑悉衆致死於我
藁令之子士表□甲請先士卒忠獻知其勇而念藁令

常山貞石志卷二十三　十九

之無他子止之固請迺聽行俄大捷奏功立除鄧州新
宣萬戶宋之既平 詔諸郡萬戶各以其兵分□列郡
議者以為東南鎮兵各有分地而淮甸之間環數千里
久苦戰爭民散而土曠宜考古屯田之地置萬戶府得
才略可信任者主之教以農務部以軍法足食足兵制
要衝之長策也 朝廷乃置屯田於洪澤自新鄧萬戶
以定遠大將軍佩金虎符來帥之幾季而功成及卒贈
昭勇大將軍後衛親軍都指揮使上輕車都尉追封隴
西郡侯謚武獻去公諱守義字子宜則藁令之孫而武

獻之子也母劉氏追封隴西郡夫人以庚午年十月十
四日生公公弱冠嗣其世官以懷遠大將軍佩金虎符
為洪澤屯田萬戶府萬戶凡所以勸士卒省耕斂均力
役嚴約束慎隄防以成歲功者寬而有制明而不苛一
以武猷為師是以容民畜衆上下信而安之也初屯之
陂塘多仍其舊隘不足以容水公漸開之廣袤四十五
里作木岸二百五十丈於塘口禦風浪之衝而水利無
復遺患然地勢卑下行潦時至廬舍歲憂漂流公乃循
隄置㡧㡧有驛以容守者凡廿二所皆有名什省用其
言稱事以祿其人□為恒制初置屯時耕者不足募私
鹽之徒以充役欲因而生之然久玩過失民以為患命
部伍之長識其所為以待懲勸後皆知耻為良民公歎
曰化民莫善於教教莫先□□□官屬之子弟延名師

以教之既而請於朝設夫子廟學置教授如諸衛列
營之法親與為禮以講肄之而文史有足用者矣蓋公
之為治皆當平世是以先志之所存者以敘成焉公性
孝謹歲時家祀哀慕不勝嘗以母老請歸養不許教子
有法身儉約以率先之有餘不妄廢至於供養親戚長
者推所有不厭不倦部曲有疾病每親為醫藥故樂為
之用使生用兵之時足以立勳業為文儒不失傳循吏
守職分以行其素無所矜伐可識者僅如此豈足以盡
其人共延祐七年十二月初一日卒贈昭勇大將軍前
衛親軍都指揮使上輕車都尉追封隴西郡侯謚昭獻
娶趙氏元帥煒之女有賢德先公二年卒追封隴西郡
夫人合葬九門之先塋子四人長鈞□宿衛除典瑞
經歷　□□奎章閣祭□參書置宣忠扈衛軍選官為
副都指揮使佩金虎符讓公爵於母弟釗襲武德將軍
洪澤屯田萬戶府萬戶佩金虎符次三鋘□　宿衛次
四鏄女五適淮安□□□□□□適涞水縣尉劉虢次
適趙裕次繼室于趙次適武衛指揮王善眞孫男十人
孫女五人銘曰
□□世家　與國並興　久於治平　名以德稱　董
氏之先　功在社稷　干鉞于征　帷幄淵容　孝忠
質廟　祖孫一心　各究其誠　為國荷任　昔在
□□　□□而服　楚地伏討　思置心腹　暘其戎

衣　猶事是程　萬夫芸芸　隱如長城　旻旻良耜
皇祖所使　旆旌悠悠　四世□此　羝京歲登　轉
賓國都　□□先安　□滄□盧　乃設庠序　於其
間暇　教以知方　不怒而化　昔在至元　善保勛
門　罔俾一家　並帥兩軍　忠烈忠獻　各建其旅
獨以國疑　□□仲□　公子禁林　瑞節圖書
新作宣忠　顯服金莬　天錫有時　均被先澤　歸
視甫田　有允斯赫　別塋九門　松栢西東　豐碑
刻辭　來瞻來崇

石刻史料新編（十八），一三五四一頁，常山貞石志卷二十一「元故宣武將軍前衛親軍千戶皇公墓誌銘」：

至順二年冬前衛侍衛親軍千戶皇景温介監察御史同郡蘇天爵以其大父遺事踵門來告曰景温承大父餘澤（缺下）而久未克為昔先生之客於故相董忠宣公也先父以董氏□曲之舊嘗得見焉固將有請於先生未及言而景温（缺下）始從忠宣來京師其父忠獻公門下文武將吏多在者得從問其征伐勛業之事及執筆太史盍得其詳焉若皇侯（缺下）

軍係金符忠宣公士選始（缺下）其軍築上都東西涼亭有功進武德將軍親軍總管例改總管為千戶仍為前衛侍衛親軍千戶乃顏之叛

天子　親駕北征以其兵從戰吐怨察追敵至□連河有功又與前鋒進敗敵兵于兀魯古河又戰于末温又戰于哈剌木干又戰（缺下）家奴戰于札藍都獲之又有功乃顏平師還進宣武將軍典兵如初既老子慶襲職大德丁酉七月卒年六十七娶焦氏于氏趙氏（缺下）官至武略將軍卒贈宣武將軍騎都尉京兆□伯□曰敬曰元忠曰贇曰智女三人孫十四人景温慶之子也其塋在長德鄉□（缺下）多至為將軍世將其兵以傳子孫至于今

數□年保其世業何其厚也予嘗閱侯之為人質直拳勇以其父能推財急義及（缺下）以能久長也歟昔漢史官作霍將軍傳其將校偏裨皆得附見董氏世家以忠孝世為將相其初與戮力王事若皇侯者何（缺下）

世祖南征　謀帥棄城　擇士與俱　莫非豪英　領頒皇侯　奮自鄉邑　屬其櫜鞬　以為羽翼　六詔之行　百死一生（缺下）

截彼江漢　乃佐舟師　先登于岸　左纛旨旋　王事孔殷　敵處朔方　百夫莫嬰　濟南肘叛　正陽築壘　東盡海洄（缺下）

江波不興　我武用揚　我乃搴旗　我乃斬將　我奪舟艦　我得凱仗　事定功成　行賞不遺　錦衣全符　奕奕有輝（缺下）

以傳孫子　于時治平　席草裹戈　連營閑閑　士逸而歌　維孫與子　世率厥職　保其忠貞　以介景福　白婁之□（缺下）

石刻史料新編第三輯（十二），四二五頁，貴溪金石志卷九之七「勅賜元教宗傳之碑」：

延祐六年四月廿五日開府儀同三司上卿輔成贊化保
運元教大宗師知集賢院事領諸路道教事臣留孫言欽
惟聖朝治尚清靜乃崇道家之言謂之元教實始命臣典
領臣亦惟誦其師說以贊輔萬一國家幸稽其授受之緒
而表章之至元三十一年制贈臣祖師張聞詩爲眞人延
祐元年推臣本師李宗老以上七人皆贈眞人前五年又
普贈臣弟子陳義高爲眞人具以贊書載其美號臣惟朝
廷嘉惠元教盛矣請述宗門傳次所以克承寵光者具勒

金石示久遠事聞制命太保臣曲出集賢大學士臣邦寧
臣顥曰其賜元教宗傳之碑勅臣集製刻文臣孟頫書丹
并篆題臣集拜手稽首言曰臣按道家本宗老子老子以
無爲爲宗是以善理天下者常用其說以在宥其民然而
千有餘年之間爲其道者或隱或顯或用或不用莫可詳
紀今大宗師事世祖皇帝而元教肇興更歷四朝日以尊
顯其弟子十餘人皆受眞人之號相爲翼承布在中外又
有嗣宗師臣全節總攝教事贊之恢宏則又推其所自傳
以爲宗顧瞻前後莫不與被榮耀斯固國家善其道之宜
於治也亦由其人謙讓持守善保其本要以克臻茲盛哉
夫本固者枝茂源深者流長今元教流行於世如此遡其
培積之厚誠非一人一日之力矣當事物之殷隆必究其
始初忠厚之道也小臣職在論撰敢不具徵列其事宗傳
之初繇襲明體素靜正眞人張思永始得道龍虎山中再

傳爲集虛演化抱式眞人馮清一三傳爲廣元範化貞一
眞人馮士元四傳爲象先抱一宗淵素眞人陳瓊山五傳爲
通眞觀妙元應眞人張聞詩六傳爲毓眞洞化靜復眞人
李知泰七傳爲寶慈昭德泰和眞人胡如海八傳爲葆光
至德昌元眞人李宗老大宗師實師之故御史中丞崔公
彧嘗入山見宗老歎其高岸沖遠莫測涯際爲留累日而

後去粹文冲正明教眞人陳義高者大宗師弟子也倜儻
有氣節居京師時常讀書大樹下學者就之與論說不倦
貴人大官過其前暑不起爲禮每醉賦詩累千百言善爲
奇壯一時學士多媿之自以爲不及遠甚遇貧士無衣者
輒解衣與之已雖寒不卹也初事裕宗皇帝東宮又奉詔
從梁王之國王改封晉又從與北邊所陳多禮義忠孝之
事成宗皇帝卽位從王入朝上識之賜酒勞問甚渥是時
史館修撰世祖皇帝實錄問逸事王所王假義高文學條
上始末史官歎其書有法於大宗師諸弟子爲最雄於文
矣臣嘗讀龍虎山志言宋景定年中張聞詩與人治上清
宮門得表曰龍虎福地或疑其過大曰後三十年吾教當
大興復于山中掘地得石鏡一枚石礮一編應讖大宗師
曰是奇徵也識之元教之興其在子乎今果然可不謂之
神異者哉謹述贊以繫之其辭曰山川絪縕升雲於天亭
毓久如厥施沛然猗歟道家遂有端緒學匪中絕長嗣隱
者專氣保神動合無形委順陰陽以爲常經應物汎宜而
不自矜恒斂名迹莫著於代偉茲九眞達世往仙嚮大宗
師邈然以傳其傳伊何天子有詔匪私其人表我元教維
昔多方會朝至元人感過逢誰無獻言時大宗師始來自
南不矜不揚渻和一心帝思息民還復齊壹師道允契爰

立楷式庶乎希夷神明自來遂至休恬無有疵癘人旣時
雍師日益貴四朝緝純維我一致臣工寵榮豈不代興誠
觀在廷孰其同升何顯無徵何遠無自不有君子曷徵其
系上清之宮眞所游居千載易遷載辭不渝嗣有聞人服
教無斁欽于世世以贊皇極

石刻史料新編（十六），一一六六七頁，安徽金石略，「元東山精舍記」：「無年月，今刻存休寧縣學中。」按：弘治休寧志，康熙休寧縣志，嘉慶休寧縣志，均不載此文。

石刻史料新編（十六），一一六七〇頁，安徽金石略，「元歙州教授邵文肇墓碑」：「無年月，在歙縣，未見。」按：康熙歙縣志，道光歙縣志，均不載此文。

石刻史料新編（十六），一一七三二頁，安徽金石略，「元舒城縣重建明倫堂記」：「至順元年，在舒城，未見，文載廬州府志。」按：乾隆廬州府志，嘉慶廬州府志，均不載此文。

以上三者，均虞集撰，可補遺其作品之篇名。

十九、楊載「楊仲弘集」補遺續

江蘇通志稿金石二十一「平江路重修儒學記」。

天下州縣之學莫盛於江浙之間江浙之間之學莫盛於吴
前代之制州縣有文宣王廟而無學宋景祐間范文正公守
鄉郡始割錢氏南園地而剏為之又擇沃壤為贍學田及公
叅預大政首為仁宗言詔州縣皆立學然則天下之有學自
吴郡始也後五十餘年當元祐四年公之子純禮為江淮發
運使因過家上疏奏朝廷復割南園地以益之繇是學制
大備當文正公立學時首迎安定胡先生以為學者師自漢
唐以來公卿大臣才兼文武以忠孝著節如范文正公幾何
人哉自孔孟以來為五經大儒能傳聖人之學唯河南二程

江蘇通志稿　金石二十一　十六

先生二程先生則嘗遊安定胡先生之門吴郡之學重之以
二大賢之遺迹後來郡守之有識者進謁祠宇顧瞻儀刑雖
然於心未論他政事必以興學為先務建炎間兀朮過吴學
為丘墟紹興十一年梁侯汝嘉重造禮殿十五年王侯晚繼
造兩廡講堂齋舍永平舊觀至是盡復淳熙十六年趙侯彥
操增造御書閣五賢堂寶祐間趙侯與𥲅盛有所增飾
有元大德二年治中王都中以殿宇廢久謀諸前兩浙都轉
運鹽使朱侯虎慨然用其私財撤而新之則又前此所未有
也今僅二十餘年廟學之屋俱有損者門廡墻壁日就頹剝
今總管師侯始至奠謁先聖先賢周覽裴佪歎曰是學也嘗
為天下之甚盛者今未及大壞承事在余不亟脩葺以遺後
人他日必用力百倍其困弗能支矣謂非余之責不可也於
是木之朽者悉易之墻壁之缺者悉作之廟凡破漏者多盡
代其豁之之物而更覆之增飾塑像而新其漆繪始事以四
月廿二日年事以五月二十八日侯屬載為文以記之且曰
必歷敘前人之有功者今日之事則毋庸過褒侯意如此將
以勸於無窮也載承命唯謹姑記其實侯之他善政不敢及
焉侯之志也總管系列□□□名克恭字敬之甯夏河西人
氏

余遊松江假館長春道院其主人則錢塘鄭君道真余日與鄭君言請問於鄭君道於何而求之道院何為而構於斯也鄭君之言曰僕劣時聞北方人為全真教其祖師則長春丘真人消鍊氣養神之道入火不焦入水不濡出入有無變化不測壽無所止極與天地終始心甚慕焉父故將家將卒千人戍守毗陵因病免官其軍之大將將以僕名聞　朝廷予父舊卒使襲父官僕自念苟學道有功得如丘真人雖貴為王侯猶不足比擬何有於列校哉縻繫於此終不得為所欲為者矣遁去至永嘉師受道要居密室中累年一旦心躍然思歸不可制止歸則父母皆已卒葬嘅然歎曰身無卻顧之憂吾道其遂成乎於是益務遠遊至松江松江人無為全真教者非僕容朱氏則俱託於逆旅主人僕遂有志結菴買地二畝築室四間度弟子朱道本等使嗣守之以待來者僕尋去之丹陽欲渡江不果復還永嘉是時邑中大家計肅夏世昌二人志尚清虛雅好道術□地七畝捌制為今道院使人招致僕主其事余聞北方人以全真名教始重陽王真人金之衰也諸侯割據山東鼎沸王真人之貌異於常人慨然有拯天下之志天數存其計其徒壯士叛己曰絕食居山中積數年有道為神仙度弟子七人丘真人最後出　本朝聞其賢遣貴臣劉仲祿迎至漠北謁
太祖皇帝受命于天為萬姓除殘賊必毋多殺　上感其言斬刈之威大為衰止繇是山東之人始有生殖之望焉夫為道者無為而無不為唯善藏其用則可以功濟天下古之人有知之者子房是也今丘真人以度世為業而能盡力匡維有補於萬億年之鴻緒絜功臧大詎讓子房哉今為其學者皆絕去嗜好以痛惡為衣食室中徒設榻植坐內踵狀類禪定而中有所事事其法具於抱朴子第丘真人之道顯重於世故學者推之以為祖焉道院之制為前殿祠事老子其外兩廡其後為堂高下降殺與殿相承余所假館直堂之東北隅曲徑深窅有池水叢竹之勝鄭君之為人無驕氣無惰容色常欣欣然如髫齔為童子時鄉人化其善賢者樂從之遊鄭君視之泊然不以繫累乎其心有道之供庶幾在此

二十、揭傒斯「文安集」補遺續

弘治休寧縣志卷三十七「率濱亭為程居仁賦」：

休寧之南四十里率山之下率水出焉山如凝黛水明
漪深入導地高隱天率之濱何人居花繡圍竹築廬青
山綠水画不如云是周大司馬休父之子孫聚族於斯
不知幾百年群公列卿世為儒古今盛衰不可常至今
子弟秀且都如崑山美玉滄海明珠盛德之後山川之
英不可誣耕於春穫於秋朝而漁夕而樵優哉游哉亘
不憂嗟伊人兮誰其與儔率之山率之水山兮水兮吾
與爾我將求于兮長已矣

合肥縣志卷三十二碑記「景賢書院大成殿記」：

元統元年廬州之三賢堂賜額景賢書院至元四年同知總管府事拜住以夫子殿卑陋弗稱將改作倡以楮幣千五百緡既而總管三寶消寮佐皆助於上郡之好義咸相於下乃白部使者作殿四楹廣三十尺有奇深亦如之基崇四尺殿之崇倍其基之七後建講堂四楹前為櫺星門其東室以祠宋樞密副使給事中包孝肅公西室以祠太子少保馬忠肅公敷文閣直學士王定肅公所謂三賢者也又易其木石之朽壞新其朽鏝之漫漶庫庾庖廚咸當程度費不出於公府不斂諸民間是年七月訖工同知泗州事進士余闕僑於是州以其士民之意來京師謁記惟夫子道德高厚教化無窮歲以加矣尊而祀之百王所同我元自太宗定幽薊首遣近臣之俊彥者學於薊之舊學世祖一天下興崇儒術成宗加封夫子之號仁宗開明經修行之科娓娓乎太平之盛舉故天下之郡縣莫不奔走承命而廬州獨能經營書院之未備於科舉廢罷之時可謂識為治之本學者不可觀一時之輕重而為之勤怠況邦君作興如此哉於戲夫子之道大矣而三賢者奮乎百世之上用其一二亦足以尊主庇民赫然為時名臣遺像儼然餘澤未泯君子之來學於斯思三賢之所至則而徵之又能遡而求夫周程張邵之所以學則夫子之門宜或不昧其所趨也賢邦君之所以望於諸生者顧不在是歟因敘而記之并附著其說拜住君前湖廣行省恆陽王也先不花之孫武昌亦輦真之季子昔官澧州亦嘗經理文山書院云

光緒宿州志卷三十一，藝文志，記「望先樓記」：

出自彭城南門行百餘里有三峰倚天名曰鼓山山中有聲如鼓自鳴歲則大熟其東北嶺有二泉下可溉田數十畝其西北谷有泉南流微折而東爲長溝會於南河以入於睢泉之北涯三峰之中有塋域焉是爲劉氏之阡而劉氏之居在其南涯蓋數百歲矣莫知其所始其居有樓曰望先之樓望其父祖而致其思也樓之前三峰橫陳與鼓山相高其南十里有小河合溝水入於睢河之南是爲宿州睢西諸山冉冉如畫邈在天際可以坐見樓之東有山曰東山山多巖洞皆神人異士所居有趺坐一洞數十年不出山者西有山曰磨旂之山樊噲嘗磨旂之處蓋自彭城南至宿州百四十里羣山綿延毓勝於此故劉氏聚族千百歷數百歲而不替益蓄惟其德之積而山川之會鍾其蘊靈所致然也且宿密邇彭城而彭城爲劉氏望郡其先之崇高盛大不待言說時移代易無從徵耳若今廣平太守湛揚聲著實凡數十年登樓而望松楸在目日月出矣而思定省之無期暑寒變矣而念溫凊之不再撫泉潤之深遠知福澤之有本覽山嶽之崇峙見積累之有基子孝孫賢豈偶然而致圭重組叠非邂逅可臻於此而望其先當何如其心也然望之愈切不如善繼善述求之愈至不如寡悔寡尤所以承先所以裕後或出或處顧瞻在前或作或息倏忽在右曰何以無怍於己何以不辱其先何以可垂於後然後望之之實庶不負於斯樓也廣平公字清甫今之賢守也子劭方爲翰林都事亦有名焉」

巡檢掌徼巡察奇衺捕逐盜賊以輯寧其民在宋稱巡檢使國朝去使號稱巡檢其職視縣尉而統于縣若徽州之休寧西百六十里當徽饒之交有峻嶺曰黃竹宋季多盜常屯兵其上以鎭之國初以宋制置司計議官夏迪言撤兵守置巡司四分其縣之地司領其一有半而贏其印文曰西路四鄉黃竹嶺巡檢之印無所統郡縣蓋至元二十有一年三月所鑄也初置弓弩手十五人後增置三十人國家承平日久盜賊鮮少乃遷于虞芮鄉之江潭以部使歲按祁門婺源兩縣所由之道也地距縣治九十里而官無廨舍僦民以治天歷至順之間郡人程君與修皇朝經世大典元統初以恩借授黃竹嶺巡檢而君以廉慎為德明恕為政民信其令吏肅其化山無盜賊野無游民乃求隙地建官署以為民望循江潭而上至車輞之鄉有山如城中隱小谷前臨大溪沉沉無聲溪之外諸峯林立意皆內向蓋昔者里中吳氏世居夏氏別業在焉當其盛時樓臺亭榭相望於煙雲之表號為溪山第一至元中猶在部使涿郡盧公摯嘗游覽其處為夏氏扁趣之谷中有廢祠曰三官堂云奉天地水府之神顧左右曰既曰天地水府之神非民所得祀也祠又不著祀典謂之淫祀可也乃檄縣請遷神像于里之常清宮以奉祀事而易其祠若地以為治縣長也先脫因者廉正人也為治多異政深善其請遂修其故祠為聽事之堂名其堂曰不欲以為政之本旁列吏舍庖湢廐庫及繫囚之所門其前而屬垣墉以嚴內外皆因其面勢無所開闢元統二年十月廿有九日以神像遷十有一月八日入治司事又明年書來請記余嘗論君以通經學古定為師儒治法審律足為吏師而明足以紀綱人道幽足以察鬼神之情是故臨事善謀當義不惑而眇焉百僚之底誰之過歟以黃竹巡檢之設餘六十載矣吏于茲者不知凡幾人區區一公署必待程君而後定人之相去何其遠哉後之來者亭居處之安覽山川之美瞻不欲之戒得無穆然而思慨然而感幡然而自厲者乎是役也贊其成者金總管南康叅軍南仲縣曹張希尹也餘刻于碑之陰程君文字以文徽世家也

湖北金石志卷十四「南漳臥龍山靈泉寺修造記」：

國家初用兵襄樊南漳臥龍山靈泉寺廢天下既定其寺僧覺如歸自江陵之報恩寺修其牆屋復其田疇於是僧之散者稍稍復聚大德□年秋□禪寺沒其徒瑩禪師嗣乃建正殿四楹崇四尋有三尺廣五筵法堂六楹崇視殿而去一尋有三□廣去其筵有二尺藏殿四楹崇廣皆視其堂嗣五年而去爲僧判其徒昇禪師繼之自至治元年至後至元六年建僧堂殿四楹崇三尋有四尺廣四筵庫堂八楹崇視殿而去其一尋廣視其筵有二尺僧堂之楹及其崇廣皆視庫堂堂三門六楹崇二尋有二尺廣二筵有二尺環方丈諸室兩廡諸僧房及庖庾□外三門以間計凡百餘門之外甃石爲橋而屋其上曰伏龍之橋以聰禪師嘗□虎自隨也橋之外甃通道一里餘以□于市市卽古中廬縣治諸殿皆朱甍碧瓦諸像設皆端好妙麗諸鐘鼓器物皆精雅堅良凡所以致崇極於佛者無不盡葢合六十五年之功而後備焉至正元年春介余從子沆請記按東晉時郡之白馬寺僧聰禪師過□山□心好之山有古井曰吾道若興於此井卽自湧井果三湧遂建寺居焉而井與清涼河通故世號清涼三湧遇旱而禱雨輒應故寺以之名名夫寺者□□以至於今凡歷代十有四歷年千餘以宋末之兵當襄樊之間而不入於煨燼復遭聖朝大興其教如瑩昇三老相繼作而新之一木一石不資於舊一錢一粺無待於人蔚然爲大叢林於當世此固出於其人亦寺之當興也然因其興而悖夫道戾夫行其可恃以爲久哉故賢者必於是而致愼焉昇禪師郡人屈氏子有道有德爲人所敬禮自延祐三年主寺事居廿有二年而讓於珉禪師今則珉主之也寺有不滅壽尊者磨衲袈裟及戒刀乃宋末寺僧心禪師所得寺初有□□千畝稻地七十畝瑩禪師復出私錢買稻田二百五十畝以益之諸營造貲皆出此不足又以私錢益之嗚呼後之尚毋忘前人之勤哉昇之徒曰提點惟欽監寺惟鎭珉之徒曰惟福同致詞請余文者其鄉之長老周才叔秦桂榮及弟桂發韓弁白鶴觀住持蕭文純也

平定古上艾也繇州治東三里曰長樂坊有崔府君廟勅封護國顯應王不知何代賜也俗傳廟則建自宋宣□間重修則金泰和間也州里遠近之人疾癘瘥札水旱災害凡禱于

廟者輙應猶□之於聲形之於影響□然□著也至正初元自春迄夏六月不雨境內土龜坼禾稼殆槁農民嗷嗷承務郎同知平定州事保保字國卿公□僚屬告曰我輩有此土之寄而坐視其旱年穀不登上匱國家賦入之儲下罹民人饑饉之苦可乎迺於是月□巳齋沐合如千人免冠跣足走廟焫香羅拜禱于像前明日雨大降不滛□□□者以合槁者以蘇嗷□者而□懌七月禾或秀而未實或實而未堅猶顒顒然望一雨之至而弗獲已而復禱于廟如初禮雨亦如初降秋乃□□□摯□□公無逋租□有□積明年春父老相謂曰吾民飽食而樂于此者伊誰之賜也遂命里人張淵以狀□□文以紀州牧之德以彰神王之靈詩云剴弟君子民之父母彼有司者其能為民之父母矣禮云禦大菑捍□患則祀之彼神明者其能救菑患矣雖然苟神之靈非誠之至不感也苟誠之至非神之靈不應也神之靈矣□之至矣斯可言感應也已按府君世祁州鼓城人父母禱北嶽而生府君唐貞觀舉孝廉仕至磁川釜陽令晝□陽夜理陰一日与楊叟奕罷見□□執符言曰上帝命以玉珪玉帶冠服召及五嶽衛兵百餘人拜畢奏簫韶□樂又取白馬至府君命二子取紙筆曰吾將去矣遂書百字以逝世傳為□字碑安祿山叛上夢府君見曰鶴□別方祿山必滅矣駕還闕立廟封顯聖護國嘉應侯武宗朝天下大水禱之即止□護國感應公宋真宗封護□西齊王□因求記故併著其事以告邦人抑使後之為州牧者知所敬知所法云

湖北金石志卷十四「大五龍靈應萬壽宮碑」：

至元二年歲在丙子武當山大五龍靈應萬壽宮武當殿成
玄教大宗師特進上卿總攝江淮荆襄等處道教吳全節爲
集賢院言翼軫之墟襄漢均房之間有山兮根盤八百里峰
之高者七十有二巖之幽者三十有六澗之深者二十有四
天垂地接陽噓陰噏不可名狀名曰太和之山玄武神得道
其中改號武當謂非玄武不足當此山也山多神宮仙館其
大者有三曰五龍紫霄眞慶而五龍居其首貞觀中均州守
姚簡禱雨是山五龍見卽其地建五龍祠宋眞宗時陞祠五
龍觀賜額曰五龍靈應之觀其後廢於靖康之禍孫眞人元
政興之又廢於金烏珠之兵皇元受命與天地合德大興老
氏之教扶運翼世以迎休祥山之有道之士汪思眞奮然特
起辟草萊翦菑翳悉舉而新之先大宗師上卿張留孫初總
攝江淮荆襄道教奏以其山葉希眞朝覲天子大信其道至
元二十三年詔改其觀爲五龍靈應宮以希眞主之居八年
而侯道懋繼之又二十年而續道成繼之仁宗皇帝天壽節
實與玄武神同遂加賜其額曰大五龍靈應萬壽宮仍甲乙
住持歲遣使以是日建金籙醮祝釐其山自是累朝歲遇天
壽節一如故事此後大建玄武殿宜得詞臣文而勒之石以
彰國家之美以重此山明年三年二日集賢以聞詔以命臣
侯斯臣侯斯竊謂名山大川能出雲雨以澤萬物産財用以
利萬民毓英賢以輔萬世必宅天地之奧當陰陽之會磅礴
融液與大化終始故終必有神出幽入冥此感彼應如風之
在谷所觸皆通水之在地無往不達況此山葆乎中和統乎
陰陽應變合行與神俱藏羣山四朝而特起乎中央非玄武

志　金石十四　圭

焉足以當之則其宮室之崇享祀之嚴應國家之運爲生民
之依者固有在矣殿之建玄教大宗師臣全節實出私錢萬
緡爲之倡而住山續道成張道眞吳明復邵明庾李明良先
後贊而成之其屋壯麗嚴峻洞達高廣蓋與茲山相雄世所
稱神仙曰殷長生房長鬚馬明生田蓑衣之徒皆成道於此
是以論人傑必本於地靈也其辭曰虛危之精玄武君上臨
玄天貴且尊穹龜蟲蟨騰蛇蜿手指北斗酌乾坤武當之上
號太和神君居之降百魔五龍守衛嚴不訶冷氣自少元氣
多神君生在天地先谷神自養天地根二十四氣如環旋七
十二候無頗偏四十二載昇玄天玄天之樂不可言身著玄
衣坐紫府蒼龍在左右白虎朱方翼翼朱鳥舉騰精攝景我
爲主百靈守之誰敢侮或按長劍坐橫庭吐納日月含風霆
五龍冉冉隨降昇倏而去之若流星忽而來兮雨冥冥鬼車
九頭帀火屋山鬼倚樹惟一足飛蝗蔽天食百穀長蛟鼓浪
沉平陸神君一顧赤爾族神君自居武當山人能學之蓋得
仙前有殷房後馬田陳搏尹軌相攀援新開大殿凌紫煙璿
題藻井相鉤連神君居之樂無邊保我聖曆億萬年

石刻史料新編（二十三），一七三三〇頁，滿洲金石志，「元勅賜故中順大夫諸色人匠都總管府達魯花赤竹君之碑」：

國族有諱竹温台者為
魯國大長公主媵臣事　魯王滸不剌甚愛幸遂冒
魯王族雍吉剌氏家全寧今為全寧人父曰野旃有德行
志四　三三
舉其部以父事之公善牧養畜馬牛羊累鉅萬既擇其
地必謹其人其順之若隨其視之若遺而不亂其指麾
以畜以孳而已若不知而賞罰是宜常曰使吾得其民
治之亦猶是也及事　魯王魯王以其才可大用一
府中亦交稱其賢數欲献之
上後念府中去是人緩急無可使者遂奏為管領隨路打
捕鷹房諸色人匠等户錢粮都總管府副達魯花赤與
階朝列大夫尋進中順大夫以為達魯花赤居府中十
餘年貲無悖入亦無濫出歲節財用五十餘萬緡公室
以富民生以遂猶恨不能盡其才至治三年三月十日
卒四十二卒于京師之仁壽里府中如失其弟兄境內
之民如失其父母後
日葬城西南五里歡喜嶺之麓
今太皇太后魯國大長公主之女也其歸
文宗文宗問竹温台有後否曰有有子曰撒而吉思鑑今若
干年矣遂求以充媵臣以其父賢必有賢子也及即位
置宮相都總管府以為副總管入宿衛

今皇帝尤愛之詔樹碑其父之墓以旌其賢以勸于後而以
文命臣僕斯臣竊惟我
朝以仁愛立心以廣大制國故能臣妾天下號令八方凡
在國人出一言施一政不待問學亦動與古聖賢合天
運之所在如此若公平生尚義而好施飢而待其食寒
而待其衣長而待其昏嫁沒而待其喪葬者誠不知其
幾以公之志假之年使得守封疆立廊廟當何如也
志四　三四
而竟止此然夫人阿答而氏以盛年而失其所天能玉
雪自守以保其節子撒而吉思鑑以弱齡而失其所怙
能奮勵自克以善其繼致使
天子賢其父以及其子因其子以追其父廣褒賢之典賜述
德之碑與元勲世臣等不亦盛哉取公平生所被錫賚
大德三年
裕聖太后賜白金為兩二百有五十璗玉束帶一至大元年
武宗賜大珠首飾一副白金五十兩楮幣二千五百緡玉杯
一皇慶元年　魯國大長公主割賜濟寧兗河分地
五十頃及金玉器各一　上及后賜楮幣二千五百
緡對衣材廿
元聖太后賜黃金五十兩白金二百五十兩對衣材二十至

治初

英宗賜楮幣五萬緡對衣材十天曆初 上及后賜楮幣
十萬緡子男一人撒而吉思鑑受知
文宗特授奉宸庫提點歷尚功署令進直省舍人進宮相副
總管累階奉訓大夫

天地至大萬物至衆生之不齊各致其用馬不使畊牛不使乘椅桐琴瑟松柏梂楹用大而小君子之悄用小而大君子之或公如騏驥不隨駑駘公如松柏施之桷榱以屈知己以就任使而誰為之豈曰
天子生不盡用沒有餘榮子孝孫賢茲石永徵

旹歲次戊寅至元四季五月吉日建

元中順大夫準台基在烏丹城南七里準台蒙古人為魯

國大長公主媵臣冒姓翁吉剌特（舊作雍吉剌今改正）氏事魯王為管領隨路打捕鷹坊諸色人匠等戶錢糧都總管府副達噶齊（舊作達魯花赤今改正）尋進中順大夫為達魯噶齊卒葬歡喜嶺之麓子色爾濟戩（舊作撒而吉思鑑今改正）事文宗為宮相都管府副總管入宿衛順帝尤愛之詔為其父立碑翰林侍制奉議大夫兼國史院編修官揭傒斯撰奎章閣大學士資善大夫知經筵事崾崾書奎章閣侍書學士中奉大夫同知經筵事尚師簡篆額至元四年立碑今尚在（熱河志九十七）

謹案準台元史無傳碑稱魯國大長公主即順宗女僧格喇真已詳見張應瑞墓碑不復贅魯王丹巴拉即元史公主表之多阿克巴拉張應瑞碑之諦瓦八剌也太皇太后即文宗布達實哩皇后鴻吉哩氏此碑云雙吉喇特氏乃譯音之訛案文宗后至順三年於甯宗即位尊為皇太后元統元年順帝即位又尊為太皇太后至元六年黜太皇太后之號此碑立於順帝後至元四年正尊為太皇太后之時碑中所稱其時正與元史表同金石分域編列此碑於世祖之至元誤矣又考文宗后為甯宗順帝之叔母尊為皇太后是也而復加尊太字則不可解矣（畿輔通志百四十二）

右中順大夫竹溫台碑翰林待制奉議大夫兼國史院編修官揭傒斯撰文奎章閣侍書學士中奉大夫知經筵事崾崾書丹奎章閣侍書學士中奉大夫同知經筵事尚師簡篆額竹溫台者蒙古人為魯國大長公主媵臣冒姓雍吉剌氏事魯王為管領隨路打捕鷹房諸色人匠等戶錢糧都總管府副達魯花赤遷達魯花赤卒葬歡喜嶺之麓有

子曰撒而吉思鑑事文宗為宮相總管府副總管入宿衛順帝尤愛之詔為其父立碑碑在烏丹城南七里地名烏蘭板上文字尚可讀聞烏丹城中有廢塔塔前斷碑亦有魯國大長公主字則此地在元為魯藩農牧所謂烏丹城者豈即本藩駐冬之全寧城乎（潛研堂金石文跋尾二十）

石刻史料新編（十八），一三五七三頁，常山貞石志卷二十三「大元定遠大將軍洪澤屯田萬戶贈昭勇大將軍後衛親軍都指揮使上輕車騎都尉追封□（按：隴）西侯謚武獻董公碑」：

有元開國功臣世公世侯男無贓吏女無再嫁孝友忠
正守家法如律令惟槀城董氏金以殘暴立國百有餘
歲中原生生之意斬然極矣於是天命
太祖聖武皇帝拯亂捄民建國九載而金主遷汴董忠
烈公俊灼知天意所在率衆北歸擢知中山府歷龍虎
衛上將軍行元帥府事遷左副元帥以歲庚辰逐金主
歸德力戰死死有九子皆國器歷事
累朝或以雄武佐定天下或擁旄節為國藩維或以忠
鯁為
帝腹心亦以子槀長文直甘守下位率家政于內故其
三兄五弟得致身于外遂使一門父子兄弟佐命翼運
蔚然為一代開國元勳歷數世而愈盛蓋世能以不殺

不貪為本也槀長之子士表字晉卿早從伯父忠獻公
文炳平六詔擒李璮取江南號稱勇智初忠獻鎮正陽
以制淮漢至元九年十有一月宋將程鵬飛自安豐夜
劫正陽公戰却之十一年五月宋將夏貴復寨正陽又
戰却之九月從大兵渡淮與宋將孫虎臣戰明年五月
伏□揚子橋與宋兵戰七月大戰焦山皆有功丞相阿
术阿塔海親錄其功上之授武略將軍管軍千戶管領
鄧州新翼軍馬
賜織金服七寶鞍轡繼從忠獻略地閩廣從忙兀臺討
南劍沙縣之亂以功再遷宣武顯武二將軍兼福州達
魯花赤俄進懷遠大將軍岳州總管尋改明威將軍佩
金虎符為副萬戶管領鄧州新軍翼萬戶府事廿二年

以升縣上萬戶府副萬戶收海艘鬪中因以為行省都鎮撫明年置洪澤屯田三萬戶復懷遠大將軍仍為萬戶以大德元年六月廿一日年五十三卒以　年月　日葬邑之九門□塋公在軍嚴紀律信賞罰能撫愛士卒故士卒皆樂為用所向有功焦山之戰宋將張世傑驍將也礮萬艘江中勢□甚將戰公獨請先忠獻以公寘兄弟不許固請乃許遂與忠獻之子士選乘輕舸翼忠獻以進與守兵皆殊死戰自旦至午大敗宋師故是戰丞相阿朮等獨多董氏大德二年子守義襲職十有四年以母老辭歸養不許延祐七年十二月卒累階懷遠大將軍子釗襲泰定三年贈公昭勇大將軍後衛親軍都指揮使上輕車都尉追封隴西郡侯謚武獻配耶律氏以皇慶元年七月朔卒年　　追封隴西郡夫人守義通詩書善騎射其居官臨政皆以父

為師人畏而愛之贈昭勇大將軍前衛親軍都指揮使上輕車都尉追封隴西郡侯謚昭懿配趙氏追封隴西郡夫人孫男四釣由內供奉歷典瑞院經歷　奎章閣學士院參書宣忠扈衛親軍副都指揮使次即釗皆趙夫人出次鍔內供奉母楊氏次鏄母郭氏釗之襲萬戶也以釣讓釣之子長請復之不受曾孫男十人賛臣謙臣顯臣達臣敬臣清臣信臣泰臣親臣敏臣忠烈公累贈推忠效節翊運功臣太傅開府儀同三司上柱國趙國公謚忠烈銘曰

人有恒言　將無三世　彌久而昌　吾見董氏　云胡董氏　能匠於斯　不殺不貪　為德之基　惟其不殺　生生不窮　惟其不貪　廉恥之宗　不殺近仁　不貪近義　仁義之門　福祿攸萃　洸洸武獻人畏吾往　身經百戰　一萬夫長　一萬夫長　子孝孫賢　有繼有傳　何愧後先

石刻史料新編（十六），一一七四三頁，安徽金石略，「元整先樓記」：

「無年月，在宿州，佚。」

石刻史料新編（十六），一一七三三頁，安徽金石略，「元舒城縣重建龍眠書院記」：

「在舒城，未見，文載廬州府志。」按，乾隆廬州府，嘉慶廬州府志，均未載此文。

石刻史料新編（十六），一一七五四頁，安徽金石略，「元立老子石像贊序」：

「無年月，在亳州，未見，文載亳州志。」按：道光亳州志，光緒亳州志，均不載此文。

以上三者，均揭氏所撰，可補遺其作品之篇名。

二十一、丁復「檜亭集」補遺續

台州金石錄卷十三「元鄔處士挽詩碑」：

按挽詩碑，計刻有二十二人之挽詩。

□□丹丘遠鳳飛。故山耆舊望中稀。諸侯自行思遺老。
太史應占殞少微。墓隧悉成南郭築。銘詞復向北雲揮。
明年歸訪佳孫子。采□三峰薦綠薇。 丁復仲容

二十二、王沂「伊賓集」補遺續

台州金石錄卷十三「故處士鄔公墓誌銘」：

處士諱庚□□□□鄔氏其先會稽人祖𤪣當宋之季遊天台樂其土風文物之美娶焉□□□□□其後子孫眾多分散他處有居黃山者有居寧川者有之他郡而居者□□□□居五雲之南則其處下渡者也處士生九年喪其父十五年而喪其母居喪□□□哀不類兒童既長就學益知刻苦刮厲期有所樹立以無忝其祖恭以持□己敬以亻其人勤勞約儉以理其室而詒散其有以衣食鄉隣之貧者有請□□具所求弗具庚之責也或勸使仕則咲不荅扁所居齋曰德日坐其中以讀書勤學為事怡怡然若有所自得也而以終其身至元重建之五年處士年八十十一月初四日其初度也親賓咸集乃立諸子階下而語之曰若知吾命齋之意乎吾聞人必有以遺其子孫吾少孤勤勞艱難以厎于此吾無以若遺也吾惟種吾德以遺若若其務滋吾德乎未幾疾卒寔其年十二月廿六日其子以至正十七年十二月十三日壬子葬處士南村風化里經坊奧之原孝孝祖母陳姓娶沈氏子男四人復亨謙亨鼎亨元和女二人長適黃山茹文森次適同里張思誠孫男女二十人嗚呼此其種德之報也耶銘曰

鄔氏之先　來自會稽　未及百年　既蕃既滋
秝也幼孤　涕泗澌歔　克勤不怠　以植厥基
言樹之德　其報維何　如其先人　子孫之多
南村之原　不遠□而　□墳四尺　處士之歸

二十三、黃溍「文獻集」補遺續

嘉慶休寧縣志卷二十一，藝文，紀述「休寧縣新門樓記」：

「休寧自漢建安中爲縣曰休陽吳曰海陽晉曰海寧隋開皇中始改今名唐天寶中乃徙治今所而國朝因之縣署之外門故爲樓其上所以尊臨乎一邦至於伐鼓以警昏昕下漏以接晝夜又所以謹天時也歲月寖遠棟宇摧壞左支右吾匱官勤民公私交以爲病而事至苟簡不足以革陋起廢任程督者或並緣其間則民益弗堪至正五年春縣尹唐君視事伊始顧瞻太息將舍舊圖新而未有以市材贇僦匠傭乃以禮延致大家之有餘貲而無雜役者得十有四人使合力以庀事起夏六月訖冬十有一月屋之崇七尋東西之廣七尋有四尺南北之深半之列楹十有六而爲楹間三修宋厚棟重簷複宇顯敞宏麗殆昔所無箭漏笳鼓設置如式昔之所有亦莫不備官無一粟之費民無半餉之勞而亟潰于成靡愆于素非唐君智周於物惠孚於人何以及此哉邑之士民謂宜有述以昇來者不遠千里俾任士敏謁辭溍之貞珉蓋古之爲國者必嚴等威重教命是故諸侯臺門禮家記其以高爲貴挈壺氏不能舉其職詩人刺號令之不時休寧夙稱望縣提封之大生聚之衆奚啻古子男國雖以世代之殊儀制之異不必悉具三門曷可因仍簡陋無以習民于上下之分而一其觀聽乎唐君遭值聖時以布衣入對即日被旨補郡文學而甘于廉退筮仕踰三十年乃以資格序遷來莅茲邑敭歷已久故其政事不失乎本末次第既覈田糧以均民繇且興廟學以淑士類迨是役也有禮家之所貴而不徒誇土木之壯觀無詩人之所刺而遂至垂金石之頌聲豈非後人所宜取法歟嗣爲政者尚有攷也唐君吳興人名棣字子華云」

自佛學行于中土法幢所建必天下之名山莫不住為寶構華居以宅夫形勝蓋以表靈山之未散作大衆之依怙俾來者覩相而生信也丹青土木之事雖若涉於有為而事之與理不相留礙推理而適於事清淨覺地即大伽藍混事而歸於理積土聚沙皆已成佛一切世間成住壞空之相固未有出乎心境之外者苟非乘方便力遊戲如幻安能具大莊嚴為無上之勝因也我吳郡西北有山曰虎丘或謂之海湧山有大招提曰雲巖寺山之涔名寺之創立悉見于圖誌山則吳王遺蛻之所託秦皇繖跡之所届劍池及試劍石存焉寺則晉王氏昆弟司徒珣司空珉所捨之別業生公講經處點頭石千人座在焉宋至道中始以寺為禪刹皇祐初又更為

江蘇通志稿　金石二十三　十八

十方住持紹興間長老大比丘隆公以圜悟嫡子坐鎮茲山法席鼎盛東南大叢林號稱五山十刹者虎丘遂居其一大慧以法門兄弟相依最久繪經有堂容聲儼然繼以雪庭嶠堂松源笑翁諸宿德唱道其中而宗風愈振纂承基緒代不乏人而支傾植仆日不暇給隙兮

曾長尊棠像數猶或失於因循未克大起其廢重紀至元之四年行宣政院以慧燈圓照禪師普明嗣領寺事至則爽飾佛菩薩阿羅漢執金剛神塐造文殊普賢觀世音三大士繕治舍利之塔經律論之藏範美銅為鉅鐘視棟宇之摧撓壞敍者或因或革百役並舉大佛殿千佛閣三大士殿藏院僧堂庫司三門兩廡古木寒泉劍池華雨諸亭則究其舊祖塔衆寮倉庾庖湢宴休之所遠堂游眺之小吳軒山之前為重門則改建使一新環寺為渠六千餘尺隱於客土水還弗行則疏瀹之凡其費一出於經用之羨財而集衆施以助其不給方謀石築隄屬于城闉以復唐刺白公故迹未及庀工而禪師遷主本郡之承天能仁禪寺爰序其成績來取文以記焉禪師材周而智圓達理事之不二觀一切法皆佛法未嘗於一法中妄計無為有為而生欣厭故其經度指授久而弗懈閱七年如一日宜有以濟于成而不慭于素也前作後述是在來者可無以告之使勿隳其已成之業而益廣其所欲為之志乎記為興造而作山川靈異風物之美著于前賢紀詠者此不復出禪師松江曹氏說法嗣晦機熙和尚於大慧

江蘇通志稿　金石二十三　十九

為五世孫於隆公為五世從孫云至正六年冬十月甲子記

松江在唐為華亭縣宋初州縣未有學長吏循故事廟祀
孔子而已慶曆中立學之詔下而華亭久莫克應令元祐
間學乃粗備自是繕葺之功相繼弗輟端平末又稍治而
大之述

皇朝奄有南土凡五萬戶之縣悉置為州惟華亭戶數增多
□二十三萬特建散府號曰松江而仍以華亭為縣隸焉
守貳之儀章命秩與夫居處之崇假於吳郡學雖設教授
員而禮殿論堂齋廬門廡率皆屬邑之舊曰陋就門闕六
十年無所改作領郡寄者以謀訴之繁租賦之學關決趍
辦日不暇給未遑庠序之事也今達魯花赤哈只丞中公
下車伊始款謁學宮□其位置褊迫規模庳下慨然而歎
以為分符出守視古諸侯承流宣化莫先學政頖宮之制
闕而弗□非所以嚴
國典重教基也盍撤而新之遂發己帑以倡民感而相謂曰
尚吾儕於役者必事購請而後從紓今公紓吾力不覬吾
酬茲又大建學宮吾儕竭力以事購寄吾樂吾助而且得

嘉名哉乃爭持義貲以授司計者前後共七萬五千緡有
奇教授林聖予亦輟學廩來助於是材甓既具工徒既集
迺徙藏書閣陸氏三賢祠于北以拓其故址中建
先聖殿翼列兩廡前闢三門崇高備廣加其舊三之一始事
於至正二年春三月而訖功於三年秋七月學之耆宿狀
其實以記為請不得辭也古者師氏有王宮之教司樂有
成均之法六鄉六遂有庠有序以為歲時屬民之所下至
二十五家之閭亦有左右師居于門塾其屋室制度必有
隆殺之殊以為等威之辨今皆無所於考亟中公乃能以
義起禮汲汲焉合舊圖新而務求合于諸侯頖宮之制可

謂有志於古矣是邦之望如顧陸諸賢代不乏人士之游
息於斯者苟無忘公之德與公所以建學之意而以古道
自期將見學術于家行孚于鄉蔚為三代之人物奚止如
昔之望而已哉公前守儀真學賴以興其為政知所緩急
類如此郡人陳顯長於司計而屬工是役也公任專之而
果底于有成用併書之

朝部使者郡長吏屢嘗交致其力而作新之以其規制宏
侈土木之功恆患乎弗繼今達魯花赤大中大夫公蒞治
伊始究心庶政尤以學校之廢興為已任未及有所設施
而中原俶擾淮夷繹騷

天子赫然下明詔遣將出師討之仍命江浙分省宰臣駐
軍池陽以遏其奔軼分省檄公俾預在行公斥堠精明周
防嚴密以無虞越三歲乃還官下向之所欲為而未遂者
無不以次畢舉摧抑姦豪撫綏疲瘵禁戢州縣皁隸不得
持符帖行村落閭而田家不聞叫囂隳突之聲比年以兵
興供給繁重增創權攝人員猥衆坐廩靡食而民不堪其
苛擾公一切汰去之而官府亦無乏事鈔法滯而不通民
持錢入市無從得米公驗大家之田糧以等第勸之賑糶
使民計口入錢而受米擇監臨之吏置局四隅詭冒既無
所容單夫寠人均被其惠而免啼飢之苦海瀕不逞之徒
或羣聚而大肆焚掠公部勒官軍民兵直抵其地皆望風
遁去境內帖然公痛懲戍卒　潰散者使益為警備厚恤
民家之殘破者使得以復業郡日中以無事乃謀大治學
舍會屬州諸暨判官前進士許汝霖白事郡府為公言州
人黃景昭先世故為衣冠著族而其人輕財尚義儻以禮
招致之誘以茲役必能集事　不至匱乏　勤民公如其言
招之景昭既至公即令發學官公帑所儲得錢以緡計者
若干悉以授之使度材賦功揆日庀事景昭承命惟謹其
捐私錢以助其費公既親為之經畫指授因俾汝霖視其
匠傭而程督之由門廡達于朝庭講堂書閣齋廬直舍及
餘屋室百堵皆作未幾而內外煥然一新先是教授四明

杜易支傾植仆日不暇給銳欲大起其廢而慮費用之未
充莫知計所出幸公垂意於學校遂力贊成之謂不可無
以告于來者使嗣而葺之期永勿墜爰買石屬溍以記溍
曩者既已援泮水之詩為前總管尚書宋公記其新學矣
請因今公之盛舉而畢其說焉蓋為此詩者所美不在乎
土木之功而在乎魯侯之明其德　士之廣其德心孔子
曰遠人不服則修文德以來之惟夫魯侯與其多士上下
相成以德是以既作泮宮而淮夷攸服也公固嘗陳力就
列有事於淮夷矣暨撤戍而歸口不言功惟汲汲焉以植
敎基淑士心為務豈非有志於修文德以來遠人乎章甫
逢掖之流息斯游斯方相與鼓舞於鳶魚飛躍之下而望
公之卒成其志蠢茲淮夷本吾
國家之赤子有能聞公之風慕義而來格則公德教之所
加寧有此疆爾界之間也哉溍不佞謹為敘次其興造之
大略他日將有鴻生茂士鋪張偉烈播於弦歌以配魯人
之頌者焉公名九十字子陽以至正十年三月來領郡事
而以十四年還自池陽脩學則始作於十五年之三月訖
工於是年之十二月云

兩浙金石志卷十七「慶元路重修儒學說」：

慶元在漢時爲鄞屬會稽郡唐改鄞爲鄮後又改爲明州
宋陞州爲府始號慶元
國朝即其地立宣慰司統制七郡儼爲東南重鎮矣郡有
宣聖廟儒學至元中燬於火明年淛東廉訪副使陳□□
□□□礫而宮墻丹堊之至大二年趙宏偉以舊制弗稱
新作大成殿凡先聖配享及從祀先賢皆有像於位冕□
□□□□□補葺無大建葺至正九年
天子以阿殷圖公嘗長江陰州有治行擢守玆郡始至會
□□□□□□□□□□□□□□□□□□□□□□
朝廷遣行省大臣□□□□之舟糧器械取具臨時供億
徵輸日不暇給公疏滯理棼頴發機應稍與□□學□□

□□□相與旋羣唯諾聘明經學古者爲師躬程督獎勵
諸生知所矜式成材頗衆又倣科舉法試其藝能禮□□
□□□□□□□下而進退之優其禮賞而誘掖之人人益
知自勸矣岸海沙嶼多隷於學魚鹽所集富商大舶往往
爲市□□□□□□□益寡公計所獲羨其額募民以時
入直直多者皦予之歲入爲緡二千有奇塗田二百畝没
入鬻鹽大家公案□□□□□令首實得已責遂歛手歸
所侵地初輸鏹不滿一十貫今得穀幾百五十石□其奇
羸制其出入□費節□□□□□□每加倍焉由是奠
祀盡禮著又得嗣其匱師弟子得足其養又謂廟學弗稱
亟議繕完梓人度□陶人埏埴凡□□□□□之工各執
其藝以待事未五月梁楹棟榱板檻瓴甍撓者隆毀者完
漫漶者飭以鮮□面之象□□之□□□□□□□山龍
火藻采繪鮮羨咸中儀式距今六七年而完好堅飭丹碧
炳煥如始刱之日□□□之斂□□□□□□□□□
咸相與嘆嗟謂數十年來賢牧守修學未有踰於公者於
是學之士子不忘公德爲之立祠以教授李光□□□□
□□□請記前一月越之文學嘗請潛記其郡監修學之
功矣今明之文學又請潛述其郡守與學之事焉昔人□
□□□□□□官而至於淮夷卒獲今兩郡之監若守當
軍事煩擾時皆能殫力悉心於俎豆絃誦之區其有督侯
之心哉維□□□□□獨在乎室屋之觀也爾多士來游

來歌拾級而登則知進修之有序升堂而入則思致廣大
而盡精微一言之□□□□□也一行之失一棟梁之撓
也因繕完之密而歸諸反身之存庶乎克廣德心而無負
賢守作新之意矣公□□□□□□□以正議大夫陞郡
監其先君咬住公嘗以孝義旌賞
車駕臨幸其門公以嫡長當嗣世緒辭爵弗受棄貲弗取
悉以讓其季則其爲政知所先務固一一有所本云至□
□□□□□□□□□□□□□□□□□□□□□

黄巖州治之南五里有山曰龜山延祐間大比丘無住
禪師定公居之州人皆慕師見風至順二年辛未桑門
契如知師雅有延待十方雲水之意爰即舊圖新得地
南隴之半而遷焉州之信女金氏徐氏黃氏共施錢刻
木肖圓通大士像莊嚴崇奉蔚爲寶坊今所謂東源禪
寺世以甲乙守之者也師慮衆集而食不繼則事隳羣
居而律不嚴則業墮既買田若干畝擇其徒廉謹通練
者主其出入又推一人爲衆所服者居首座凡禪誦動
作威儀之則一遵方丈清規[illegible]師俗姓[illegible]居邑之西橋
高氏祖皆以貲胄從學者[illegible]子[illegible]而師者也生禀淵
懿幼篤慈祥稍長事[illegible]父及兄克孝且恭既終養輒辭
蛻萬緣謁方山寶公于杭之南屏願改初服而師事焉

公器之旨年二十有八具戒首參無涯際公於婺之智者
一言立解頓造玄關臨見鐵山璚公而歸老是山足不
踰閾者三十年示寂之日得舍利無算遂建塔于山之
西麓迨乙丑夏余忝以非才召還太史屬道由吳會師
之上首弟子一恒不遠千里以寺之始末師之出處徵
予文勸諸貞珉昭示方來按龜山即委羽山俗所謂俱
依山是也道書稱爲第二洞天云有眞人嘗輕舉于此
廼師以世家舊族即有人空懷寶厥躬退[illegible]始也
滅跡韜光終焉順緣闡化於是崇基易[illegible]勝面陽佛
燈照大有之天梵宇廓空明之境豈[illegible]之後者
服其服居其居當知培本濬源蹈規[illegible]福田
利益羣品則甲乙之傳其未艾乎庸[illegible]一恒之請而書
之若夫工之鉅細費之多寡其末也[illegible]可略云

石刻史料新編第三輯（七），二七一頁，海寧州志稿卷十九「元三皇廟記」：

延祐五年知鹽官州張侯克明以部使者北臯張公之命肇建三皇廟於州之東南州故爲縣時橫浦張公五世孫寅嘗主縣薄因諉以督其役明年廟成而以秩滿去泰定元年方侯存心繼知是州乃克施彩章以嚴像設尋增創東西廡及儀門後改號其州曰海寧而李侯懋以至元三年來知州事又爲圖從祀造禮器遷靈星門前臨通衢右廟而左學齋廬庖舍次第畢完今知州張侯泌事之又明年至正二年也以政理之暇周視其所缺自兩廡三門屬於露道悉加以陶甓疏水爲池而環以石隄藻飾華好內外聿新士民靡不瞻仰歎顧獨未有田以供粢盛酒醴取具臨時幾於苟簡侯謂是非所以崇典禮其年春三月蒇事而退爰集僚佐共輟俸資以爲衆倡俾醫學正胡天潤陰陽學錄許德柔卒其籍於醫　者三十家籍於陰陽者三百家合錢若干緡置田五十三畝有奇作兩青册留其一於州而於其一并劵書藏於學宮即廟置倉儲歲入以給祀事有餘則以待營葺之須不得輒移於他用凡出內必白於長官主領學事者數欲使後人守其要束永久而弗廢遂令德柔來徵文以記之謹案宋元嘉中醫始有學唐天寶間三皇始有廟學不附於廟而廟不出京師醫鍼按摩咒禁之師生並隸於太常而享先代帝王之儀制名　專掌於禮部歷五季逮宋莫之有改也我朝言醫及陰陽者乃原其所自推三皇以爲先聖天下郡邑咸得通祀焉蓋振古未及行之曠典乃今而舉之土木之美固不止一人一日之力至於有田以祭而廟學之事斯爲大備侯之垂意於此則已勤矣若夫三聖人之道既非一藝可以名言而其功亦無一物可爲報稱茲不敢復贊一辭

也姑敘其建置之顛末而著其成規以爲之記用告於嗣爲政者也張侯名光祖字載熙霍山人今積階朝散大夫他治行多可紀不繫於廟學者皆畧弗具

有篤行之士曰陶君諱德玉字文立其子銓謁予金華山中拜且泣曰先君有學行文章嘗有志於當世不幸年三十有四歲而卒越三十有一年不孝孤始卜葬于所居東□□之原非敢緩也蓋其勢然也銓生二歲而孤母□氏

守義不移以長以敎比于成人知先君之喪□淺土未有葬地日夜哀感以求之初□山小嶺欲以治葬而龜筮不從遂弗果復買山畱賢而龜筮又不從未幾先祖考卽世先祖妣亦相繼而歿以連遭家難歲且薦饑兵革並起不克奉先君襄事常銜哀茹毒顚連困苦乃至食不甘味卧不安席人或見而憐之一日遇善相地者指示程嶺卜之協吉乃買田□□二畝以易其地明年春奉先祖及先祖妣之柩合葬於斯而以先君附葬焉先生以文鳴當時其文□傳世敢□先生之□□表見于後予以老疾辭銓又泣而言曰銓母氏亦讀書通大旨知先君之事甚悉銓㓜奉母氏侍側嘗聞母氏告之曰汝父性資温厚氣貌豐腴

又美鬚髯且頎然長大人望而知愛之從學於□先生翁秀卿治尙書應進士舉於六藝之事亦兼通之書習唐詩做六朝爲文辭亦理趣嘗辟郡文學不就人咸期以遠大之業乎居事大父母及父母至孝待兄弟篤於友愛處宗族恂恂愿恭□□□□善談論尙氣節與人交重信義尤倜儻好施與當其時困於徭役家道不振日久俟父母顏色喜愠覗家所有無盡出吾私帑給費雖笥奩之物亦所不吝也故汝父歿時吾匱乏幾不能存零丁孤苦經□□

□養老慈□□二十餘年始得治產業自樹立於是嫁女娶婦使有家室人皆知吾之不易也昔汝父□□□吾治湯藥抱汝立於旁汝父因指汝顧謂吾曰我殆不起此疾

宗祊之計以此爲託我以詩書自□未嘗敢爲不義此爾所知我不及見兒之有成後當以我語告之吾知汝父孝友忠信其德宜享有後□□□□□吾將有待於汝也汝其毋忘乃父之志宜修身愼行以扶□而封植之汝父斯無憾矣汝□□□□泣而識之不敢忘今母老矣先君之葬有月日幸先生惠念先君哀母氏及不孝孤艱苦植門□□得□□子□事願先生賜之文不惟先君之澤有永弗墜抑亦使後之人知今所以葬先君者□□□□庶有以惕厲而保守於無窮焉此不孝孤之大願也敢因以請予辭讓不獲按陶氏系出晉八州都督侃五季之亂由九江徙居台郡臨海縣之長潭君曾祖諱㽦老宋贈朝奉

郎祖榕世稱長者父熠亦隱德不耀人皆謂君祖宗之德澤宜大發於君而又不得壽以死豈其出於天者不可得而信耶雖然君生能盡孝動必求合於禮度死得賢妻守節自誓以不墜其家聲又得銓爲之子生二孫湜濤㓜已岐嶷是爲善無不報其出於天者蓋又可必也烏乎人之爲道莫大於孝弟而莫重於節義始於一鄉推之四海用能感天地動鬼神致祥召和受福于身流慶于人又奚必予言之示勸而亦豈獨能庇賴其子孫也哉

石刻史料新編（十四），一〇六一二頁，兩浙金石志，紹興路總管宋公去思碑銘并序」：

至正二年南陽宋公守越之又明年也其年春
廷議以山東鹽筴之利經費所資擇可為都轉運使者無
以易公遂特命為越之士民以去
天遠無從上借留之請求紀公善政以表去思始公之至
知以師帥自任大治其廟學而一新之溍幸獲執筆志歲
月宅善政本末宏大懼未易論述辭至再而其意愈堅且
曰子嘗有職業於太史氏必子言乃可傳溍不得卒辭也

越　東南為雄藩公下車甫二十閱月而恩威並施事無
不理去而使人　　優於才具閑於政體何以至是哉
蓋民之有役自古而然今之患在乎力不稱事不均耳前
役於坊隅者其一隅四季各以三人公則增為七人役
於州縣者其一都亦增至十有五人而力不患其不稱矣
先大家次商賈又其次寺觀之有羨田者俾分任役事三
歲而一周則復以次受役　事不患其不均矣簿書期會
有當追逮程督者悉用例設牌限未嘗輒遣一卒州縣視
以為則民用弗擾城　酒榷歲為錢七萬五千餘緡始嘗
驗其物力以為高下而歷歲茲　登耗不齊無徵而當代
輸者居　之六公令止以見設肆之家第其等級日斂而

月解人皆便之郡民歲食鹽二萬餘引貧而失業者窘於
斁買富而　　迫於應辦民力已竭而官賦未充公
之至也首入錢買家人所食鹽以口計者二十餘於是僚
佐暨掾曹屬部莫不計口入錢而有司所覈民間戶口
　實者舊法鹽一引官價百五十緡袋索十緡而已今
乃使赴倉納正價二百緡官　其四之三如故而富商大
賈坐取其一公言於行省請止具官價受引運司尋得請
給引六百後遂踵而行之民力以紓瀕海轉漕官糧為患
尤大先是其千夫長　蔑有司倍取斛面且縱市井無賴
恣為攘竊莫敢與之　米九萬餘石而折閱者五千
餘石責償於郡及其倉之官攢計級有弗能堪而致疾以

死者公既至首正攘竊之罪且親總其出納嗣歲為千夫
長者　　省檄去復踵故習以逞公發擿其過白于行
省薄責之乃帖伏所運米四萬三千餘石訖免折閱郡學
故有宋丞相史越王所捐義廩為田三千畝　家及　賢
之後無以具婚喪之禮者予米五石比歲不以時給而又

有剋取之弊其挾勢要而來者乃濫予而莫之禁公爲考
正舊規擇善士司其事人多賴之細　以淫雨害稼不能
自食公謂天災流行貧富同之勸分固善或者吏得舞手
其間則貧者未嘗其利而富者先受其病矣乃用權宜假
常平義倉所儲　　潦既除而繼以旱公聞有龍湫在
山陰號銅井將往禱焉吏白地勢幽阻請無往公弗聽躬

《兩浙金石志卷十七元　五》

詣其處俄有靈物蜿蜒現水中雨隨至三日而止歲則大
　民一本於仁愛然嫉惡最甚往時黠胥健卒率共
漁獵其民豪右或武斷鄉曲部使者繩以法而猶不悛軍
伍恃非所統尤暴橫公先揭榜諭之使自　　稔惡者
乃痛懲之無少貸仩和縣以僞鈔誣山陰縣民及寺僧數
十人公獨其姦斥去持文書　　白狀於帥閫及淛東西
憲府以杜其方來海濵多盜會稽縣繫刼殺商主者一十
餘人公奉
朝旨督捕殺掠官民船者所獲又五十餘人皆先窮竟其
情乃以付所司並緣攀引之害遂絶田里以安於是
上方命分宰臣出臨江淛公以治最特見委任至於和市
官段閲視公庫剔除宿蠹尤多蘭亭書院在郡西南二十
里所晉人稧飲故處也公以爲右軍墨妙世所貴重羣賢
所述人鮮知之乃捐俸貲重刻龍眠李氏所圖及詩以傳

公之餘力有以及此其政事之整暇可見矣公名文瓚字
子章世居南陽府之裕州累掾臺省由浙西憲司經歷遷
江淛行省左右司都事入爲兵部員外郎歷左右兩司都
事拜監察御史遷中書左司員外郎出爲江淛行省郎中
召除大宗正府郎中進禮部侍郎改同僉儲政院事　上
擢杭州路總管踐歇中外績用甚著潛竊惟昔之美　伯
誦子　者直於其所治之國指一時之事以爲言故潛於
公之善政宅弗皆叙獨叙越人所稱道者繫之以詩用慰

《兩浙金石志卷十七元　六》

其思云銘曰
帝奠八紘周綏以仁孰承孰宣用康我人巖巖會稽作鎮
南服維時宋公克宅乃牧德　　達士類嚮風曰有師帥
新美之功民吾同胞爰求其瘼役歸乎平歛從乎薄或倚
其法以削吾民指則在臂由公屈伸征榷之豐灌輸之裕
國計弗虧民病亦去弭災捄荒公不憚勤光揚義舉彌久
益振猛以濟寛陽開陰闔巨猾既除羣姦震讋意所不顧
萬夫莫回窾卻之間游刃恢恢獄無蔓延徒不株　　接槢
桁楊插寘弗用政清民寧乃息乃游詠彼舞雩追踪前修
嫩譽流聞上徹宸扆鋒車在門公去不止惟古循吏所云
見思千載而下公尙似之酌於民言勒玆樂石匪今斯今
式示無極

石刻史料新編第三輯（十三），一七七頁，湖北金石通志，湖北通志卷九四，金石七「武昌大洪山崇寧萬壽寺記碑」：

鄂之城東有佛剎曰大洪山崇寧萬壽禪寺此黃鵠山也而謂之大洪山者蓋大洪隨之名山自隨而鄂自鄂而許地雖易而名號不殊示有所本云爾鄂今為武昌山距城十里而近北枕江漢南帶湖湘東居壽昌下瞰樊水層巒疊巘交拱互揖西接城口民堵萬區前臨通逵而市聲邈不相及山之巔有岳忠武王手植巨松斗牛亭仙人石鼓崖尤為奇偉地位崚絕風物清閒寺特據其尤勝處迺其所自出惟靈濟慈忍大師為初祖大師諱善信以唐武德二年四月六日下生於洪州南昌王氏受度於本州開化寺為衆僧執爨三年僧力却之大師涕淚雪泣戚嗟不已有老父告之曰汝緣在南方衆不容盍行矣乎逢隨即止遇洪即住大師遂挈瓶錫南還以寶歷二年秋抵隨州覩一山巋然問於逆旅主人曰此為何山答曰大洪山大師惕然思老父語則延緣而入至於山麓諸水所漑為重湖神龍居焉旱乾水溢有禱輒應時久不雨鄉人張武陵具羊豕將以致禱大師見而悲之謂武陵曰雨暘不時本由心感害生自利徒增汝罪可戒勿殺而為汝祈約以三日必雨武陵聽

之大師探幽履險得山之北養泊然宴坐運誠默禱及期雷雨大作雨既霑足而止武陵訪求大師於巖中大師時猶在定蛛絲羃面附耳而號挂體而搖久之方覺武陵遂施以其山為建精舍太和九年二月二十五日大師密語於龍神曰吾前許以身代牲犢汝血食本捨身可享吾肉即引刀斷左右足血液滂流儼然入滅雙足留鎮山門肉色久而不變四衆哀慕稱之曰佛足有司以聞於朝賜號慈忍大師所居精舍賜名幽濟禪院後以禱祈屢有奇驗累加大師號曰靈濟慈忍其佐神于有二封爵自王而公而侯等差不同皆天下知名之神威靈烜赫被於四方此

隨之洪山也宋末隨數被兵洪山又當其要害爲南
北必爭之地邊境之民既多流散叢林之下亦無以
安京湖置制使孟公珙隨人也與都統張公順謀還
尊衆適於樂郊乃度地於茲山請雲庵興自隨捧佛
足及□朝所飯告極徙寺額僑置焉仍奏請賜今名
曰崇寧萬壽寺□興爲之闢山此則鄂之洪山也與
之□無諍須則□寔繼之我世祖皇帝在潛邸時南
伐駐蹕鄂之元興寺遥見茲山之頂有神人立於雲
端詢知爲大師化迹所寓深爲敬異暨班師實因留
佛足巵從至京師特命安置於秘宇而嚴奉之上既
正位宸極有旨遣使偕寔護送還山道出許州佛足

重莫能舉使者歸奏詔即其地建寺此又許之洪山
也鄂經摧陷之餘寔又去不返吕文德制置京湖請
無積□主之而寺以復新繼之者緣菴遇建靈濟塔
增置菴院土田而□崖潤無邊詠竹谿禧又繼之寺
以災毁禧方謀起其廢俄委順而化至順三年今住
持華公寶來毅然以興復自任積衣盂之貲躬求良
材於江上造大栰以歸顧舊址局於地勢隘陋偪迫

位置不皆合於規式乃夷崇岡堙巨壑累石爲基使
就顯敞首創大佛寶殿棟宇之制悉擬于京師列刹
而華飾有加焉兩廡山門之上爲萬佛閣演法栖僧
有堂輪藏及祖師王公有殿天書有閣而鐘樓經臺
丈室茶堂旃檀林前資寮庫庖湢之屬無不畢備
始作於元統二年之某月訖工於至正某年之某日
費錢總若干萬緡出於華公者一萬出於者舊僧宗
森者二萬餘皆出於衆施及經用之美財金碧髹彤
輝映林谷宏模偉觀人天具瞻其在先朝嘗以爲中
官祝釐之所頒以香燈金幣褒禮甚厚三大洪山法
席之盛莫武昌若也華不遠數千里來徵文以記之
潛竊以毘盧身上周徧一切三千世界一一須彌無
去無來非彼非此然則山未有寺法界宛然寺之既
遷依然故處增減成壞之相了不可得豈世俗文筆
所能記乎若夫法身大士示□有爲於始幻境作饒

益事應化之迹亦有可得而言者庸次第本末俾歸
而刻諸華別號枯木嗣法於靈隱悅堂誾禪師云

嘉興郡治距西五里爲景德禪寺按寺籍紀載其初蓋白
龍潭深險莫測往往致風雨壞屼檣雨時則有白光三道
起水上唐季異僧行雲者日運土石以實潭積久潭果塞
遂建三塔以鎭之水至是廻抱彎環利其爲大道場乃構
棟宇祠佛菩薩而以龍護法焉當五季吳越錢氏有國時
錫名保安禪院宋景德中勅天下郡縣置景德寺故易今
額宣和三季燬於寇更建炎三年縣令程少卿言於朝始
復寺基業而爲甲乙傳次嘉定九年旱邑人禱於龍得雨
祠部爵龍爲靈澤侯而祠曰順濟十二年復爲十方封誥
符牒其在住持者多碩德遠
皇元至元間石湖美公增置腴田整飭梁欐厥後古禪牲
公奉
璽書褒護後至元五年雲海寬公以行宣政院檄由吳江
聖壽來主是席旣蒞事睹覺皇寶殿殊弊壞將圖更作而
寺歲入粗給遂議於衆有惟槼者願以己貲倡得錢可萬

緡又有惟光子瑄者率衆以助費四方無遠近聞師舉是
役咸樂施焉乃大購材之爲楠爲栢者鳩工撤舊恢拓厥
址隆以貞石經始於至正五年之十月落成於明年之九
月殿之崇八十有六尺深廣稱之而殺十尺中嚴靈山像
與左右阿之應眞覶舊有加殿後增造觀音像其東西翼
廡則肖諸天神金珠間錯丹碧絢麗煌煌如也又構庋經
閣於寺西南隅栟棋騫㬇堅緻始殿其間黝昧者增輝傾
欹者加正而百廢具興施者之不給師則捐槖贍之寺故
有記漫滅不存且衆謂是役經營不易非有紀述後祀奚
稽咸願書諸石以垂不朽余向年被　　召赴
闕維舟訪師衆請爲記廹使命不果南歸復過焉而請如
初辭不獲乃爲之言曰惟
國家奄有區宇首隆文佛之道用賛時雍之治
列聖相承不衰惟謹今師能合衆力致嚴祠宇爲一邦勝
域非其任道之力思報之勤者曷能若是哉况寺由始建
以迄於今幾五百年中更廢與興若浮雲變滅而寺巋然
能獨存非其剏始之人行願確碩更久而有善繼者則亦
何能若是哉是不可以不記也故括其顚末而書之繕修
之工惟殿最大特加詳焉師笠澤人名智覺字裕之雲海
其號也嗣法慧忍禪師東嶼海公爲松源五世云

二十四、歐陽玄「圭齋文集」補遺續

湖北金石卷十四「重刻羊公碑陰跋」：

右晉太傅羊公碑重刻善本襄陽鎮帥楊君廷臣洎郡侯呂君蒙甫屢登峴山追懷叔子盛德慨念古所謂墮淚碑今不可復見楊君之宗人志卿稔聞王君君寶家多先代碑帖暇日相過語及羊公碑君寶適有本欣然以授志卿時宣文閣監書博士周君伯溫號曉古人書法尤精臨摹志卿以屬之乃搆得□山貞珉又得善工刻之崇眞宮東廡至溯上是舟涉濟達江淮及漢復樹之峴首京師大夫士相傳以爲盛舉

桉羊公故碑漫滅梁大同唐大中宋景祐重鐫者三證以吾宗文忠公生於襄鄧間蹤跡最密其自夷陵令遷乾德正景祐過峴山讀蕭誠書內所選獨孤册碑愛之收入集中不應遺羊公碑而獨取此意者景祐新刻斯時尚未備也景祐乃晏肅所作肅有創物之智爲之必精第恐歐公未之見耳此本學書之古疑爲梁刻昔羊公游峴謂從事中郎鄒湛等曰自有宇宙便有此山古來賢達勝士登此遠望如我與卿者多矣皆湮沒無聞令人悲傷如百歲後魂魄有知猶應登此湛曰公德冠四海令聞令望必與此山俱傳由昔距今幾及千載元車書混同文治日盛好古君子萃於輦轂於是與午遺文南城遺烈復傳不朽豈無數存乎其間哉使公魂魄過峴倏見故碑罔不追憶湛言而德諸君之懷賢益信夫秉彞好德雖百世猶一日也

石刻史料新編（十八），一三五五五頁，常山貞石志卷二十二「真定路學樂戶記」：

鎮陽郡學禮樂生通七十有八戶部刺史之所陳請肅
政使者之所建明省臺部之所詳定既復其戶凡諸征
繇無所與於有司矣教授趙璧學正孫誠學錄宋與權
歲久籍湧謀壽諸石乃礱堅珉具梗槩請于郡人春官
侍郎蘇君天爵訪囦司成之館徵辭以記之囦與蘇君
俱以禮樂為職事者也記可辭乎按郡學始建置樂生
十有六人春秋二仲上丁釋奠猶用俗樂延祐五年改
作雅樂增置四十有五人至順二年援樂生例請設相
禮及諸執事者又置禮生二十有五人尋增置八人然
後聲容文物彬然最圻內諸郡夫三代以來學校之制
學者入學無不學禮亦無不學樂當時弟子員即禮樂
生也更秦廢壞漢叔孫通以魯三十生及其弟子百餘
人起朝儀於野外益州刺史王襃命王襃作中和樂職
宣布等詩得郫縣何武與成都楊覆衆等習之宣帝以
為盛德之事召武等賜帛此禮樂生昉見史傳者也今
鎮陽為河朔上郡戶口繁夥有司扳一二於千百以備
一郡制作之美是豈小補哉矧叔孫生之徒皆起家拜
爵為郎何武宅曰仕至三公人材自此塗亦未可量也
余感蘇君敬共桑梓之意故以遂者大者進而易之戶

在錄事司者二十有三曰陳惟仁李榮祖程宣差　武
秀實　耿順和　黃興和仁曹仙康天益郭榮祖傅聚
劉進趙平趙楞梁聚郭從劉郁李盛胃恭宋仲祿若陳
興戶之楊德新謝寶戶之王圀毅皆在是數焉在真定
縣者十有五曰董子政李演劉成張斌秦溫孫爵郭秉
忠張德李文成靳用李順張青谷德閆德王祺在欒城
縣者曰陳用王慶在稾城縣者曰劉囗李信在平山縣
者曰李好古李楫是三縣皆二戶在古城縣者趙傑在
無極縣者吳貫是二縣皆一戶云至元四年　寅閏八
月辛亥記　開昌王節摹勒　鹿泉劉守信刊

興國在隋唐爲邑或名陽新或名富川或名永興至宋太平興國三年升爲軍與姑孰分紀年之號以爲名皇元混一升軍爲路古屬江夏郡宋屬江西路今屬湖北道其壤介江湖之間有山水之勝其土饒金銀銅鐵之產故郡號富川而邑號大冶其民銳於治生怯於私鬥故易爲政士篤於好學而恥於浮靡故可語道郡守之至於斯者樂其趨務之多暇則治其學政焉宋乾道中自郡西遷學今所嘉定中以公田易寺地爲池我朝至正三年癸未總管焦侯嘉議視禮殿駸駸敝撤而更新六年丙戌今總管石抹侯大中以兩廡應門卑陋弗稱禮殿之制乃命匠計工又召吏計學廩所儲登耗吏曰儉不足爲用於是集衆議酌事宜節浮費徵宿逋復故額吏云財足調度然後庀工撿材揀日興事命錄事張應元府吏葉應祥程思賢董其役以七年丁亥正月鳩工九年己丑六月落成闢地立畝甃石陶瓦壘址堅崇視舊加袤建東西廡十有四間奉安從祀像百有五人應門九間列棨戟二十有四枝又作東西齋八間以處來學按舊券歸寺所占泮池上作櫺星門三內外計百有餘楹民不告勞工各獻技新殿巍巍門廡翼翼輪奐偉然一郡改觀春秋釋奠登歌作樂察有嘽緩怠滯咸易其制克諧厥聲期月之間百廢具興教養兼至多士屬心是秋七月侯將受代諸生請於教授何玠奉事狀來瀏山中謁予文以記予考郡志知歷代沿革由縣而軍由軍而路皆以其名物之阜故隆其名稱以重其付託也且郡以富名又非以土產之美有助於國用乎思昔周禮賦地官之職凡國家土地之圖人民之數與夫貢賦力役之等山林川澤之產至於丱人金玉錫石之地嚴其厲禁而搜求所取之處其所以爲實國用者不既周乎然其所掌莫大於邦教焉書君奭曰天惟純佑命則商實蓋言商之百姓王人罔不秉德以及小臣屏侯甸矧惟奔走茲惟德稱用乂厥辟此天之所以實商也蓋國之虛實係乎人材之盛衰教化之隆替也其來久矣學校者人材之所自出教化之所由興也故以鄉三物興賢能而德行道藝之選由於學以本俗六安萬民而師儒朋友之聯繫於學須學之制惟地官爲詳然則有民社者可不以學校爲先務乎今皇帝詔天下守令考課六事悉備爲最而興舉學校先之興國土產之美固足以裕國而人材顯庸於其鄉者若吳中復之骨鯁而時召錫之書號鐵御史教化之新徵於前代者若陸子壽之職教止邦士至今尊慕之號陸子學斯二美者視今富川土地之美其貴重可同日語哉郡守作□教官興起士氣他日之效況未必止乎前日

兩浙金石志卷十七「蕭山縣覺苑寺興造記」：

覺苑僧有成介其邑士張君墅來請曰師志堯上人嘗擯衣鉢之贏新作寺門矣又作圓通閣於圮廢之餘閣成而師示寂懼無以垂戒來世請爲之記以昭示不朽焉余受言而作曰蕭山古永興緊邑覺苑爲江文通宅南齊建元二年文通之子昭玄捨宅爲寺距今九百有餘歲矣迄唐及宋易昭玄爲昭慶香火不泯治平三年再易覺苑之名吳越錢氏嘗綱紀而興造之矣迨熙寧初可榮法師作千手眼大悲菩薩閣錢唐沈遼爲之記一時壯麗爲杭越往來偉觀至大德十年丙午歲寺耆舊德彌闢閎爲三楹以閎其規元統二年甲戌春風雹大振閣竟摧仆時有榮師像寘閣之北甓墉內固勢必壓焉己而視之像在閣外林下若神物擁護之者志堯於是傾貲囊市材鳩工大建傑閣邑令崔侯嘉訥聞而是之迺相其役經始於至元三年丁丑歲十二月踰季而告成翼跂翬飛過者洞心駭目視舊益崇敞矣始余以公事至覺苑見堯上人塵衿淖屨敦匠於門語余以興作故余喜而復之曰勉爲之余記無難者及茲再至十又七年矣門與閣皆歸然堯不可復見俛仰之間已爲陳迹雖然堯不有其蓄而建永久功有成能嗣其業又有以緒成先績皆可書已若樹塔寺西爲法衆歸藏之所是又堯之隱行也區區得於見聞不敢以固陋辭謹爲次第之而系以銘曰

伊昔文通　國之善士　居爲名藍　可謂能子　會昌中輟　祥符屹起　猗歟熙寧　輪奐完美　榮勛遼筆　表表愈偉　德彌充拓　雹沴近止　不有志堯　孰任經紀　昔高者宏　昔大者侈　殫吾之贏　奚有諸己　八袠永歸　功宏弗毀　成也嗣之　勿替其始　幹山入簾　胥濤穿市　善頌無涯　庸勒桑梓

石刻史料新編（二十一），一五七二四頁，山右石刻叢編，「有元贈奉議大夫冀寧路中驍騎尉孝義縣□殷府君碑」。

府君姓殷氏諱琮字□□家世汝南
祖考諱成考諱福□權堅州□諸軍輿魯官君生資惇愿蚤
自植立亶嗜好樂廉退輕財而□與□鄉□空乏或朋友孤
遺鰥周之無難色而自□搏約平居褒衣大帶被服雅素有
儒者風整□家務□有禮御臧獲不為苛嗃與賓客言終日
不及封殖惟以陰德報施勸式前哲常曰吾生平好善如登
視力所誼後世□有興者乎父老志其言自弱至壯州郡薦
辟皆辭不就至元廿六年三月廿四日卒年四十八葬五臺
山之東莊村娶常氏繼靳氏子三人長仲輿將仕郎東平等
處管民同提舉□次仲温由宿衛歷事
仁廟至
今朝廉慎清敏起□奉宸庫副使五遷朝列大夫同僉中政
院事次仲亨將仕郎中瑞司典簿以仲温貴贈奉議大夫冀
寧路捴管府治中驍騎尉孝義縣子夫人常靳俱追封孝義
縣君靳後君四十□年卒持家肅雍教諸子迄于成祔府君
阡女一人適王氏孫男一人慧忠孫女五人忠□學生□從
余游□父□來請銘辭曰
受姓周恪族大維殷生也擴僚沒為封君仲子蚤貴布政中
闈錫子鉅萬器物帛衣拜手稽首使璫使畨詎如寵章賁親
九原百川有宗學海必至萬木同本均暢壹遂府君播種爾
後是鋌如川瀦支如木食實臺山峩峩永妥厥居啓壤郡國
承茲樵輿松檟逾拱貞石斯樹太史表之鴻厥慶譽

石刻史料新編（二十一），一五七六八頁，山右石刻叢編，「大元勅賜故禮部尚書中奉大夫河南江北等處行中書省參知政事護軍追封河東郡公傳公神道碑銘并序」：

子賢而不能使之必賢惟□□於積善之地君能制其臣貴
而不能使之皆賢惟用力於勸善之方父成子之賢以事君
斯積善之明效君推子之貴以及父斯勸善之□端今河東
之貴以子左丞之賢由父昌黎韓愈碑烏氏先廟載□□功
甚詳□為生者倿哉□□之所有作也左丞由丞相掾歷陝
□都事吏戸刑主事監察御史中書左司都事　太子家丞
左司員外郎御史臺都事左司郎中參議中書省事吏部尚
書同知太禧宗禋院事同僉樞密院事兩淮都轉運鹽使湖
北燕南山東三道廉訪使西臺中臺治□侍御史拜中臺侍
御史拜□□□□拜左丞知　經筵事凡二十三遷階資政
大夫雅德閎器好學不匱才堪大任為吏部主事時權臣為
　太子太師引用官僚非人嘗繳駁之㵳以為□

仁皇賓天
英宗在翼室權臣復相假上命行事召左丞将坐沮格道遇
同時尚書尚書先知其故因告之曰君以微官□重臣□勢
若拉朽脫問前事當□我我分君罪則君□□不然叵測對
日事自某何敢嫁既上官至果追詰悉□身任其咎遂被譴
廢為民即日歸養二親東平忠獻王拜住入相乃復録用為
僉樞時藩鎮襲加台阻兵四川勢甚張

文宗起公墨絰同知樞密院事王其當出董師以母老辭乃
請代其行上義而壯之佩以金虎符比至襄加台降遂解嚴
便道歸終制前一事似高允後一事似狄仁傑生平事業可
述者多縉紳論其卓行每以是為稱首其居天官銓選清允
其居風紀所至敦賢禮士奬廉紏貪興化崇學洞識大□出

秉鹺茆賦不厲民歲額自□入處臺閣□□侃侃事多匡直
泰定中左丞相西域人黨買胡售奇寶求增直國帑将耗毅
然廷爭已之相雖色愠內服其公上嘗以淮漕稱職錫
上尊金幣進列臺端賜中統楮幣萬緡以給母養丁莭夫人
艱又遣使如前幣以二萬五千緡充賻辭□之際一□□□
上以是益知其有守云銘曰
奕奕傅氏起由汾晉維河東公恢有餘刃位不滿德其進何
□居官恂恂用法斤斤于蒲于□一再佐君□行職脩□□
□□壯□□辟仕年壽駿茵善穡慶日益充㓜降師左塾載
篤子訓有家沒明有子忠藎□英政□肆暢□問始終□□
□□□□□□在庭奸□□□□危蹈難直茆是殉入綜天
緯實陪熙運有鏜其聲□引雉□
帝厚臣鄉流澍幽潤惇史勒詩追□賡頌資忠以孝永□來

至元五年己夘春　詔起汾西傅公于家復入中書叅
大政辭不獲勉就位六年庚辰春進拜中書左丞尋
勑翰林侍　講學士臣玄製其先考河東公神道之碑以賜
玄拜手稽首言曰人生於三君尊父親服勞幹蠱望之終身
者父也君有天下子億兆取其賢者能者而臣之奪彼與此
勢所必然於是有報施之道焉厚其奉親之祿厳其榮親之
名豈獨以示奬掖於其子實以償顧復於其親及其歿也恤
終厚往其事皆屬之有司君臣之義至矣玄備列詞臣職當
誄述敢共
君命以閱傅氏所不敢辭序曰河東公諱傑字冀卿世家晉
寧之汾西曾祖恩祖寧父晉代有隱德父以左丞貴初贈大
中大夫懷慶路總管輕車都尉追封河東郡侯再贈嘉議大
夫禮部尚書勲加上爵如初妣延氏王氏並追封河東郡夫
人五子河東公及弟温延氏讓仲素恭王氏出素寄跕老氏
學公幼嗜讀書曉暢大義稍長應門不得卒業更習章程以
應時用久之郡邑咸稱其有聽斷之才因推擇治刑名持法
蕉平恤事敏恪積年勞除河中府絳州兩提控案牘郡中政
平訟理其民至今以贊晝之功歸之部使者薦書旁午公力
辭辟舉肥遯田里恬無外求踈財鼓義為人振乏釋糾事已
終無德色平居陳述道義勗其子學暮年子仕浸顯祿養日
豐拜爵奉議大夫絳州知州驍騎尉封汾西縣子加中順大
夫禮部侍郎騎都尉封清河郡伯進嘉議大夫禮部尚書上
輕車都尉封河東郡侯能遠避形勢交里閈不踰故常偉然
㥁人君子之量天歷元年八月六日以疾卒壽七十二是年

十月十有五日葬縣西一里平原岡距露澤原故阡五里葬
之十年贈中奉大夫河南江北等處行中書省叅知政事護
軍追封河東郡公公四娶初娶郭氏卒追封汾西縣君加清
河郡君進河東郡夫人次任氏喬氏並封恭人末亩氏封河
東郡夫人子男四長巖起是為左丞郭氏子娶郭封河東郡
夫人次汝梅任氏子承直郎東昌路推官娶郭繼周並封恭
人次汝霖洪洞縣尉娶喬繼李次汝楫奉訓大夫澤州知州
娶王封恭人皆喬氏子孫男十二人長曰信早夭次曰敏侍
儀舍人次曰愚河南行省宣使餘皆幼孫女二並適名族嗚
呼士一命已上存心澤物必有所濟河東公身衆郡寄不愧
厥官惠流於民克享其報方寸所克教誨式穀致位宰輔蔚
為名臣國有禆益家有光榮豈偶然哉玄書以謂父能教其

石刻史料新編（十九），一六七三〇頁，陝西金石志卷二十六「王氏世德碑」：

序曰人子以顯揚爲貴述懿行而揄揚之固孝矣而未受命于君也惟所欲爲者既得上旨奉命詞臣爲文尤爲榮幸至元五年八月從上京以是告諸奎章閣大學士沙臘班侍上清燕以由義之悃從容奏陳且請屬筆翰林侍講學士臣玄製文以其事關孝治之一特賜明允沙臘班出諭旨由義惶遽無措退而再思曰是盛典也非小臣宜蒙既而謀諸知己曰有君命矣不敢廢也明年由義除大都副守又明年遷彰德路總發乃奉公牘移玄言所以逞

回却顧之狀於是玄奉命攷其家乘而爲之序曰王氏之先京兆之同州朝邑縣都仁鄉人也中葉避兵變平陽城中已而復還今

譜牒可考者七世府君諱敦娶李氏第一世也諱君實兩娶楊氏一娶李氏第二世也諱仲濟娶李氏諱巨川娶党氏諱濟川娶劉氏昆弟三人者第三世也諱子山娶張氏第四世也亦有二弟焉長逸其諱娶石氏次諱仲瞻娶趙氏四世以下以由義貴始有封爵贈中順大夫禮部侍郎上騎都尉追封太原郡伯亨字伯通由義之祖攷追封太原郡伯雷氏其祖妣也張氏其繼祖妣也贈翰林直學士亞中大夫輕車都尉追封太原郡侯珍字君玉由義之先攷也追封太原郡夫人郭氏其先妣也張氏今在堂其繼母也禮部公幼業儒平生所抄書甚多今篋笥猶有一二存者鄉之父老往往能書其風軌國家初得中原吏治草創受徵辟爲縣幕官

持守端楷每與時尙異因棄去遂不復仕傳至翰林公克世其業性尤寬厚長者壯歲勤儉致家粗饒而好善樂施出於天性未嘗以豐約介意人有貸或貧不能償必毀其劵隣里有爭得其一言曉析無復終訟遇異母弟瑞備極友愛瑞娶陳氏賢淑及公之子幼失其母陳氏夫婦遇之亦有恩不忘公之惠也藏獲服役歲久召而良之晩年延名師教其子學曰吾以是遺爾何啻籯金泰定二年七月以疾卒壽五十有八四年七月十三日葬于南原先塋之西北由義字仲方號愼齋佩其先人之訓惟勤用克自樹立長娶范氏今封太原郡夫人起家以文學掾辟中書戶部史辟宣徽掾中書西曹掾授奉訓大夫禮部主事拜朝請大夫西臺御史改徽政院都事復拜中臺御史遷中書右司都事進刑部郎中官亞中大夫貳在京留鑰出牧彰德尋轉嘉議大夫嘗語人曰先祖贊

畫一邑尙不希世苟合今寖位通顯爲政何敢鹵莽在儀曹數年練習典故禋祀科舉設施注措如指諸掌在徽政能抑內侍節浮費在憲府屬有獻替從上上京抗章論術士縱牧畜蹦民田不便由是行營無敢犯者在西曹嘗議江西行省討隣寇岑獠功時相媢嫉抑不以聞奮與力爭相震怒殊不爲動廷論壯之在臬曹主四方獄持法平允多平寃釋疑客每以是稱其能輒遜謝曰先人之教也玄既叙其世次先德又爲之言曰王君由義其賢者也居寵不忘其先而能圖報悠久孝之純也君仁如天既獲所願常情得之矜詡恐後乃獨周思審處三歲而後訖其事焉敬之至也雖然爲子止孝爲臣止敬誰實成其美哉大君之仁也願王氏子孫世世服膺斯言以無忘吾君之惠則孝敬之餘澤綿百世而未艾實自茲始也銘曰

王氏居秦世歷七葉惟德惟義是其負挾積善獲報假物責償刓濬厥流其源自長受命賜誄歲律三易奉盈執玉爲是蹈踖古鼎有銘今碑所祖三命益恭曰傴僂俯惟恭不替獲福鬼神緊正考文我思其人

至元元年歲次辛己四月吉

湖北金石志卷十四「中興路剏建九老仙都宮記」：

九老僊都宮者中貞明教玄靜眞人唐公洞雲之所建者也玄靜遭遇聖代肆揚玄風[illegible]歲被旨領中興之玄妙觀[illegible]而漢源縣令松滋陳君一盧以中統楮幣一萬五千二百餘緡得城中公子衛張氏故居願建眞館以奉祝釐未幾前江制摧茶副提舉同邑傅君文鼎又以楮幣一萬七千五百緡增助之請爲衆倡已而四方樂助者繦屬其不足者玄靜悉濟以巳貲乃作三清正殿至於門廡法堂方丈雲堂等屋以次興舉荆門義士陳君該父子又割楮幣六千七百餘緡塐天尊眞人涂金碧眩耀甲於城壇至元五年歲巳卯有旨特賜九老仙都宮之績俾洞雲並玄妙兩山主之仍飭有司加庇衞焉至正癸未春走伻以書具顛末抵元調文記其事於石玄靜又自敘家世履歷曰吾家故宋參知政事質肅公介之後也世遠家寒父母遣從老氏學初師佑聖堂李公雲庵既而紫府觀駱公遜齋又法嗣之而教之曰子雖學道當讀儒書乃可由是從尋佑畢終日未嘗釋卷數年遂通大義間爲詩章士大夫輒稱誦之父病嘗割股糜中以進母亡雖空乏猶竭力資薦一日將作齋事需蠟爲炬無從得夜夢至樹下有白鬚老人遺以金釵一股明日偶憩樹陰仰見樹有大窾俄蠭自窾飛集身因憶昨夢退取斧斯樹得蠭房無算致蠟數十斤給用鄉里至今能言其孝感大德初入京玄教大宗師開府張公留孫雅見器遇時奉旨建崇眞萬壽宮命董緒

克稱厥任尋設荆襄道教都提點所選為掌書記會提點歷總攝仍庀是職至大初乘傳從宗師特進吳公全節奉御香醮江南諸名山皇慶中璽書授誠明中正玄靜法師江陵路玄妙觀住持提點紫府眞應宮住持兼領本路諸宮觀事延祐中改授宣命師號及住持提點諸宮觀如故爾後奉詔遇

天壽節乘傳函香醮襄陽之武當歲數四率以為常龍虎三茅閤皁等山亦屢給驛直往修醮事天曆初集賢院奏為御位下承應法師每歲扈從上京二年宣賜中貞明教玄靜眞人是年遊以天壽節奉詔馳驛蔵祠武當若荆門之玉泉中興之玄妙崇福常德之桃川就命徧祀事竣遂歸故里里中故家巨室耆舊老人喜其來歸相與佽助克成茲宮聖恩如天特賜之額顧惟生平勤勞晚節樹立郎其所業究其所為

因得以效君親萬一之報允謂慶幸然恐歲月之久將遂無聞惟善修辭願以不朽者為託余按唐質肅公實江陵人其立朝之節清忠諒直視唐顏魯公無愧神仙之資不在其身而在其後人理蓋然也荆州當朔南西東之交天下山水脈理皆發自西古今仙佛之教往往自西來入中國是故江漢之域西接隴蜀多大山修谷福地名區其人亦多高年遁世之士卓行絕俗之流若老萊子漢陰丈人楚狂接輿要皆莊周列禦寇之流亞也今九老仙都宮作於江漢之都會創始於質肅之後人豈非山川蓄泄之靈國家會通之化久而彌章前修之流風餘韻有足徵於是者乎何可無記雖然地以人而勝神依人而行繼自今嗣玄靜而居九仙者尚克念於茲則元屬我紀述之意可永無斁也

湖北金石志卷十四「九宮山欽天瑞慶宮記碑」：

至元皇帝臨御五年歲次丁丑夏四月集賢大學士臣吟剌
八都爾等奏特進上卿玄教大宗師臣全節言今海内名山
福區道家祝釐之所宮觀圮而復新者五九宮山欽天瑞慶
宮其一也皆未有賜碑請敕臣分紀其事以昭永久制曰可
於是欽天瑞慶宮之碑屬筆於翰林侍講學士臣元申命中
書左丞臣懋德晉丹參知政事臣有壬篆額明年本宮住持
提點車可照具顛末來京師臣元謹按九宮山爲古今名勝
岡巒緜亘數百餘里唐人陶姚二仙結菴山中去迺秦弟宋
淳熙中眞牧眞君始經闢此山剏建神宇既道法靈著於光
宗之居儲恩錫昭陳於寧宗之在位畀以宸翰賜以欽天瑞
慶宮額詳見尚書長沙易公被開禧元年之記宋末已未燬
於兵至前至元十三年内附天朝住山大本封君復之翰林
承旨吳興趙公孟頫爲之記延祐甲寅山有災宮爲所燬今
住山車可照復之垂成至治辛酉又災可照復之志彌堅經
營十有五年始克落成首作眞牧眞君殿眞以御書巢經之
閣傅以東西方丈次作法堂曰天光之堂旁列玄眞都仙眞
官山王四祠輪奐雄偉甲於諸方宗師嘉其隨廢續成改觀
之美猶多其思致宏深規度開廓葢方外智士玄門之忠臣
也於是奏請得旨申命詞臣鋪張厥功銘之樂石可謂葢矣
系以銘曰
吳楚之墟斗軫之交山名九宮靈氣孕包唐有唐姚結廬煉
眞上仍丹邱委於荊榛至宋眞牧載剔菑栵行通於天夢協
於帝以佐累洽時維光寧有赫靈貺會於内廷命宅茲山作
室干礎賜以奎畫照耀南土會未百年歸我皇元我元熙鳳
軼古羲軒德明惟馨媚於上下神來繽繽錫我純嘏順我之
方民從於雲曾孫千億言壽靈君靈不遑處民用戰兢畢方
爲妖不廢易興乃作新宮乃設崇巘聾石櫳木民足不斲靈
君無爲孰主孰維惟此高士載謀載惟天朗日晶層雲疊霞
列室鱗次眞仙之家自下望之邈若霄漢林麓蔽虧金碧絢
爛有烝者徒置塾延師學道之餘讀書誦詩玄流之宗奏疏
上前請紀嘉績垂示永年詞臣摛文陳述帝力神之聽之報
效家國山連匡阜數應九九符我乾元天子萬壽

盛德必百世祀有廟則人心萃所由來尚矣在昔唐虞之世浲水橫流民無底居而天下幾不國矣大禹出而治之然後九州以平五行以順而民生衣食於彝倫攸敘之中迨于今幾四千年所謂盛德之當祀宜與天地相為無窮也安邑夏后氏之故都邑之人尤重事禹後魏分其東為夏縣邑之墟故存焉其中土高為臺者十有三仞而縮其廣輪則五畝而羸上有大禹廟四楹搠始歲月莫有紀者且隘陋弗稱歲久將傾泰定甲子初靜海縣達魯花赤瑞著致事家居爰咨于衆合謀新之時主廟事臺可明與邑人薛政寔相其事於是人心翕然富者輸財強者輸力群材集鱗五工程能既底法矣廟成有日而瑞著卒遂中寢邑士劉思義慨然曰大禹功德不可忘也瑞著之志不可以不成也迺諗于衆而出己□以竟其功聞者益勸財力加裕迺荒度故殿址廣植八楹殿之北復作四楹以塗山后配焉左右翼以邃廡嚴侐宏敞信足以萃人心祀盛德矣既而思義又卒其子大有能繼父志

自大禹而下舉皆像焉樊君益吉邑雅士也至正甲申秋應江浙行省辟來武林迺狀其顛末徵愚文以記之昔聞龍門之水濆薄激越聲如萬雷意其疏鑿之初其功殆與神明侔也歷代廟祀固宜在焉然安邑山川形勢則太行王屋箕山三門在其東龍門壺口在其西其陽則雷首汾陰其陰則平陽霍岳也邑大夫人士歲時則具牲牷奉粢盛潔酒醴登祭于廟而左右瞻顧其隨山刊木跋履險阻舟車檋榪之載疏鑿排決之勞膚胈胼胝過其門而不入者可想像而見也傳曰見河洛而思禹功況其故都實水功之所載而朝覲謳歌歸于吾君之子之地其感人思深矣是尤宜為□食之所在也雖聖人之德與天同大死而為神在帝左右然聖人之心不忘天下豈無臨睨故鄉之時乎宜瑞著一倡之而人心之響應者不約而同也乃為歌詩九章補九功之歌以遺夏人俾刻于麗牲之石而歌以侑祀云

天地攸產　非水不生　或失其維　物受其殃　以淡
以泊　迺清迺平　於皇時功　永言不忘　維昔洪荒　民
茹毛飲血　燧人氏作　似載烹飪　浲水既平　民
出昏墊　奏艱奏鮮　以灼以熘　維木之生　維民之
材　洪水湯湯　或騎或畜　水功告成　乃苞乃條
斧斤時登　民用以優　陰陽之精　山岳之英　迺生
□金　用冶而成　鼎兮象物　國器以利　荆揚三品
□貢維貴　維土厚德　萬物攸載　九埜既平　既
宅既藝　於皇

聖功　萬世永賴　天地之德　爰在稼穡　立我烝民
莫匪爾極　勞而不伐　爰暨于稷　洪範治兮　洛
書呈兮　皇建極兮　正民之德兮　民有欲兮　亦孔
之衆兮　通百貨兮　斯利其用兮　八政之疇　食貨
其首　養豐于老　罔匱于少　民生斯厚兮

當塗縣志卷之二十八藝文志「普明禪庵記并銘」：

吾友姑孰黎中山書具其里中乳山普明禪庵興造
之始末及其徒可齋居士施財營繕之成績屬余記
其事刻諸石其略曰乳山在當塗采石鎮之東北
是大德四年鎮之居民王巻正性好善勤於[illegible]以
己地為庵日誦經其中至大三年往和州歷[illegible]之
西梁山普明禪庵秦家學佛禮無用和尚為師泰定
三年請其師歸至乳山舊所建庵安禪說法[illegible]惠後
學無用和尚者本淮人初為講僧後為禪師而嚴祖
食糲三十餘年知人前後世事或冈居隱巖從師求
懺師皆知之從遊者多至千人而未嘗衒露初至乳
山舊庵里人候其夜坐[illegible]見天燈自空而下懸於[illegible]
松之巔泰定間師一日謂其徒曰淺陋不足以容衆
去此百步左偏之間有善地可建庵其徒審所止曰
地不產惡草者即所止也往求之得其地詢其傍耕
農曰是地大雪至即消相傳以為得地脉之正其[illegible]
乃遷庵居之即今址也庵初遷好事者助建庵舍匠
得長材以為柱師取鋸各截二尺短之衆問故則曰
我已衰老此庵功德非汝曹所能就俟我栽松栢高
與屋齊當有善人成就茲事汝曹第識之勿忘元統
元年蔣山住持圓悟禪師曇芳題其扁曰普明禪庵
蓋[illegible]梁山舊額也庵無井衆苦遠汲師曰此中自有
泉[illegible]汝由所墜掘地為井下有伏龜即得甘泉
如其言果然至正元年可齋居士劉巳產附近美田
充供佛膳糧及接待十方之士顧舊庵湫隘弗稱復
出錢市材作寶殿兩廊諸神像藻飾如法居士與師
道契深厚及作佛殿日師去而之淮已久所植松栢
皆林立符昔所言人以是知師謂善人實指居士五
年庵成九月二十六日本庵師智妙自外歸值晚延
見庵中樹杪有燈心駭之至庵叩門入訪諸僧皆休
息回視燈爍爍有光始悟與向無用師在時所現天
燈實同作禮再畢燈如紅葉冉冉墮地而滅又有僧
行銘歸自集慶百福寺夜久月黑急趨庵迷庵所在
忽異光燭地隨之至庵門比人光遂散豈非師之顯
力所在精神流通光氣時作歟居士乞予言以傳不
朽予為之銘曰牛渚之磯湍彼萬派昔人燃犀下見
水怪永府所都百靈走趨宜有覺雄作鎮[illegible]區維鉅
用師建庵乳山定寂有光夜燭門閭維居士黎其[illegible]
好施出其餘貲成此勝事昔庵[illegible]以[illegible]刃師[illegible]
植樹約與屋高樹高齊屋善
士來營金碧絢采與樹爭榮

石刻史料新編（十八），一三五六七頁，常山貞石志卷二七三「大元勅賜故資政大夫御史中丞贈純誠肅政功臣開府儀同三司太傅上柱國趙國公謚清獻董公神道之碑」：

至正四年冬十二月甲子
皇帝有勑賜中書左丞董守簡之父趙國清獻公士珍
神道碑銘命翰林學士臣歐陽玄為文翰林學士承旨
臣張起巖書丹翰林學士承旨臣姚庸篆額臣玄欽惟
世祖皇帝經營四方之初于時稾城董氏兄弟以忠孝
之門被眷顧之厚太傅忠獻公文炳總國兵旅出膺爪
牙入為股肱寶將相之器太師正獻公文忠掌國符信
入託心膂出司耳目寶預帷幄之謀退而家居皆能崇
詩書之風勵清白之操以詒其子孫故董氏身教之正
家法之嚴為漢人公卿家第一其子孫踐揚臺閣為時
名臣接武不絕當世文士操筆以發其潛光者大編巨
帙開卷有之臣玄維清獻公諱士珍字周卿正獻公之
子也正獻公行第八
世祖親猶家人常以其行呼之清獻行亦第八以
世祖命侍　　裕宗東宮　　裕宗知之亦呼以
行而不名特加一小字以別其父焉清獻姿表峻潔衆
中頎然寡言罕笑風度凝遠幼從許文正公學淹貫經

史通國言力超乘精射藝而能不衒所長與人交終日
欽欽聽其論議頗簡皆當
裕宗嘗解御衣賜公　　命公恒服公不敢褻惟侍
大燕則服之職典宮膳日奉進膳饌或解后宮愠不時
第見公至必為公改容　　世皇晩命　　東宮
裁决庶政至元十九年以公識察樞密院事蒞政未幾
聽軍戶康氏子死獄燭微若神老吏咸服其明斷二十
三年進同知上都留守司事公臨事敬慎而以寬厚行
之府中號公長者時哥立尚書省崇任苛暴專以錢穀
羨餘罔上希賞公所典倉庾出內均平不事掊克
世祖一日召公詰之對曰臣收粟不以高槩多取於民
出粟不以低槩少與於軍臣不敢為欺羨餘何從而出
上大感悟遂罷賞令二十八年遷為山東東西
道肅政廉訪使下車風采振厲部內貪墨屏跡
成宗登極召為兵部尚書大德元年省臣議以公為僉
書河南江北行省事未奏　　太后有問亟遣中使
傳旨中書曰董士珍　　青宮舊臣屢聞裕宗稱其
忠厚其人宜寘近輔何為補外因留拜吏部尚書于是

銓選稱先五年進拜江浙行省叅知政事將之官賜鈔
萬五千緡使之治裝以旌其廉浙俗豪奢請謁無禁公
到官趣尚儉素務以清靜鎮浮東南冠蓋遺老斯時猶
有存者相與頌公雅德七年召拜中書叅知政事與右

丞相答剌罕左丞尚文等同心佐理機務大治廪然有
中統至元之風焉會河東地震民多死傷　命公
往振卹之公躬自存問大發屬郡藏粟以繼乏食得發
獲全不可勝計還
朝大見奬巽八年出為江西行省左丞疾作不赴退居
槀城之九門改陝西行御史臺中丞力辭
武宗繼統移江南行御史臺中丞又辭疾稍間挾書行
田自樂畎畝有脩然世外之趣
仁宗初立用故事起諸老成會議大政公強起應
詔俄拜河南江北行省左丞適淮東鹽法積弊特
詔公往治之公至淮揚繩削剜右豪猾宿蠹鹽筴
大通皇慶二年漢人中執法闕
仁宗與臺臣謀其人既而曰方今無以易董士珍者驛
召公還比入見趣赴臺臺中有所按劾或不得
旨至三復奏必俞允乃退　仁宗天表英毅侍臣
見公執奏不已相顧動色公屹然不回　上輒數
曰董中丞直人也嘗一日論事榻前不合　指意
進曰臣等死生至微　國家政事得失至重臣若
顧其至微而使君有過舉國有闕政生何面目立人朝
乎故臣寧死不顧為此中書以四方災異欲遣使者循
行郡國公曰今時急務選賢能任守令刑省斂薄其民
自安災沴自息使者雖不循行不害為治若官冗政弊

使者旁午四出徒增擾耳事遂寢省臺雜議禁地圍獵
座中有犯言者當以極刑公曰殺其麋鹿者如殺人之
罪可乎倡論者猶未已公復言曰刑名各有攸司法當
付刑部議耳其語遂塞公在言路雖直言不諱然未嘗
好訐實直惟持至誠可以感動奏稾每自焚之為它官
則務持大體不問不言居中書日
天子下議發兵討西南夷臺臣力諫不納公偶侍左右
承顧問從容對曰臺臣言是　上意自解立朝四
十餘年絕跡勢塗公餘却埽人獲造其賓次者如登李
膺之門性少嗜好侍無媵妾言動可法群從中表每嚴
憚之延祐元年夏四月扈從　上京秋七月二十
日將還而薨年五十有九家貧幾不能喪曰
上聞而悼之賜鈔二萬五千緡給驛馬送其柩南還以
八月　日葬於眞定之祖塋公之初薨大司農張
晏狀其行既葬翰林學士元明善銘其墓故凡董氏家
世伐閱書之已詳然公之勳業其在中　書則當大德承
平之世其在憲臺則當皇慶更化之日　朝廷
清明俊乂在列公生平學術得諸父命師訓所為尊
主芘民者靡不推行於其間蓋有不可一二而枚
數者且董氏父子兄弟前則正獻以忠獻為之兄後則

清獻以正獻為之父求其立事建功偉然有自見於父
兄盛名之列可謂難矣然正獻之為正清獻之為清各

守其志終於競爽濟美並稱于時烏虖休哉曾祖昕贈
光禄大夫大司徒追封趙國公謚宣懿祖俊龍虎衛上
將軍右副元帥知中山府與金兵戰没于陣贈推忠翊
運效節功臣太傅開府儀同三司上柱國追封趙國公
謚忠烈考初贈光禄大夫大司徒壽國公謚忠貞後進
贈體仁保德佐運功臣太師開府儀同三司上柱國追
封趙國公改謚正獻母顧氏初追封壽國夫人後追封
趙國夫人公娶柴氏先公七年卒追封趙國夫人𠋫德
治内有相成之道焉子男六人長守中正奉大夫江南
湖北道肅政廉訪使薨贈存誠守正忠亮功伍正奉大
夫樞密副使護軍追封趙郡公謚靖獻次守庸資德大
夫江浙行中書省左丞次守恪贈奉訓大夫禮部郎中
次守遜奉議大夫潁州知州次守簡今資德大夫中書
左丞次守康早世皆能保守家學誠愨忠直蔚為名卿
女三人長適鎮陽王孫正議大夫興國路總管史樊次
適韓　次因母喪哀毀一日而絕孫男十七人鑄中
奉大夫甘肅行中書省參知政事銓章佩監異珍庫使
鏞宣徽院判官鑰監察御史鑌尚冠奉御鐩掌簿奉御
鐐内供奉鉞内供奉鉼鎧鎰鎖鑄鉅留僧七兒未仕其
行已服官又皆粲然先祖孫女六人長適無為州同知
鄭鄉次適崇福寺丞張歪頭次適右衛親軍都指揮使
塔海帖木兒次適平陽翼萬戶鄭君用餘在室曾孫六

人長輔臣内供奉次淵臣獻臣艮臣靖臣方董氏請謚
太常考德三世皆謚以獻蓋以表董氏子孫之象賢云
銘曰
允矣清獻玉瑩金精名父名師追琢夙成顒顒卬卬為
國重寶動止有儀進退有道維昔
□□馭下嚴威正獻在側始終不違君前臣名乃以行
呼父子唯諾移於都俞清獻宿衛命侍　春宫裕
皇呼之行與父同列又同德忱恂周密事
君如天唯應以實初掌留鑰大體是持出畀藩節悉心
諏咨還陟宰路語默有常及登臺端直言其昌不韙不
紘隨事揆義弗滯於偏成德不器討吏取裁乘時希寵
偲偲清獻不為利動上前擊姦同列股弁清獻謂謬
　當宁稱善公退間居手蓺奏槀嘉謀自上
匪臣入告息翼故鄉躬治稿事不崇游觀以蕩後志維
趙董氏自歸我
元子孝臣忠卒其一門國人諸部匪勲即舊綴衣趣馬
獲侍　左右維趙董氏恩視國人親之任之世選
藎臣鼎峙三臺櫛比兩府維清維白董氏宜諸帝若曰
左轄汝丞弼予予雖汝嘉汝父有令譽予命詞臣叙汝
先德汝其寶之壽以貞刻匪鍾而銘匪鐵而券爾後萬
子孫徵是文獻

蒲城王訥以其家七世同居事狀來京師詣元銘其事
於先塋麗牲之石庶俾其後人歲時展省墓下有所興
慕仍替其先訓焉元選其義叙而銘諸叙曰王氏世居

元蒲城義門王氏先塋記一

關中之蒲城漢景置祋栩縣即其地也其先自五季末
已五世同居至金元光閒史熙族蕩析後有府君諱敎
季餘四十始于□以□已乃有家生子□政善治生寖
饒于貲而性寬易好施未嘗放利專欲兼致鄉曲善譽
有子五人曰恩曰志曰恕曰忠曰惠其資淵均如一家
居力田不事聞達父寄命之曰吾先人以孝義同居名
于鄉汝曾異時毋分昕財産以墜先猷由是兄弟同處
恪守父訓恩生辟璽璵志生瑜恕生瑄璃琪琦忠生瑋
琛琇惠生理瑛瑢初從十有四人同處若初辟璽璵瑄
琪琛琇瑢務農瑜璃琦瑋理瑛業儒一日志謂其弟忠

曰吾家子弟衆多豈無才器可為王官者生遭□時終
歲家食何以自拔齊民乃令瑋從執齋劉先生學學成
資之入京遂以廉靜峭直受知中朝搢紳仕至奉議大

夫行宣政院經歷一時交游多名公卿烨然有聲梁雍
閒父忠以瑋貴推恩承德郎鳳翔府判官□則□□亦
至將仕郎延安路知事琦辟吐蕃宣慰使司掾獨不就
琛掄家政畢力生殖里有貸貧不能康逭□券王
氏家日益豐内無閒言外無怨讟琛力居多理好客親
賢門多冠蓋辟璽無子璵生詳瑜生誠諒瑄生詢訓誨
讜璃生諧誼琪生詒訢謨諳琦生讚瑋生訥諰譏琛生

元蒲城義門王氏先塋碑二

諄諶琇生議詵誘理生謙瑛生諾詡誼瑢生謹謁再從
凡廿有七人其閒務德安土生聚相守者居半諒諾嗇
為儒官議詒累舉鄉貢士訥以門功主澄城簿用才譜
稱翁季不以已貴稍衒其車服之盛于家有萬石君家
瀍焉諰辟鞏昌帥府行人若譏若訓若謹若謁若詵訢
誘誼讓皆習經史諄尤博雅相與潤色其門庭延祐中
有司以其五世同居聞于　朝申命所屬旌其門惠文
揚公題其額曰蒲城孝義之□縣長貳對石縣門書王
氏孝弟以興民讓天歷初旌以六世尋上其事載之
皇朝經世大典今二十餘季又加一世矣其先塋在

石刻史料新編（五），三七四〇頁，金石萃編未刻稿卷下「蒲城義門王氏先塋碑銘有序」。

邑之□相原南廣□二頃先代卒葬歲月不能悉書嗚
呼自秦廢井地開阡陌宗子灋不得獨存於是唐虞比
屋可封之俗無復多見於當世岐豐之民幸有成周遺
風不為秦灋癈壞其善性觀蒲城王氏由五季涉宋金
至于今將四百餘載父祖子孫家庭告語不忘其先世
同居之誼可謂難矣且五閏多故之世也王氏已能同
居于斯時金季亦罹亂之秋王氏以煢煢之身當甫定
之際僅及再傳兄弟漸多儉勤自將生業隨振即思追
復先世旨行造物者相之使終遂其志以至一門數千
指之衆屢見表異於 熙朝非俗之美疇克臻茲秦無

元蒲城義門王氏先塋碑三

衣之詩說詩者以為雍州土厚水深其民質直勇悍周
人用之以興二南之化秦人用之以成強兵力農之業
愚則曰此其本俗之好義非特好勇而樂鬬也為是詩
者設為之辭以言同袍同裳於無事之時未若偕作偕
行於師興之日斯足以為義也其義施諸朋友且爾況
同氣乎蓋能同患難則可以同安樂其王氏先世之謂
歟周禮地官以本俗安萬民一曰媺宮室二曰族墳墓
三曰聯兄弟媺宮室所以同其生族墳墓所以同其死
聯兄弟所以同其義豈非周官之良灋實有以維持其
善俗于王氏□□以列其奕世同居之美而將銘之先

塋焉為之賦秦風之同袍考周官之族葬而銘之曰
東仁西義天道之常漢置校祠西周故疆允矣王氏□
厥□俗尚義同居七世彌篤 皇錫氏訓惟義之程表
厥宅里有覺其閎興居有時出入有節朝夕所由共此
根泉庖廩異膳粟靡私藏有酒有漿同為衆嘗載啓先
塋序□□埏壠成行□□相望乃徵惇史請述以文
詒厥來裔迪求前聞吁嗟王氏昔在五季同居著稱亦
既五世迨金元光物改時變殺也來歸不絕如綫我
光煦育居室始□政也單傳生計孔艱雖則孔艱不年
不侵生五男子寔同一心雖五男子服膺父訓兄弟同

元蒲城義門王氏先塋碑四

居身屋俱潤神介之福有孫有曾蕃衍盛大如川之增
播彼先疇□彼先廬載菑載畬載拮載据□寸力耕出
寸力學銓艾既豊丹塗斯渥固蒂深根揚英舒翹今也
王氏非復擴僚人亦有言□鵠匪安同患不易同樂尤
難我告王氏□爾聲從辭厥內外外輕內重內重維何
維義之從率是而行用光厥宗已謀勿衷婦言勿衷勿
以纍貴加厥宗子惇史勒銘以頌以規王氏濟美左券
在茲穹碑嵳峩松栢鬱蒼百世其□□□銘墖

石刻史料新編（五），三六九〇頁，金石萃編未刻稿卷中「有元贈中奉大夫湖廣等處行中書參知政事護軍追封魯郡公許公神道碑銘有序」：

安陽公居政府之五年一日得請于　朝既釋機務
將歸省其先塋於洹水之陽以顯考魯公行狀命其友
歐陽元文諸神道之石元惟方今公卿大臣辭翰擅美
元許公神道碑一
無以右安陽公兩都有大營繕諸臣僚家先世碑板咸
以　奏請屬筆安陽公為榮於法當援吾宗究文忠公
例自表厥考崇公之阡又自書之為宜安陽公堅辭以
為不可乃勉叙其行實而銘之魯公諱熙載字獻臣姓
許氏生七歲孤太夫人挈之依外家公多有異質處群
髫中終日持重寡言稍長攻讀書習為儒二十能舉子
業有儁譽年及受室娶里中名家外舅仕湖廣行省公
欲就學東南因往焉遂為當道所知以行省檄辟德慶

路提控按牘由是以本職歷永衡兩路湘潭一州凡三
考成資調長沙稅使遷臨江撫州兩路總管府照磨進
將仕郎湖廣行中書省理問所知事改從仕郎會福院
照磨兼管句承發架□□位不滿德而所至稱職吏服
其能民懷其惠不可悉數其一二存諸簡書略見始末
者若在德慶時鄰撫軼境州將趙往督捕府無它官以
次攝事公料丁壯輸糗糧高城深池備禦有法會城中
民饑比馳狀請粟而先以賑貸民用無它虞將士俘鹵
有憩非辜宣慰部使者雜鞫之渠帥利所獲從旁執爭
公駁之□冤徒脅從猶當理出王民闌入賊衆又從而
臧獲之可乎上官用其議薄有□驗皆免為民□是公
以新進下僚代攝郡寄一切興發事皆已出當道意頗

巷之魁平吏民咸稱其應變方略有餘又見其面折元
戎䏶民于彝乃更賞嘆共刲薦之在永永尚巫鬼里社
彝土木偶相昏□服食共具以侈相夸民坐凋匱公梟
樊侯毁淫祠數百區以室其妥又撤其材以給費舍公
廨倉庫之用公私便之在衡安仁盜衷彝一怨苦播州
餉負險捉亂既誅　朝廷宥其餘黨甚衆民有越軍
砦為竊攘者有司得之獨以强論不赦公曰彼從盜為
亂猶貫殊死此因亂為盜乃服上刑不毋請併彼舍之
議上卒從其言□□□□□趵重二者嘗過友家乘虛
禪□□□鑌器以歸友蹤跡甚急范慚怖而逐之物游
徽數摘之拘范及友於官公推讞得實既而有赦吏欲
墨范辟景跡其身公謂詞未送官物先入主法不湼亦
不當錮范卒為良民在長沙䢖算不苛羨增秋毫歸官
在撫州豪民有龔胡者偽造楮幣十餘年轉鬻閩浙聲
己狼藉詐覺自首官疑有隱索之闃地得宿用板印綴
數皆倍所首獄輸　朝廷遣使分道處決龔厚賞祈
免姻族又助其營救已議減死公持不可曰首實隱多
去宋存本與未首同衆莫能奪乃寘諸法宋奉祠在京
□祿優賤而年近休致諸子又皆願竭力請謝事未報
得瘵疾薨于官生以中統二年辛酉十一月丁亥薨以

泰定四年丁卯二月癸酉壽六十有七葬以是年十一
月壬午祔安陽武官原新塋許氏世居許昌曾高已上
金亂失譜祖考隱德贖僕諱信考贊彰德湯陰因徙家
焉初贈亞中大夫彰德路總管輕車都尉追封高陽郡
侯再贈嘉議大夫僉書樞密院事上輕車都尉追封魯
郡侯諱毅妣以孫婦趙氏讓封初追封湯陰縣君再封
高陽郡君累封高陽郡夫人進封魯郡夫人妣宋氏公
初贈嘉議大夫禮部尚書上輕車都尉追封高陽郡侯
進贈中奉大夫湖廣等處行中書省參知政事護軍追
封魯郡公配高氏萬寧縣尹榮之女初封恭人再封湯

陰縣君累封高陽郡君進封高陽郡太夫人追封魯郡
夫人恭謹令淑孝敬事姑恵慈睦婣性多慈惻尤樂施
予聞故舊家有喪致襚飲食拯閭里貧病如救溺焚魯
公待客好豐諸子隆師蓄書嘗鬻簪珥以繼其資雖居
中饋經營彌縫能使夫子處約之久不失令名有古賢
媛之風焉至順二年辛未五月庚子卒于揚州壽六十
有七□斂襁而下皆以安陽公貴推恩伯子有恒大寧
路儒學正調大理路軍民揔管府知事篤於養志力於
幹蠱魯公年四十不覩細故内獲夫人儉勤之助外藉
伯子□敏之資□□安居樂道專致教子以有今日先

魯公祥之二日卒年四十有五時論惜之娶李繼狄集
賢直學士文忠之女仲子有孚是為安陽公登延祐□
年進士第初授同知遼州事歷山北廉訪司經歷吏部
主事南臺内臺監察御史詹事院中議中書左司員外
郎右司左司兩郎中兩淮都轉運鹽使兩為參議中書
省事治書侍御史陞中奉大夫兼　奎章閣學士院侍
書學士同知　經筵事拜中書參知政事轉通奉大
夫以本官知　經筵事在位有相業臨事決議不愧古
人以封讓祖姑者其初娶景州儒學教授永平趙兼善
女金源世科進士家也繼室趙氏銀青榮祿大夫中書

平章政事魯國公世延女也並封魯郡夫人猶子有儀
　經筵檢討武昌水陸事產副提舉娶劉平江知州傑
之女季子有孚國學上舍生登至順元年進士第授承
事郎湖廣等處儒學副提舉改湖廣行省檢校官娶張
繼賈安慶揔管汝□女也女二長巽貞適江西行省都
事趙彝次安貞未嫁而卒孫男四寶山燕山白者黑者
孫女五小茶三茶增茶順茶相茶公器識深長學問篤
實内行慎獨外友盡忠性不能酒長夏盛暑衣冠儼然
晝不釋手為貧謀養不擇祿仕間關外補四十餘年歛
屋以居糴市以食親故嘗靳之曰君位劣祿薄親年又

髙何狷介至是公笑曰為臣當廉何有大小之别記獨
不云小臣廉乎宋夫人年二十八居嫠守節自攜迨公
成人敎育甚至公逮事終身子職無闕司征長沙作綵
衣堂以志其樂宋夫人病利力求去職侍疾寢食為廢
初喪號慟絶而復蘇柩殯原上苫凷廬墓者三年每晝
端坐木下狀如泥塑樵夫牧豎迫而視之始驚為公年
踰五十時祭必哭哭必致哀喪禮倣古不用緇黃人始
議其儉及送終之厚祀事之豐莫不顧習行之旣祥非
疾病蔬麪不御臨江之除訂吏再四必後其妻挈守邱
壠乃去今長沙人即公廬墓之地作書院以表其孝請

于中書得永頻所植松柏愛護之成林晚歲研精理學易簀之年正月朔日命諸子講周子太極圖說至原始反終慨然而嘆因論人世脩短有若將終焉之意舅氏宋君寶叁年擇師訓公遇若已子公迎養以禮有子為娶令族倅入畫以資之□□□□□東程岡因以東岡為號後更號真拙著經濟録四卷女教六卷尤長於詩有東岡小藁傳于世

仁廟初策進士漢人賜緋者十有一人惟安陽公年財二十有九父母具慶時人歆之每以為義方之勸公在會福安陽公官已卿士而公身教嚴厲安陽公出入必

咨□然前脩家法公疾禱神謁醫靡不極至公薨貧不能治斂又思得焚鑊哀慕不知所為　朝廷聞而厚賻之始克歸葬公塋墓土未燥安陽公數遷遂至宰輔故贈親之典備極寵榮惟公生平種德行義自厚於躬而逡巡退託未嘗有幾徼責報於天求上於人之意迨夫積善之報在理必然則人固莫之與京天亦莫之或違也狀公行者為今南臺侍御史濟南張公起巖志公壙者為今御史中丞浚儀馬公祖常至元為神道碑三人皆安陽公同年進士嗚呼斯亦他貴臣家所難而魯公有焉銘曰

允矣魯公生而敦厖為儒則通治吏不尨儒通不窮若歲徒杠吏尨則蒙乃昏然釭聲粤禺初武之迓嬰身事衝不震不撓憂民有忡遇事無懼或縱爾于萬或逐爾于鋌或鶴爾悾侗或縣爾幼咤世涂憧憧公志悾悾蔿于渢渢與俗異腔且行且□孰搏孰控盬桓令終德厚信矼荆士景從康隐雍羅江夏向風蕃孝無雙釀河為灘漢岷為江滁源之鴻沿流淙淙高陽豐彤庭堅尨降仲十棟隆仲力鼎扛公也亢厥宗仲也輿我邦洹水泚瀣□行崆峒佪山為雄獻水勿淬若堂其封堅珉如玒石人載瞽其樹如幢仲詞春容銘諉友悉公當如□

□□□田瀧

石刻史料新編（五），三六七三頁，金石萃編未刻稿卷中「大元勑賜曲阜孔廟田宅之記」：

元統元年十二月廿五日御史中丞臣亦憐真班臣祖
常治書侍御史臣普化言於
上曰臣等及御史大夫臣脫別台臣唐其勢議江南行
臺按問江西僉憲任忙古台以愚坐沒入其私田八頃
八十九畝屋二十有七間家奴若干人在鄆境者實邇
曲阜
孔子林廟方今
聖天子師法

元勑賜曲阜孔廟田宅記一

孔子設經筵崇儒術我御史臺以興學宣化為職事顧
孔廟歲入視前代猶儉春秋釋奠師生既稟時　不給
請以今沒入產畀孔氏襲封世業之其家奴俾籍於有
司居所沒入居田所沒入田世服役孔氏為灑掃戶而
輸其祖
制可明日臣唐其勢又自帥其同列臣亦憐真班臣祖
常臣普化等導意於內侍臣禿滿迭爾以啓
皇太后于宮中出諭
旨曰善一如
皇帝制行之於是所司以產歸孔氏明年孔氏具牘來

屬元文諸石仰惟
皇元初得宋金郡邑校官田產無算悉以共其祭祀食
其師生繕脩其廟學其校官無田則以縣官緡錢充其
用無禁有司不奉命則御史部使者察之其為尊崇
孔聖之道非獨今日蓋嘗攷之鄆人書社七百里之事
有無不必知尼溪之田齊遂以封一變而止噫若此於
世道有關聖人無與也
今上富於春秋政事咨決東朝居今之臣能言附益孔
氏者皆引君當道之事也臺臣首陳經筵次表儒術豈
有他哉

元勑賜曲阜孔廟田宅記二

兩宮俞音
聖志一揆兆足行矣漢初六經甫脫燹雖高祖過魯之
祠天下翕然望斯文之治史乃稱文景不右儒術以
實后故咎豈在是哉灌絳泉陽侯之屬有一人者如今
臺臣謀豈必金石絲竹之音作而後不壞
孔子宅以書還孔氏邪漢之諸臣功烈卑矣元故著之
使來者知臺臣之意在是是議也侍御史臣朵列禔治
書侍御史臣彝咸欽成之奏之曰經歷臣禿滿都事臣
張　臣李　實從

石刻史料新編第三輯（十三），一八〇頁，湖北金石通志，湖北通志卷九四，金石七，

「中興路剏建九老仙都宮記碑」：

九老僊都宮者中貞明教元靜眞人唐公洞雲之所
建者也元靜遭遇聖代肆揚元風晩歲被旨領中興
之元妙觀既而漢源縣令松滋陳君一寧以中統楮
幣一萬五千二百餘緡得城中公于衛張氏故居願
建眞館以奉祀薙未幾前江淛榷茶副提舉同邑傅
君文鼎又以楮幣一萬七千五百緡增助之請爲衆
倡已而四方樂助者絡屬其不蔵者元靜悉濟以己
貲乃作三清正殿至於門廡法堂方丈雲堂等屋以
次興舉荆門義士陳君該父子又割楮幣六千七百
餘緡塐天尊眞人像金碧眩耀甲於城堙至元五年
歲巳卯有旨特賜九老仙都宮之績俾洞雲並元妙
兩山主之仍飭有司加庇衛焉至正癸未春走伻以
書具顛末抵元謁文記其事於石元靜又自叙家世
履歷曰吾家故宋叅知政事質肅公介之後也世遠
家寒父母遣從老氏學初師佑聖堂李公雲菴既而

紫府觀駱公遜齋又法嗣之而教之曰子雖學道當
讀儒書乃可由是從事佔畢終日未嘗釋卷數年遂

通大義間爲詩章士大夫輒稱誦之父病嘗割股糜
中以進母亡雖空乏猶竭力資薦一日將作齋事需
蠟爲炬無從得夜夢至樹下有白鬚老人遺以金釵
一股明日偶憩樹陰仰見樹有大竅俄蠭自竅飛集
身因憶昨夢退取斧斯樹得蠭房無算致蠟數十斤
給用鄉里至今能言其孝感大德初入京元教大宗
師開府張公留孫雅見器遇時奉旨建崇眞萬壽宮
命董繕克稱厥任尋設荆襄道教都提點所選爲掌
書記會提點闕總攝仍庀是職至大初乘傳從宗師
特進吳公全節奉御香醮江南諸名山皇慶中璽書
授誠明中正元靜法師江陵路元妙觀住持提點紫

故眞應宮住持兼領本路諸宮觀事延祐甲寅授宣
命師號及住持提點諸宮觀如故爾後奉詔遇天壽
節乘傳函香醮襄陽之武當歲數四率以爲常龍虎
三茅閣皁等山亦屢給驛直往修熙事天歷初集賢
院奏爲御位下承應法師每歲扈從上京二年宣賜
中貞明教元靜眞人是年溶以天壽節奉詔馳驛蕆
祠武當若荆門之玉泉中興之元妙崇福常德之桃
川就命徧祀事竣遂歸故里里中故家巨室耆舊老
人喜其來歸相與佽助克成茲宮聖恩如天特賜之
額顧惟生平勤勞晚節樹立郎其所業究其所爲因
得以效君親萬一之報允謂慶幸然恐歲月之久將

遂無聞惟善修辭願以不朽者爲託余按唐質肅公
實江陵人其立朝之節清忠諒直視唐顏魯公無愧
神仙之資不在其身而在其後人理益然也荆州當
湖南西東之交天下山水衇理皆發自西古今仙佛
之教往往自西來入中國是故江漢之壤西接隴蜀
參大山修谷福地名區其人亦多高年遺世之士卓
行絕俗之流若老萊子漢陰丈人楚狂接輿要皆莊
周列禦寇之流亞也今九老仙都宮作於江漢之都
會創始於質肅之後人豈非山川蓄泄之靈國家會
通之化久而彌章前修之流風餘韻有足徵於是者
乎何可無記雖然地以人而勝神依人而行繼自今
嗣元靜而居九仙者尙克念於茲則元屬我紀述之
意可永無壞也

石刻史料新編第三輯（十三）一七五頁，湖北金石通志，湖北通志卷九四，金石七「九宮山欽天瑞慶宮記碑」：

至元皇帝臨御五年歲次丁丑夏四月集賢大學士臣哈剌八都爾等奏特進上卿元教大宗師臣全節言今海內名山福區道家祠薦之所宮觀圮而復新者五九宮山欽天瑞慶宮其一也皆未有賜碑請敕臣分紀其事以昭永久制曰可於是欽天瑞慶宮之碑屬筆於翰林侍講學士臣元申命中書左丞臣懋德書丹參知政事臣有壬篆額明年本宮住持提點

《湖北通志卷九十四　金石七》　四十一

車可照具顛末來京師臣元謹按九宮山爲古今名勝阻巒綿亘數百條里唐人陶姚二仙結菴山中去迺秦莆宋淳熙中真牧真君始墾闢此山剏建神宇旣道法顯著於光宗之居儲恩錫昭陳於寧宗之在位昇以宸翰賜以欽天瑞慶宮額詳見尚書長沙易公紱開禧元年之記宋末已未燬於兵至前至元十三年內附天朝佳山大本封君復之翰林承旨吳興趙公孟頫爲之記延祐甲寅山有災宮爲所燬今住山車可照復之垂成至治辛酉又災可照復之志彌堅經營十有五年始克落成首作真牧真君殿翼以御書閣經之閣傳以東西方丈次作法堂曰天北之堂傍列元真都仙真官山王四祠輪奐雄偉甲於諸方宗師嘉其隨廢續成攺觀之美猶多其思致宏深規度開廓益方外智士元門之忠臣也於是奏請得旨申命詞臣鋪張厥功銘之樂石可謂盛矣系以銘曰吳楚之墟斗軫之交山名九宮靈氣孕包唐有陶姚結廬煉真上仍丹邱秀於荊榛至宋真牧載剏宙榭行通於天夢協於帝以佐累洽時維光寧有赫靈貺曾於內廷命宅茲山作室千礎賜以奎晝照燿南土曾未百年歸我皇元我元熙風軼古羲軒德明惟馨炳於上下神來續續錫我純嘏順我之方民從於雲曾孫千億言壽靈君靈不遑處民用戰兢畢方爲

《湖北通志卷九十四　金石七》　四十二

妖不廢易興乃作新宮乃設崇嶽肇石樺木民疋不斯靈君無爲孰主孰維惟此高士載謀載惟天朗日晶層雲疊霞列室鱗次真仙之家自下望之邈若霄漢林樾蔽虧金碧焜爛有悉者徒置塾延師學道之餘讀書誦詩元流之宗奏疏上前請紀嘉績垂示永年詞臣摛文陳述帝力神之聽之報效家國山連巨阜數應九九符我乾元天子萬壽

石刻史料新編（十九），山左金石志卷二十四「慕容氏先塋碑」，「太原郡伯王公墓碑」，均歐陽氏所撰，然無碑文故二碑可補遺其作品之篇名。

二十五、柳貫「待制集」補遺續

石刻史料新編（十三），九九九八頁，江蘇金石志，「新修平江路學記」：

吳郡有學起范文正公而學有教法起胡安定先生當是時
天下固未有學泣教事者以禮聘不以選授學非常有則其
重矣其後文正公條上天章閣十事仁宗慨然命天下郡縣
皆立學又取安定學法為大學法學校因得著為令至于今
不廢其端蓋自文正發之而吳郡實為權輿焉吳大郡也生
齒之聚賦入之饒眎它郡或相倍蓰
朝廷常選重臣畀之司牧其任□獄訟謹憲禁簡稽時貢輸
疲心力於簿書期會閒日恐弗給非才敏用裕者尚安有餘
智及於學哉故觀學校之廢舉而知郡政之弛張於吳為尤
切矣乃至順二年冬彭城錢侯光弼自大梁移牧斯郡至之
三日以故事脩禮于先聖先師顧瞻堂庭荒穢弗治退即教
授趙晉之問其故晉之曰比歲吳田敗於水廩粟之入不贏
二三吾典土木其將曷資公能□其逋租而視其不可緩者
完葺之學得不毀而功則有□侯曰然為擇謹敏吏鉤校計
簿而督其當輸以輸者得緡錢五千餘緡侯曰以是濟弊不
猶□□已乎既撤仰高采芹二亭而一新之乃相禮殿論堂
門廡齋館及尊經閣先賢祠易撓腐為堅良化刓缺為壓密
而以其餘力築垣墉維一千五百尺侯曰此如瘵瘵之人形
稍立矣使天章賜一縑吾當副為之明年歲則小熟侯益斯
浮□剩首議以論堂西閣屋曰成德堂者改祠先賢自一凡
一椽皆草其弊故而為新美趍廊蠅如翼棟翬如制雖完舊
而功則倍□經始又讀靈星門實備彝應之制宜高伉而不
宜庳陋揄村庀工重作三門六扉以壯禮容塗塈堊腆擇於
□□上凡所經營必謹必審圖為可久毋徼速成厥既蔚功
釋菜于先賢卒徹觴客貴時與在賓席學之師生揖賁言曰
自侯之至歲屢荐饑船傳沓來符檄叢委人謂侯將爬梳□
理之不暇而暇加意於學侯則不然凡所以惠綏吾學者愈
於整暇之時今考成有鵰□已有宴予寵執爵以酬□為我
著之以示方來嗟乎不可必得者人之時而可以必致者人

之才時苟不偶則扶强懲之力濟通敏之才亦何事之不立
而何為之不成方庚午辛未間吳中道殣相枕藉大家巨室
困於征頻而兵民之能自拔於溝瘠者百無二三侯之授鄞
南來適承□餘此何如時哉侯既殫慮畢智為之營抹安輯
而天終佑民克祖有秋吾鄙之士言觀魯侯之祈樂飲在泮
之酒尚論學政而知其不屈於時以能為所欲為者才也才
敏則用裕廢者可舉弛者可張才豈能以章致之哉吳故禮
義之區自泰伯過荒端委以治周禮而教始立子游北學聖
門因文學以得聖人之一體而教滋以章下逮文正蓋去之
千有餘年立朝大節光明俊偉先憂後樂終始是心守郡而
建鄉學立師而得安定知㨿明複張子厚之賢而聞之以學
問文正之學聖人之學也然則濬吳學之淵源鼓士氣之橐
籥而使之强於為善者侯之志也是可沒而無傳哉因併識
之以詒多士四年癸酉秋九月壬辰翰林謹製　教授趙晉
之學正鄭士凱學錄趙福孫直學吳洪建　郡
人鄔友石刻

泰山魯之望也天下宜不得越望而祀焉然而郡邑通得
廟象泰山之神者之祀典而若衡華恒嵩通謂之嶽者曾
不得以儷其尊何也豈非沿古封禪有泰山祇首之文以
為帝王之符瑞民物之生殖胥此焉出則夫仰瞻雲膚如
登日觀望而祀之雖之乎數千里之外可也夫豈得以越
望而限之哉東陽為婺州屬縣廟在縣西二里宋紹興中
縣人太常博士中書門下省口正諸房公事口公冠嘗一
新之下逌至元中口口口口又完葺之於是郎廟為乾元
宮而以祠祝之事付之老氏之徒且創私田口五十畝資
其膳食歷歲滋久廟之日入於壞有自來矣廼至順三年
縣尹承德郎許侯思忠涖政之明年也秋則不雨又齋沐
禱廟下翼日遂雨顧瞻神棲口焉將壓侯進父老而諗之
曰事神治民令之責也不圖厥新告則誰誘衆曰侯無私
福敢不唯命且請以義民徐載孫任珙等敦匠事侯既捐
俸倡首而民咸勸趨輸材致粟如恐或後起手於明年閏
三月壬寅粤五月巳酉工告訖功殿寢言言軒陛仡仡門
闥祟祟庭廡殖殖丹塗白盛煥采如流摶像設色冕鞍應
度諸凡廟制之宜有無外求者會
新天子初正
宸極
詔修嶽瀆之祀侯廼率縣之長貳僚吏欽承
德意潔蠲薦盥祝嘏正辭神用顧歆野夫林叟感悅蹈舞

謂侯以明信誠和神庥神以貺施丕稱侯德宜有篆刻顯
識牲石口予舅氏實以其文命貫貫曰書稱柴望岱以宗
尊則泰山固為郡嶽之統百神之主矣矧而地載神氣凝
為山嶽氣無所不至故神無所不周厥今
真元會合九域大同聲教所漸暨于四表東陽南泰岱不
數千里而近雲霞之布濩風霆之流行明者動變初無方
體神而明之在人而不在物肆廟貌之增隆迓嶽靈之來
假而
溫詔自天秩茲殷禮藐焉方百里縣嚴嚴表魯之瞻是亦
黿蒙常許而已雖不必徵之繩金檢玉之書而歸奚報
上之實已與天保之雅並傳而無間矣侯以世澤入官三
遷而為縣於斯勤事恤民政有體要今當陟明進秩公侯
之後必復其始諒哉矣夫是役也住持道士張處可實左
右宣勞法宜得書故書四年癸酉秋八月既望製文林郎
江西等處儒學提舉柳貫撰翰林國史院編修胡助書中
奉大夫江南諸道行御史臺侍御史王克敬篆額
其歲元統改元十二月庚申朔越十有二日靈口通固宏
道法師住持宮事張　處可立石

二十六、吳師道「禮部集」補遺續

萬曆池州府志，一〇三八頁，「重修池州路學記」：

古者先聖先師之祀必於學其法具禮經而備
置像設之詳不可得而考矣後世廟祀夫子而
以高弟從以諸儒制日益修然廟以崇聖賢
[illegible]別而不混嚴而不褻則然後[illegible]
[illegible]世民懷者有天性仁慈政先撫字者有
學不講一室常空者有威明交著積弊皆釐
有剛直有為不阿當道者有用刑明慎郡無
民者夫古今所共由者道也百世而相感者心
也諸公德業炳煥後先至今聞之者欣欣仰於
而無或異豈非夫道長存人心不泯者耶矧一
之職掌成憲俱在自祀神以至警[illegible]人凡三月
有一事皆為國為民者吾儕敬以遵之誠以行
之毋立異毋干譽[illegible]出位無迂謀無高論毋善

始鮮終斯工不負
朝廷下不負所學可以追配於前人若夫卑瑣傳
劣此又下愚之流君子所不道也諸君曰音哉
斯言願相與懋之遂書以為記

萬曆池州府志，一一八六頁，「隱山寺匾記」：

建德縣隱山寺有梁昭明太子書榜隱山之寺
四大字昭明性愛山水嘗至池往往有遺跡虛
或有淺[illegible]境中此書寓是[illegible]閱[illegible]餘八百年
巋然獨存亦異矣宋崇寧癸封有[illegible]墨獨存之
語宣和二年尉張昇摹本以刻于郡城兩廟中
淳熙守袁說友又取真跡龕至神殿側其崇敬
如此其所傳信不誣矣師道至元丙子秋以視
旱抵寺訪尋在東廡室隅塵土翳蝕之拂拭
諦觀嘆其筆勢雄雅莊重因語僧儀寧尚此何
惜一石而不為永久計耶間稍剝落俾模池廟
石本參訂刻之庶幾完善明年春以賑饑復至
已買石磨治未幾來視則石斷不可用矣仍語
[illegible]
義寧毋以是[illegible]當次[illegible]條丞明年六月寧來告
曰前年日寺傍溪水暴溢崩岸盡[illegible]石碣[illegible]
許[illegible]幾半碑製具而無文容寧[illegible]且有餘[illegible]
神明之靈陰有以相之發端實始於公願紀其
縣師道因欣然為書使併刻于下方云

石刻史料新編（十六），一一六六八頁，安徽金石略，元婺源州重建謹堂齋舍藏書閣記」：「後至元文年，在婺源，未見。」

可補遺其作品之篇名。

二十七、薩天錫「雁門集」補遺續

兩浙金石志卷十八「題紫陽勝境」：

天風吹我登鼇峯大山小山石瓏璁赤霞日射紫瑪瑙白
露夜滴青芙蓉飄飄雲氣穿石屋石上凉風吹紫竹掛冠
何日賦歸來煮石籌鐙洞中宿

二十八、洪焱祖「杏庭摘稿」補遺續

黟縣志卷十四藝文志「胡大監崇傳」：

胡大監崇字宗叟黟縣人殿院汝明之從孫也父正臣充
郡學職贅於金氏遂爲歙人幼孤與兄嵩事母至孝同登
淳祐四年第郡守饒虎臣立雙桂坊以旌之嵩初調鄂州
教授終湖北運幹崇初授句容簿制置使吳潛辟入閫幕
事無劇易悉委之軍資庫虧錢數十萬緡鞫獄得庫吏之
奸盡釋枉繫者富民子訟析貲不平第嚴責族長平之而
訟以息溧陽素號難治豪戶悉詭名避役閫委行經界法
置局僧寺以八字榜諸鄉曰一毫無擾寸土必明鄉官寓
職服公廉明依限納自實簿不待履畝弓量卒能縮十萬
戶爲三萬戶依賞格轉文林郎制置使王埜辟充制幹督
造軍器一十五萬戰船二千艘俄充沿江制機權江州通
判造寨屋七百間咸能以勤敏集事歷官太常丞兼尚書
右司郎官上疏言公田七司法綠櫃之非忤時相出知台
州台爲賈似道鄉郡一切以公正行之豪右莫敢干政東
湖歲利萬緡撥付上蔡書院又立四賢祠以風厲學者適
秋雨天台僊居二水暴漲入城奏乞捐米數十萬以濟飢
民似道謂水乃台州常事何至張皇累奏不報召赴行在
力祈寢免得旨奉祠未幾差知撫州似道嫉江西安撫何
淵子俟崇至陰圖中傷崇見幾勇退寓居吳興龜溪之上
似道南竄以將作大監召命下而世運新矣徒步歸歙至
元二十年終於家年八十官至中奉大夫崇精通經術屢
爲試官考較得人如馬廷鸞厲文翁皆在所選居官清白
死之日家無餘財自號平心老人子桂發終安吉獄掾桂
榮將仕郎

衢學自至元中重建迄至大德雖再歷繕修今既餘十年郡長咸闕治中揑古伯公質兼提學事欻欲亟以興弊起廢請公欣然從之曰吾有志於此久矣命錄事孫升董其役總殿南爲屋三楹欞星門三成撤而新之其因而修者合廟與學通爲屋九十楹厥功幾於始創築垣以丈計踰百若器用几席之屬亦悉爲經紀焉是年延祐七年冬十月鳩工越三月而畢諸生請勒石以識不忘竊惟國家興學育才其地至重雖

吾儒鮮克自重於是或者輕之至於州郡提學職在長官亦或漫不加省公特佐貳官獨肯爲衆人所不爲是宜特書以告來者雖然公於斯役豈直美觀凡以勸學之道云爾子朱子賦鹿洞之卒章固嘗撮其要以示人學者欲學聖賢亦不離乎是說矣公之志汲汲乎化民成俗之先務如此可不謂才且賢哉公字顯卿故蘄州達魯花赤節吉之子云

二十九、陳旅「安雅堂集」補遺續

石刻史料新編（五），三六七七頁，金石萃編未刻稿卷中「安晚軒記」：

元統三年二月庚申文素仁德誠明真人孫公作軒四楹於佑聖觀之東北檐牖豁敞几席清晏列圖書玩好之物於左右將於是老焉三月丙午公生日時年七十諸孫薛義等繪公像為壽而請名其軒曰安晚以公命來徵記其言曰公承累朝寵命主延祥佑聖兩觀兼領杭之道教餘四十年未嘗以為榮煦養徒衆惠愛如一日未嘗以為德及建延祥于燹遺之餘而崇殿廣閣穹門邃廡與凡室屋園田水石華竹之屬無不善脩未嘗以為勞杭為東南大都會官于茲者多貴人大官與天下之名士大夫則皆與公雅游情誼雖篤未嘗以豪髮事干焉佑聖祠元武神杭人有禱必應蓋亦由主祠者精誠所萃有以格元靈而蕆嘉貺也是軒之成故皆喜而言曰公雖有意知足知止之道亦庶幾安乎所居以遲高年於無窮乎牽為文記之夫人精神彊則足以極思慮之微氣血盛則足以任勞勩之劇顛危困厄常相遭而相角也及夫齒髮既衰役其心則神瘵馳其形則力敝視聽言動一或過於用焉則病矣故必有以寧其身而無攖其真焉譬元氣敷宣於春夏而斂藏於歲莫也萬物於是乎靈天地之房而蟄以息老所以報勞而順物性也孔子安老之義其有異於此乎雖然欲安者人之同情也而人則有不得然矣蓋天下未有不為其事而能收其效者足以有為之時而弛然無後日之慮竆智力以行險而欲求安宅之歸若是者吾知其無所於休也然則其必有道之士而後能安於晚乎真人總道紀吳會毅勤積慮亦既久矣而凡經營弥縫於延祥佑聖者皆築安晚之基也況夫以約素自持而接物於泰和之間酬酢一世而未嘗爽其初心則其所以為安又豈晚而始然也

崇善堂者宋鄉馬盧滙黃居寔之所肇建元節
婦陳氏之所增修以為退休之所也始陳氏來
居年二十九姑老而子幼門衰而援弱陳氏抗
節自誓易難甘苦養其姑以天年終擇地而葬
而夫祔焉子娶士族女嫁為士人妻內外事畢
凡三十年而陳氏亦老矣一日若有感于中者
悢悢不已進諸子命之曰吾與汝等俱不幸汝
父蚤世吾又不死然庶幾無憾者以汝祖母待
我而安汝等得至有今日也或謂佛氏之教能
為亡者獲福吾不能必其信否吾但為退休之
所托佛以事之聊以塞吾暮年之感毋乃不可
乎皆應曰諾不敢違命於是即崇善堂增修焉
堂直屋西百步而近乃居寔之舊址居寔望族
也偕郡主趙氏葬永壽寺東之烏巖山遂建
堂於盧滙以奉祀事後燬兵燼陳氏夫居寔十
六世孫也故因而築之敝易而堅撓除而隆申
以燕室敞以輔廂雜器度不必高深而堂與有
限矣其所為費皆用私錢不以累其子又買田
二十畝為後來守視者之計既皆成卜日而處
焉陳氏弟兩峯先生德永用行御史察舉補官
白石精舍與族有斯文好也以婦翁李孝光書
抵京師請族撰記刻石別屬揭公傒斯書達兼
善篆蓋族既發書嘆息言曰賢哉陳節婦也而
德四焉夫死不易天信也姑老而不失養焉忠
也訓育子女以有家室慈也老及而退而托於
佛成功不自有焉智也信以達守忠以盡孝慈
以率義智以遠貪夫有是四德者可以勸勵風
俗不可不記詩曰淑慎爾止不愆于儀不僭不
賊鮮不為則節婦有焉族聞陳之先出自宋諫
議大夫忠肅公瓘陳夫黃之先同出壽雲始祖
閣尚書懋咸有世德故節婦能自立如此節婦
台黃巖人夫同里諱子誠庶子曰本中仕學正

赤城後集卷六　二十四

本禮本善仕教諭長孫曰應卜仕縣尹皆以
經學云

三十、唐元「筠軒集」補遺續

石刻史料新編（十六），一一六七〇頁，安徽金石略，「元祁門縣中山書堂記」：「無年月，在祁門，未見，文載徽州府志。」按，弘治徽州府志，康熙徽州府志，嘉慶徽州府志，道光徽州府志，均不載此文。

雖未補遺其文，然可補遺其作品之篇名。

三十一、余闕「青陽集」補遺續

當塗縣志卷之二十八藝文「蛾眉亭王得常御史赴南臺」：

江亭望華峨
望望似然眉
掃黛偏能巧含顰知爲誰娟娟微雨裏
脉脉久踟躕千里乘驄去因之傷別離

弘治休寧縣志卷三十七「題萬山深處樓」：

黃山三十六峯西天葆顏公深處栖開牖看山青入户
移舟釣水綠平堤崖邊石虎風前嘯嶺上金雞月下啼
遙想此情何日到篇詩聊為故人題

石刻史料新編（十九），一六七三七頁，陝西金志卷二十六「重修后土祠記」：

亦明矣古之制天子祭天地諸侯祭山川庶人祭五祀位有貴賤故祭有大小而后土之祭自天子達於庶人所以生者一也記曰王者爲群姓立社曰大社自立社曰王社諸侯爲百姓立社曰國社自立社曰侯社大夫以下成群而社曰置社大社國社爲民祈報也王社侯社自爲祈報也大夫以下無民人莫爲立社又不得自立社故與民族居百姓以上乃立社以祈報之今國都至於郡縣皆有社獨置社亡耳民春秋雖有社祭然無壇壝主位牲齊儀章皆不應於禮其事所以生者蓋甚畧也而先王之制所不得祀者則一切祀之而上亦莫爲之禁夫不祀其所得祀廢禮者也祀其所不得祀犯義者也今雖不應於禮有能修而祀之其賢於世之廢禮而犯義者矣御史臺都事張冲同年光祿主事虎理翰家于華義張氏之斯舉也而請紀于余焉至正十一年秋七月記

華西神川原后土廟故並嶽祠宋眞宗幸華山賜額泰寧以華山道士武元亨主之其後元亨以祠隘請於朝改作之於神川之上宮初甚侈大至靖康時燬華人中嘗修復之然庳陋不能如舊觀金正大中乃加增拓距於今三百有餘年故屋皆壞無能興葺之者里人張順以私力加繕治之未及爲而沒其子賁禮賁斌乃追成其先志以錢伍萬貫具材木鈲㯨會工蕆自門至寢爲屋若干楹北道復與王祺建遠門凡一歲告成左氏曰共工氏之子曰句龍能平水土爲后土之官故祀以爲后土盧植諸儒從之皆以爲后土句龍也蔡邕則曰句龍社神也堯封之稷之神柱與棄是也

漢后土祠在壬地社稷之位在未地爲王肅之說者又曰社與稷皆土神但生育之功異故有二名耳史記武帝初郊雍太史祠官言當祀后土於方澤圜邱爲五壇壇一黃犢太牢具帝從之又東立后土祠於汾陰睢上親望拜之如郊則漢以下地祇有社又有后土后土之說紛紛莫能統一以余考之皆失也鄭司農曰后土社神也蓋社以地言后以神言社之有后土猶郊之有上帝也曰帝曰后皆主宰之稱也祇曰后土而五土之神亦曰后土者猶郊之神曰上帝而五方主氣者亦謂之帝不以嫌也五土之神吐生萬物而稷者五穀之長也非土不生非穀不養是以先王尊而祀之句龍有功於水土柱與棄有功於稼穡故以配食其神其曰祀句龍以爲后土者猶所謂禘嚳而郊稷是也又周禮以血祭祭社稷五嶽其以血祭則非人鬼可知且其祀先五嶽則不得爲句龍

合肥之城江淮之巖邑也其神祠在肥水南浮圖祠桂至元中由明教臺寺來奉祠傳其子惠淵孫宗楷始作僧舍祠傍楷之子可龍諡募人錢爲殿堂門廡繼又得祠後廢軍廨及夏氏所施地建別殿於其上龍嘗以役請於皇孫宣讓王助之有司與郡人亦皆來助龍又克效勞若至畚鍤之事皆自親之或不足則稱貸以從事如此者凡十有餘年而後克成而城之廢久矣元受天命萬國悉臣山徼海域咸奉貢職衆千餘年分裂之天下而一之故海内之城皆圮不治而淮南者九負固而後降者也故城之廢爲甚特其神祠爲民禱祀而存古之報祀雖防庸之微皆索而祭之城隍者係民之大具其功視防庸甚遠矣其祀豈可以不嚴祀之嚴則先王係民之政尚亦有能議者乎龍之爲視其徒可爲近民者矣郡人白玉張世傑事神素謹乃代飭碑闕請爲之銘其辭曰阻江阨淮大邦維廬夾城於肥萬人以居天作潛阜以殿其旅神精攸屬靈保攸御赫赫厥燭卓卓厥序綺寮珠樹呀如鶱呿離房玉除下有芙蕖冠裳珩琚神容穆如邦之大夫童庬婦女歲時來胥其容栩栩燔蕭擊鼓烝衎於下粤神莅子以及斯所昔者之季廬受其殘臨衝小櫓亦莫我虣誰其爲之伊神之貽楚人有戶如栫之綫燠寒風雨歲以民裕云誰之佑神之賚汝我相而鑑昔爲金湯山川迴翔神其不忘修捍而域神有舊勞時享其逖式居以敖天子息民燕及百神神作民主天子萬壽

至正十一年紅巾初起淮南自浙西江東西湖南北以及閩蜀之地凡城所不完者皆陷合肥之城久圮且夷倉卒爲木栅以守栅成賊大至民賴栅以完其後僉憲馬君至顧而曰以栅完民幸矣非所以圖適曰皇孫宣讓王及其憲使高昌公議修其城遂發公私錢十萬貫召富人之爲千夫長百夫長者僱小民相故所圮夷盡築之富人得官發錢無甚費咸喜助所不足小民方饑得傭錢奔來執事鼛鼓不設鞭朴不施捧柴荷畚屬至競作自十三年二月朔戒事九月畢城四千七百有六丈六門環爲陴睍設周廬具飾器門皆起樓櫓相望所必攻者甓之計用木若干甓四百四十八萬用人之力七十七萬八千城成而盜不至者今期月矣余生長合肥知其俗之美與夫所不從亂而可與守者有三焉其民質直而無貳心其俗勤生而無外慕之好其材强悍而無孱弱可乘之氣當王師之取江南所至諸郡望風降附獨合肥終始爲其主守至國亡乃出降天下既定南人爭出仕而少不達則怨讟其上而不可止吾合肥之民布衣蔬食秀者治詩書樸者服農賈昏喪社飲合坐數百人無一顯者無少疾怒不平之色驅牛秉耒雞鳴而耕朝而息日昃而耕暮而息不合耦而終百畝負二石之米日終趨百里而無惰容惟其質直而無貳心故盜不能欺勤生而無外慕之好故利不能誘强悍而無孱弱可乘之氣故兵不能恍昔者木栅猶足以力戰禦寇而無肯失身於不義者今而得賢使君修其垣墉救其疾苦攜持撫摩以與民守之而民之與君又歌舞愛戴與君共守自今至於後日是雖無盜有亦不足憂也君前爲庸田僉事城姑蘇今憲淮南又城合肥一人之身而二郡之民賴之以有無窮之固儒者之利不其溥哉君名世德字元臣也理可溫國人由進士第歷官應奉翰林文字樞密都事中書檢校庸田僉事爲今官與余前後爲史氏城又余之所志而未成者也義爲紀之其敎事與民凡共役之人則載之碑陰」

三十二、周伯琦「近光集」補遺續

兩浙金石志卷十八「理公巖記」：

理公喦晉高僧慧理師嘗燕宋焉在錢唐虎林山天竹招提之東南玲瓏幽邃竹樹岑蔚至正九年上人慧苣來居觀堂起廢緝㡀爰開是山巖窈窕繚復霩如堂如唐皇雲涌雪積發渫霝蘊後七年丞綏寧楊公之弟元帥伯顏清暇游愒抉奇樂靜捐金庀工載鑿喦石刻十佛及補陀大士象金碧炳赫怳躋西土冀徼福惠蔭我重親利我軍旅冰釋氛沴永奠方岳喦之異勝誕增於昔爲虎林奇觀寔苣公軌行精慤有以致之居毗號曰菩薩蓋非夸益天竹和尚允若師臘已八十與苣同志徵文未久乃篆諸石浙省參知政事番陽周伯琦伯溫記并書

台州金石錄卷十二「台州路重建天妃廟碑」：

海之神曰天妃肇于閩中顯于宋季始於其里拯

旱溢弭疾疢禦寇盜應禱如響旣聞于時褒封表
異商于海者遐邇徼靈悉如其素
皇元奄有萬方歲裝海漕遂爲海神而專其禍福得非
功行超邁則統攝益隆猶夫國家之待羣臣積勞
立勳則進之尊官重任者耶巨舶□移颿席雲揭
一息千里緊神是賴盲風怒濤危在頃刻叩首疾
籲神光下燭剨時靜恬順達所擬靈異若茲不可
殫紀是以累錫　制□庸示尊崇迺有護國芘民
廣濟福惠明著天妃之號又　詔並海州郡皆置
祠廟每歲之秋
天子頒匳薌遺使徧祭其祝文曰
皇帝敬遣某官某致祭其嚴且重若是台之爲郡東距
海百餘里郡舊有廟在城東五里而近延祐中廟
圮遂爲廢墟乃徙神像于城南水仙之樓至正十
二年五月賊寇台州登水仙樓忽棟撓登者多
笮死□□縱火焚掠樓亦隨燼守者復奉神像旅

寄天寧寺几筵簡陋過者病之明年四月江南行
臺侍御史資善公江浙行中書省左丞資善公受
詔來台□□□提封始寧編民安業二公休
沐之暇過天寧瞻禮神像愀然不安乃各捐餐錢
若干貫以倡郡人而屬監郡孛顏忽都專經營之
又躬即故廟墟地相方度宜心計指授□□□地

以拓其旁於是貲助沓至木瓦充給迺堂迺構不
月而成基廣□□有□深殺廣四丈廟宮中峙檐
屋覆縱三楹橫倍之廻廊伉門夷庭崇壇唐甓脩
飭齋庖具備門之外隙地爽塏亭于其東□于其
西四山聳特獻奇效秀江貫其間清流南帶脩竹
茂樹重陰複翠季秋經始孟冬訖工乃以吉日迎
置神像冠服尊嚴繪飾炳煥絡繹瞻仰且駭且欣
伯琦奉　旨代祀適以是月至台郡人士咸以爲
聖君虔祀典於上相臣建祠宇於下相望數千里敬神
之心脗合豈非千載一時之盛歟迺以十又一月
戊辰同浙東僉憲篤滿帖穆爾副都元帥黑的兒

率郡之軍民官屬具祝致祭天氣澄朗薦祼如式
祀禮既竣登胙于亭均饗神賜旅酬雍衎上下懽
洽遂合辭徵文刻石廟庭以示永久按禮曰聖王
之制祭祀也禦大菑捍大患則祀之又曰有天下
者祭百神祈報之道祀典所崇惟天爲大而海從
之惟海爲大而神司之尊以天妃崇莫並焉其爲
禦捍豈他神比哉綸音專使廟享海城禮所宜然
台之祠官廢而復興以備歲祀神有所依人有所
庇二公之心可謂忠且摯矣況玆州城弊于兵燹
人心皇皇二公之來德望所臨羣醜欸伏屬當惡
歲粒食頗艱小大嗷嗷乃發軍需大振困窮蠲

金石錄十二　三十

貢稅以蘇民力植弱起瘵耋稚頌戴視人猶己視
官猶家郡之闕政無不畢舉觀夫廟宮之建則餘
可知已遂作迎享送神詩遺台人俾歌以侑祀于
廟侍御公名左荅納實理字廷獻敭歷中外前守
溫州□□保城有功左丞公名帖理帖穆爾字文

彬往歲執政中書進賢能清銓選有善譽二公爲
時重臣皆高昌名族僉憲公字仲彬蒙古氏嘗爲
南臺御史僉漢中憲振厲風紀副帥公□□傑西
域人前海道千戶亦以禦捍溫州功陞監郡公字
元卿伯牙吾氏名進士嘗監大邑知鄭州入爲
國史院經歷僉憲河南□□□時習工者天寧寺
沙門明玫郡士李德大也其詩曰
奕奕兮新宮鬱嵯峨兮城之東睇睇棠兮五色沓
龍駕兮雲中潔八珍兮羞五齊敷華几兮釁洗禱
博山兮晨絪縕闢閶闔兮自我
天子曠浩淼兮戶之庭最一隅兮赤城惜瞬息兮倏至
靈未來兮愁予情廣莫兮披披紛珠蓋兮拂虹霓
左天吳兮右冰夷凌鮫室兮貝闕神之來兮眾心
悅戛玉兮笙鏞弦瑤瑟兮歌颯颯舞應節兮合奏
於皇樂胥兮百福崇奔迴斡兮羣靈翕從滄海晏
兮纖塵清罔象伏兮□澄明沕淵潛兮沛遐征混
鴻化兮穀豐登彰靈德兮相我太平

石刻史料新編（十九），山左金石志卷二十四「釋奠宣廟碑」，周氏所撰，然無碑文，可補遺其作品之篇名。

三十三、胡助「純白齋類稿」補遺續

江寧金石記卷六「建康路學祭器總數之記」：

始建康學鑄祭器若干以爲大備御史劉公泰爲之記會教授張君拱辰至有事于上丁陳其簠簋尊豆罍爵不合儀式顧猶有闕者退謀之提學官冶中梁侯也先普化曰吾嘗不滿于是君意雅合弗可以弗完爰稟憲臺復購銅召舊匠開冶命學正賈君汝霖董其役凡三月畢工教授俾助以數具書于石庶來者有考焉按簠貳副簋一副爵二十一坫五十有七此南唐舊物僅存者爾山尊二著尊二大尊二壺尊陸象尊六犧尊六罍洗二副龍杓一十三坫八十有二爵一百丹九豆一百七十有四副籩一百二十有二簋如簠之數而加一焉大鑪二大缾四

此前鑄之目劉公所記者也罍洗一龍杓一爵十小鑪二十有五豆一百丹九此後鑄之目舊新後先總以件計一千四百一十有八器至是始備惟張君主席三年以教以養以興以補臺評士論翕然稱之若他役倍是不書而獨書祭器者尊禮也可謂知所重矣助之不敢不書以是夫

三十四、張翥「蛻菴集」補遺續

赤城後集卷四「柔川書院記」：

柔川書院記　張翥

書院之設肇於唐而盛於今朝自三代有學後之有國者法古皆有學而通都大邑民生必衆則長材秀民有非一儒宫可周教事也於是有鄉學有社學猶古之黨庠遂序也又於家有教

赤城後集卷四　十九

者焉五季濁亂士去其業多林居野隱執經講授及時寧平遂即其所寘書院賜敕額列學官蓋以俊秀有造於是風化有嚮於是朝廷所以納民於法度之域畢由學校不可一日而墜也今柔川書院建於黃氏之塾故家閩宋工部尚書懋始徙台之黃岩州柔川里為州望族九世為承奉郎汝霖生兩淮提舉希愈提舉生光山令應時令生太學内舍景龍内舍生壽雲先生

原書缺葉20

志闢塾為書院中祠二程子朱子倘以先生壽西兩廡為師生之舍後堂為會講行禮之所庖湢器物悉具絃誦時發衿佩翔集有司以聞部使者覈而上中書下禮官議如章請謚先生曰康敏寘山長掌院之教事方今兵革之時人無定居乃立書院倡迂濶非當務夫豈知盜賊之興正由教化之不行邪說得乘隙而入亡其秉彜好德之心畔鑿有生之道而流為凶悖汚厚

赤城後集卷四　二十一

之行使之習知有親有義有別有序在人心之本然者因啓迪順導之孰忍自棄於非類哉今為吏者不知教民者不知學馳之饑寒逼之禍災又莫能思患預防之故至此極烏乎斯民也三代之所以直道而行者若良有司能明先王化民成俗之方恢弘學校以風厲之民思王化今時亦易然也有不興起而自新也哉予故因黃氏之舉而詳言之為記

台州金石錄卷十三「大元贈銀青榮祿大夫江浙等處行書省平章政事上柱國追封越國公謚榮愍方公神道碑銘有序」：

至正二十二秊二月二十一日榮祿大夫江浙等處行中書省右丞方公歿于師其年六月江浙行省以事聞于

台錄十三　三六

朝贈銀青榮祿大夫江浙等處行中書省平章政事上柱國追封越國公謚榮愍其幕僚蕭德吉狀公行事越海來請為碑表于神道惟方氏其先家台之僊居後徙黃巖靈山鄉蕭下里曾祖天成贈資善大夫江浙等處行中書省左丞上護軍追封河南郡公祖宙贈榮祿大夫江西等處行中書省平章政事柱國追封越國公考伯奇贈銀青榮祿大夫福建等處行中書省平章政事上柱國追封越國公越公通陰陽歷數之說樂善好施家肆嘗以小斗出米以予人公聞立剖而譴之人以貧投者必周之嘗道遇鼋龜蹣跚檻坎中延頸仰望公亟以販度之出是夕夢玄衣人來謝其潛德多類此有五子公其次也諱國璋字國璋生而穎異越國每拊之語人曰是兒必興吾宗既長狀貌魁偉力學彊記有才識時公上徵須繁且急越公春秋高不能任勞事黃巖為望州有司饕沓苛茀及苛責不旋踵公酬應趨辦未嘗使越公聞也家素約乃致力著遂生業日廓中外族黨濟其乏存其孤歲饑振其鄉里而娼公者多譙之有王復因邏卒夜帥其徒斧闥入盡掠公貲而入海遘海運舟遇復掠之千戶德流于實見執公之弟今江浙行省平章國珎乃合族人鄉丁數百人斂兵治械逐而擊

台錄十三　三七

之王就禽奉德流于實歸柰政朶兒只班以聞授公僊居丞人賞各有差公夙負其才又官鄉邑民間利病所素習剖牒讞獄聽決精審民悅吏服里有貴家失物疑其宗人誣告之公廉得其情抵告者罪俗多訟訐或殺其子指仇家累歲不能結其案公博以耳目得佐謀者一二人痛治之嚴示教條風以衰息部使者歲再至諉公錄囚援律評事咸適厥宜人莫敢謁以私公既官守諸弟得服田里業益富仇公者憾益深公躬往諭撫之比至則謀者執益逼度不容居舉宗入海避之仇者得計遂擠公益力有司來逐公公得其逐者輒禮而歸

之国以狀籲冤
朝廷遣左丞帖里鐵木爾尉安公公帥諸弟謝罪自
陳頓畢力海漕報
朝廷乃為立廵防千戸所即授公兄弟千戸
賜五品服至正十五年公護漕抵直沽號令嚴明
糧舶悉集有
旨升千戸所為萬戸府授亞中大夫上萬戸佩金符
賜金繫帯一宴勞以遣之仍下
詔禁止人無得造釁紊漕事十六秊平江陷丞相達
識貼睦邇檄公捴舟師往討之屆昆山接戰數十
殺獲甚衆既而平江來歸款乃罷兵還録其功升

萬戸府為防禦運糧義兵都元帥府即進公通奉
大夫為都元帥十七年有
旨錫公龍衣寶刀御馬公倍感激乃分兵扼温台慶
元三郡以保障海隅明秊江東畔兵陷建德瞰紹
興勢殊鴟張時南臺移置紹興內外震動省臺馳
檄旁午公捍禦多方寇莫能犯中原道閉使臣之
往來海以為陸公每具資糧送迎無闕凡海舟唯

公號是視前此海道中斷公遣官從淛省計未決
而戸部尚書伯顏帖木兒來命公帥諸弟發船裒
糧於平江公罄力董其役
朝廷賞公升福建行省叅知政事十八年升資善大
夫同知行樞密院事明年升榮禄大夫江淛行省
右丞朱□璋侵衢婺公計可使招來之二年始得
其情於是
朝廷遣尚書張昶等來與公會議至台將由婺以趨
集慶時苗軍據婺州其將王保等殺渠帥出奔過
僊居所□縱剽昶急與公謀公曰今招安之事垂
成而苗軍忽變必入吾境則吾民必見害而彼聞
之將疑我懷去就我請往諭保等庶亂可弭乃引
百餘騎至僊居遣屬僚餽保等酒牢金幣保陽諾
請約束其軍□縱剽自如公重遣人往試之是夜

二月二十一日也迨四鼓保軍圍公營數市矢石
兩注公不意其變帥麾下起力鬭手殺十數人而
矛中折遂遇害同死者若干人公子明犨明敏聞
難起兵來未至而保等間道出新昌竟遁免我軍

追弗及事聞贈謚褒崇優於常典卜以至正二十三年十月二十一日葬公湧泉之原娶同邑於氏封越國夫人子三人長明肇今資善大夫江浙等處行中書省叅知政事□讀書通兵瀆恭以下士次明敏今奉政大夫江浙等處行樞密院判官知學有勇力善騎射次明偉今奉議大夫浙東道宣慰副使簽都元帥女三人庶男二人德忠德慶庶女三人孫男二人麟鳳公性□□而處事縝密拊士卒皆得其懽心每論議必俟羣言畢乃擇可否從之雖貴登三事於鄉閭謙抑無矜志仇者有悔罪來謝待之如初此功名之士所以為公惜也乃志以銘曰

方古受氏　爰自姬周　軏宣中興　方叔壯猷
叔也流澤　覃及後裔　代為名人　□美厥世
章安之盾　曠墜罔究　肇自越公　實大以茂
篤生榮懋　恢弘英發　鱷拔山首　鵬摶風烈
大艦千艘　公董漕輸　聲威奮揚　掃蕩天吳
皇嘉錫之　重圭疊爵　暨於諸弟　犀聯玉錯
新定陷逆　公護海邦　詔使協謀　致其來降
祆氛忽驚　變作于婺　公仁弗揃　往以善諭
嚼謂狡護　□□我師　倉卒搏戰　身以徇之
功雖不卒　名則不沒　公有令子　克繼其伐
湧泉之原　靈歸孔安　巋若隧碑　過者軾旃

三十五、李孝光「五峰集」補遺續

當塗縣志卷之二十八藝文「凌歊臺」：

藝文

宋家天子遊南國紅粉三千臺百
尺歌鐘激浪楚日白[illegible][illegible]綠樹[illegible]
雲碧髮歌高宴金輿來侍臣狎笑朱顏開臺城宮
屏鎖花栁寄奴玉帳生塵埃昏昏醉夢春風幾不
顧江東數千里酒罷歌闌
帝業際青山空映當塗水

三十六、貢師泰「玩齋集」補遺續

石刻史料新編第二輯（九），六五一二頁，句容金石記卷六「重修明德堂記」：

句容縣廟學唐開元中始建於縣治之東宋元豐二年徙而南皇元混一首崇學
句容金石記　卷六　三十五
校縣尹兀顏英趙靖先後修葺邑既完美獨講學之堂湫隘弗稱至順四年達魯花
赤那懷實更作之扁因金華馬光祖故書曰明德惜乎當時構締之少堅也距今纔
十年已弊陰雨交至正元年冬十二月彰德李君溥來爲尹始至用故事釋菜於先
聖先師退坐堂上慨然謂教諭新安胡玄穆曰盍相與圖之玄穆曰吾職也顧學廩
之入不足以勝工力之大爾明年六月大風雷雨壞堂之北隅君即捐俸率士之有
力者撤而新之踰月訖工且闢屋於堂之下兩楹題曰止善新民疏櫺清曠迥脫囂
塵復計其餘材當大成殿南向爲露臺以備嘗灌登薦上下之儀雅樂祭器亦因不
備靡楮幣凡四千五百貫食粟八十斛玄穆乃以書來請於宣城貢師泰曰願爲記
焉師泰雖未識李君嘗知其辟御史院丞相府掾讀書識治體而玄穆又師泰內弟
也知其善學爲尤悉因敢即名堂之義而告焉夫人以一心之微而其體足以具衆
理其用足以應萬事如鑑懸水止無纖芥之汙故曰明德然不能免於氣稟物欲之
累必加以明之之功始復其所以光明者故曰明明德蓋嘗切求其所以爲明德者
於五行屬火火之明無不照故心之明亦無不燭火息而幽闇隨之猶心德之蔽而
利欲昏之也火明則物無遁情德明則理無不燭斯道也亦微矣歷代帝王之授受
孔門師友之相傳近而日用常行之間遠而鬼神事物之變舉不外乎此然其明之
之要非泛然無主以求之也非冥然待其自覺也非躐等凌節以一蹴而至也循之
以序進之以漸待之以久使其優柔融會一旦豁然貫通而力行之功且足以踐其
所知則洞然虛靈之府四端萬善靡不在我然後推以及人而人亦有以自新矣是
以君子之心雖窮居僻處而堯舜其君民者未嘗一日而敢忘也況有民社之寄者
乎後世茲道不明學者專意乎記誦詞章之間仕者從事乎刑政法度之末其他紛
紛各以意之所便爲學而成己成物之功始貿貿焉莫知所向矣嗚呼登斯堂者觀
其名而思其教又思各造其極而不遷其庶乎古人之心也夫抑亦李君之心也夫
君字叔敬贊而成者主簿樊嗣祖縣尉張泰典史趙由道周夢麟也

三十七、劉仁本「羽庭集」補遺續

石刻史料新編第二輯（十）七三七頁，越中金石記卷十「續蘭亭詩敘」：

東晉山陰蘭亭之會蔚然文物衣冠之盛儀表後世使人景慕不忘也當時在會者瑯琊王友謝安而下凡四十二人臨流觴詠從容文字之娛而王右軍墨蹟傳譽無盡豈有異哉蓋寓形宇內卽其平居有自然之樂者天理流行人與物共而各得其所也昔曾點遊孔門習次直與天地萬物上下同流故其言志以暮春春服既成童冠浴沂舞雩詠歸有聖人氣象仲尼與之去八百年而有晉之風流蓋本諸此自是

而莫繼焉後唐宋雖爲會於曲江率皆矜麗務爲遊觀曾不足以語此者余有是志久矣適以至正庚子春治師會稽之餘姚州與山陰鄰壤望故迹之上墟而重爲慨歎於是相龍泉之左麓州署之後山得神禹祕圖之處水出蠑螈瀦爲方沼疏爲流泉卉木叢茂行列紫薇間以篁竹彷彿乎蘭亭景狀因作雩詠亭以表之維時天氣清淑東風扇和日景明麗實三月初吉也合甌越來會之士或以官而居或以兵而戍與夫避地而僑暨遊方之外者若樞密都事謝理元帥方禾鄒陽朱右天台僧白雲以下得四十二人同脩禊事焉著單袷之衣浮羽觴于曲水或飲或酢或詠或歌徜徉容與咸適性情之正而無舍己爲人之意仍按圖取晉人所詠詩率兩篇若闕一而不足者若兩篇皆不就者第各占其次補之總若干首曰

曰續蘭亭會殊有得也嗟乎自永和至今上下宇宙間千有八載遺風絕響而今得與士友俯仰盤桓追陳迹脩墜典講俎豆於干戈之際察鳶魚於天淵之表樂且衎衎夫豈偶然也是雖未能繼志曾點然視晉人則亦庶幾已矣獨未知後之人又能有感於斯否乎會人請紀以冠詩端而諸姓名則各因詩以附見如左是日江浙行省郎中天台劉仁本敘并書江浙行樞密院都事同郡謝理篆蓋 四明胡仲瑛刻

補四言五言詩各二首凡一十六人

郎中劉仁本補參軍劉密

俛仰宇宙瞻茲山川欣欣卉木泠泠流泉豈伊獨樂尚友千年飛觴衎詠萬化陶然

陽春沐膏澤草木生微暄靈圖發幽祕感此禹跡存衣冠繼芳集臨流引清尊性情聊自適理亂復奚言

都事謝理補侍郎謝瑰

瞻彼阿上神禹祕之茂蔭嘉樹清泛芳池臨流引觴衎衎以嬉俛仰千古逝者如斯

春溫散晴旭灌木浮嘉陰良辰事脩禊我友欣盍簪方池注清流可以濯煩襟一觴復一詠暢情忘古今

鄉貢進士趙俶補參軍孔熾

青陽既殷以遨以遊采蘭崇阿濯纓芳流翰藻載詠羽觴載浮潔我祓禊事于以寫憂

暄風播廣宇欣懷託陽春盥祓寄幽暢虛襟遺世塵
擷芳遵巨阿接杯沿澗濱詠歸何逍遙遐哉仰斯人

天台僧悅白雲補任城呂系

疇昔有懷陰雨翳霄兀爾居室忽焉終朝際此晴煥
散豁林郊濳鱗泳波遊羽鳴條
崇阿撫神祕微風扇和淳靈雨既丟沐品彙匯以陳
蘭茗擢中沚葩萼媚芳辰散懷得眞契引觴答熙春

前蕭山主簿朱右補餘杭令謝藤

陟彼崇阿遊目遙岑川雲湊岫林本蔽陰喈二黃鳥
懷之好音亦有良朋載嘯載吟
息徒坐蘭陼臨流濯清泉光風被林薄春服麗以鮮
持觴撫流景鳶魚樂天淵俛仰同一慨弱毫從所宣

前帥府都事王霖補王獻之

濊彼源泉其流泱二誰其遌之以詠以觴酌此春酒
以祓不祥
華髮宴餘春微風宿雲散蘭皐野氣芳桐岡日初旦
羣賢集崇巨臨流木光渙酌酒清湍曲俯景慨長歎

蕭山教諭朱炯補府功曹勞夷

俯挹清流遙睇崇嶺于焉遊盤寄興遐永放同覩濠
高岺臨潁泠風徐來惕焉深省
叢木翳林薄搆亭俯澗濱旭日散晴采光風媚芳春
臨流轉輕觴于以樂嘉賓詠歌意自適酣暢趣益〔眞〕
玆遊敦所尚庶足酬令辰

四明沙門僧昇補任城呂本

延二春陽藹二蘭茗樂脩嘉賓以宴以遨靖觀〔物化〕
散懷逍遊一觴一詠庶永今朝
禊飲祕岡湖天氣淑且柔傳觴際曲渚濯纓〔臨芳洲〕
纖條亂風樹幽葩落晴溝衆賓亦樂止忘彼塵〔世憂〕

前平江儒學正徐昭文補府主簿后綿

柔風扇和百卉具芳携我良疇憇于崇岡怡情詠歌
激水汎觴俯仰宇內聊以倘佯
玆辰天氣佳駕言寫我憂衣冠盛良會祓禊俯長流
川容濬疎雨樹色翳崇巨清風接千載復此逍遙〔遊〕

祕閣隱者鄭彝補山陰虞谷

興懷古先仰觀玄造昃歎逝川平念芳草暮春維和
爰舒幽抱皎皎白駒嚶其黃鳥

風駕稅幽麓汎醴循流瀾芳藝被巘瀨葩蕚耀〔林端〕
靡二時運邁思賢撫嘖屹主欣遠賓集陶〔然有餘歡〕

前嘉興路經歷張溥補鎭國大將軍掾卞迪

藹二雲岡溶二春水集我朋儔擷玆蘭芷千載同〔流〕
夷猶芳軌美哉良會衎樂無巳
玆辰暮春初散策臨泉石清渠引微波浮觴薄前席
伊人去已遠古今同一一適瞻玆脩禊地遙岑濬空碧

東山僧福報補彭城曹譓

晴雲冉二幽草茸二羣賢戾止衎樂攸同芳葩泛艷
翔羽迴風亦有旨酒聊以從容
柔條扇微風輕波漾清旭群彥此委蛇鳴佩集中谷
列帟衣巘迴飛觴隨水曲緬懷古先哲庶以繼遐躅

三十八、張雨「句曲外史集」補遺續

兩浙金石卷十七「吳山承天靈應觀記」：

至順三年通元顯應嘉成眞人唐君永年出領杭州宗陽宮兼領本宗諸宮觀承制命也吳山承天靈應觀者實隸厥宗眞人既獲舊物乃思所以紀述師資系代之由與夫制作興替之所自命其徒呂昌齡錄其事白於領杭州道教王眞人俾天雨著於石將以貽來葉云當宋紹定之初觀妙大師鄭君守一卽故沖天觀艱勤締構載成道區歲辛卯災衛王史公彌遠合民財重建端平三年勅改今額增建梓潼帝君祠麗其旁尚書禮部符文以甲乙傳次則淳祐元年也於是鄭君告老沐君繼華爲乙傳始置崑山田十頃有奇再傳胡君繼榮而殷君元燧嗣　大元至元間常爲兩縣副威儀三十六代天師□眞人爲殷君弟子則廿有六年也世雖沿草靡常厥至□法系所在孰得奸之我得而正之矣崇德天師大眞人特進吳大宗師成嘉眞人之志於甲乙之傳案據益明白謹以其事具聞　集賢而　璽書之降承　天之寵及矣竊惟杭爲江左一都會道家之山相望眞人嘗以清靜之道贊於　兩朝而雨暘之禱人施勞於　外廷功成不處將佚老玆山既已補治百廢用奠神明之居且不忘其所授受使弗墜前人之績豈徒據江湖之雄勝矜棟宇之華敞視大方之家猶若不足若眞人者近古所謂知常者歟所以不靳能言之言而取無名之名於子墨客卿之表者不以文也傳信其以此至正三年九月既望清容元一文度法師教門講師張天雨撰

兩浙金石志卷十七　元　十

句曲外史集提要：「張雨撰，字伯雨，一名天雨，別號貞居子。」

三十九、鄭玉「師山集」補遺續

道光歙縣志卷九之三，藝文志，雜著，序「荊山鄉歙酒序」：

古有鄉飲酒之禮而今亡矣俗安得知有禮讓民安得興於孝弟乎夫鄉飲酒者所以教民敬讓使之由乎孝弟者也故孔子曰吾觀於鄉而知王道之易易也雖然古道邈矣古禮廢矣古人不可作矣有能因其俗之所近行之而不背於禮君子斯亦與之而已邑東坦頭汪氏以每歲暮春率其鄉人子弟攜樽俎載酒殽會于荊山惠泉之精舍酒行既畢分韻賦詩且名曰鄉飲焉所以合朋友之情講鄉里之好也既復介子友曹志行求予序所賦詩予掩卷而嘆曰鄉飲酒之禮其廢久矣此舉豈非因其俗之所近行之而不背於禮者乎使其鄉之人知古人之為鄉飲酒也非專為飲食也賓主有揖讓之儀樂歌有出入之度聽政有坐立之分籩豆有多寡之數其義各有在也其於酬酢之間議論之際尊者所以語其卑老者所以告其少必有以明乎敬讓之道而發其孝弟之心則亦庶乎其可矣至若以飲食相夸笑談相謔不知本乎敬讓行乎孝弟甚且沉湎無度流蕩忘返則亦世俗之所樂君子之所嘗戒者非予之所望也曹君其試以吾言抑之

石刻史料前編（十六），一一六六八頁，安徽金石略，「元建孝女二姑廟記」：「無年月，在歙縣，未見。」按：康熙歙縣志，道光緒歙縣志，民國歙縣志，均不載此文。

可補遺其作品之篇名。

四十、錢惟善「江月松風集」補遺續

石刻史料新編第三輯（七），二七二頁，海寧州志稿卷十九「元重修雙廟記」：

夫忠臣義士良相名將所以立功勳垂德澤勵節操者何代無之求之當時在公論而無愧求之後世在人心而不忘至於廟食故鄉而天下婦人女子武夫賤隸皆知其姓名者蓋千百世而一見千萬人中不一二數者也若蜀之武侯唐之張許其殆庶幾乎當武侯之終而隴蜀即立廟以祀張許之歿而睢陽之人亦立廟祀之雖其人品儗倫若不同要其奮不顧難死而後已則一耳張許守孤城以捍安史蔽遮江淮而能使唐之不亡張許之祠世謂雙廟在江之北惟睢陽有之蓋張故鄉也在江以南惟鹽官有之蓋許故鄉也初廟獨祀許後祀張宋紹興八年復增祀南雷姚三公則從無垢先生請因題其額曰雄挺盡節之殿廟始建不可考今則始於知縣陳恕而成於隱居南豐曾伋邑人祀之惟謹凡有疾疫水旱無不禱輒應我朝初下江南有故宋丞相文山先生銳志恢復師敗被獲而持節不屈過睢陽拜廟下嘗題樂府以激其平生慷慨之壯氣至今過者猶能誦之不亦悲夫至正十一年夏邑侯尹公既涖政治民以寬事神以敬伏謁廟庭顧瞻棟宇傾撓廊廡不治闔像黯昧就滅迺捐己俸爲之而好義者樂助興工於是年冬迄工十二年冬於是邦人落成求予記其事既爲記復爲詩二章俾民四時歌之以迎送神云睢之水兮其流湯湯瞻彼雙廟

兮其神孔揚孰不有死兮死人不忘困守孤城蔽遮淮江盜旌蠹天兮弗得南向伊誰之功兮中興於唐千秋萬禩兮歸來故鄉釃桂酒兮奠椒漿福我壽我兮東海之旁睢之陽兮海之陬千秋萬禩兮報神之庥牲牷肥腯兮雜肴羞風馬雲車兮藏蛟虬雨暘時若兮歲有秋神之降格兮不可久留目送神歸兮帝所遨遊焉得忠貞兮化爲九州使我心悲兮何日而瘳

四十一、戴良「九靈山房集」補遺續

嘉慶蕪湖縣志卷二十，藝文志，記下「十女墓記」：

月娥者西域人也軍職馬六丁之女蕪湖葛通用妻自幼貞懿婉
柔蒸蒸孝友長益小心敬順謹飭不怠其歸葛氏爲家之冢婦盧
方掌內政月娥事之如姑待諸姊姒從女皆有恩盧大喜一日率
諸婦諸女詣月娥請曰某承姑命主中饋佐烝嘗然懼無以爲陰
教倡敢以諸婦諸女屬之姊惟朝夕論誨必有濟於是閫以內皆
秩然由於禮純然化於正上詔下唯號爲德門已而南北兵起盧
謂郡有城郭可依兵衛可恃屬月娥攜諸婦諸女入郡郡有儒士

張綱中者與葛有連遂僦其屋以居無何沔寇奄至城失守月娥
愀然曰吾簪纓家女忍見犬豕耶即抱所生女赴水死諸婦諸女
咸駭愕相顧曰母嘗導我以禮閑我以正今臨難背去尚得在世
稱人乎自長及幼及婢媵凡九人皆爭相入水無一敢後者事稍
定家人匍匐間就綱中爲物色得其屍時大暑已七日月娥顏貌
如生而手所抱女猶凜不可奪餘亦相挽屍水中久而不泛見者
以爲異父老憐而語之曰十人死既同葬不宜異處遂擇故居之
南黃池里開大壙瘞之題爲十女墓弟鶴年樹碑墓下以告來者
其辭曰惟綱與常實天所命秉彝無類貞出乎性懿懿月娥西土
其人形德孔揚聲被江漬揆茲有初克靖於家方詡之稱而禍不
遐潛火爆妖是孽是突投軀無所卒死於溺其水洋洋潔[illegible]
白璧可碎大節不虧娥質已殂羣從亦亡黿鼉魚鼈悸不敢傷惟
時憂暑方張而毒屍不上浮猶避其辱陷賊自剌昔有張芝紿賊
自殺尹虞是爲鳳妻赴海罵賊泄憤薄姬蹈江誣賊自殞娥之至
行彼豈云及一人爲多矧益以十駘背鯢齒爰壘茲墳亦有同生
千里徵文金則可渝石則可泐惟德是馨永永無極

四十二、李祁「雲陽集」補遺續

石刻史料新編第二輯（十），七三五四頁，越中金石記卷九「會稽縣重修儒學記」：

浙以東會稽爲越望縣民士繁夥衣冠禮樂彬乎往昔
學校宜與它所而荒圮弗治廼復過之至正四年春[盧]
陵夏君日孜來爲令祗謁庭下起而愀然日學校守令
職也以余爲邑長於斯而其弊若此何得不懼廼者尚
書奉
明詔以六事黜陟守令而學校先焉視前不在五事之科

者爲益重
上之人意嚮若此何得不承遂捐奉以倡夫士之在籍與
夫民之好義者咸踴躍趨事上而郡監阿思溫沙公郡
守薛公贊其成下而僚佐胥史相其役首撤禮殿而更
之粱棟榱桷瓦甓丹黝一以□備次至從祀之廡設戟
之門會講之堂訓徒之舍庖廩器物各以序成既又徙
文會亭休來游之士闢東西衢峙崇儒之門經始六月
庚申以中秋上丁率諸生行釋奠禮蕆厥成事巍焉袞
冕穆其有容登降祼薦罍簋豐潔翼二秩二將事唯謹
四方來觀者莫不感歎欣悅以爲邑所未有君復大集
俊秀充弟子員禮士之有行義文學者爲之師豐其廩
廄其餼□底于成於是會稽之學校視它邑爲稱首矣
時余以浙省校試爰越山水爲一至焉蓋嘗見其勤若
是今年秋
命來浙提舉學事而邑人士請文以刻于石余按會稽有
學舊矣至元丁丑燬于火後廿五年爲大德□丑□營
□焉又三十年爲至順壬申嘗一脩治而獨有事于禮
殿今又十二年矣六七十年間因陋就簡宜其弊之日
甚無恠也君之來也理學官如理家纖悉事必已出日
躬造督其程役使爲守令者□□以勸其職有弗脩□
乎□□
朝廷更令之初君首盡心所事以稱
意旨亦有倡之而不和者此其人何如也君之在官訟清
而役平賦省而民裕胥卒不敢至□□□君之賢當□

□不舉未可知而在君無歉矣雖然學校非徒設也邑
之士子苟求無負於君之用心□必本之以躬行務□
□□學深求源委而無習乎淺陋力就充實而毋事乎
矜浮將見道明德立出而爲邦家建太平之□□然後
爲
朝廷慎選守令之意余亦何幸又見其教化之成也君字
仲善上世纍□儒科至君兩舉江西魁其鄉□□而爲
茲邑所至聲譽焯著其宰邑之善當有備書之者獨書
其脩學大略以勸來者云

四十三、楊翮「佩玉齋類稿」補遺續

石刻史料新編第二輯（十），七三八五頁，越中金石記卷十「嵊縣學記」：

嵊縣儒學教諭項君昱謁告來杭請于予曰嵊屬紹興
爲縣其治在四山之間廬井富盛素號樂士比歲[ ][ ]
□壞不時突來至正二十一年悉罹蕩燬學居縣西南
陬辜峰之麓亦復延燎獨存論堂自是以來釋奠無所
□□靡托昱初至官不遑寧處會浙東元帥周侯紹祖
以

江浙行省平章政事光祿李公之命來縣撫綏訓縣尹
邢君碓曰今庠序遍天下
國家以之崇聖教育人材迺茲嵊學久廢不治厚倫美化
之原殆且榛塞其曷可已也我其圖之碩惟□[ ][ ]
□足以周用則身爲之倡出俸稍以稗之於是士類翕
費翕然勸趍侯爲選於籍儒取其能者俾董其役搆堂
□□五間左右翼以兩序設主堂上以行朔望春秋之
禮左序以教諸生右序以爲學官之所寓又別□[ ][ ]
□□□㫖像而祠之始事於二十三年十二月甲子至
明年八月庚申休工縣尹實相其成侯所經畫一下[ ]

民□□□以立侯之言曰吾篤志於斯甚至殫其力而
爲之以時之不易也故其所成就儻若此後乎今茲[ ]

□□□拓而宏大之者此爲之權輿也昱以侯之作嵊
適當兵燹之餘而能作興儒學斯文賴幸請爲文以紀
其□刻之□□予惟古有學而無廟故皆祀
先聖先師于學後世先聖先師之祀爲廟而立像焉非古
也今嵊縣之學雖誠草創然深有合於祀先聖先師[ ]
[ ]之義學者尊尚聖人之道顧豈在於崇侈哉周侯之
見始可謂卓然者已嵊自周侯之至也流亡日[ ][ ][ ]
□□廬舍日完商賈日集而士君子獨以嵊之有學爲
侯治績之最原侯之得展布其材者不由於光祿公[ ]
□□□斂初侯嘗作劉寵廟於錢清在嵊未幾起廢二
斂書院新王貞婦祠其於名教蓋惓惓焉也嵊之學者
□□□□斯時不以庠序爲緩其亦思所以興起於學

乎聖人所謂造次顛沛必於是者予願爲嵊之學者[ ]
之□□□□繼先陳臺人是歲龍集甲辰九月丁卯記

四十四、顧瑛「玉山璞稿」補遺續

石刻史料新編（十三），一〇八七二頁，吳興金石記卷十三「顧阿瑛黃龍洞詩刻」：

□□□洞次坡翁韻：
□□□傾水海若驚坎蛙□□□丹壑仿像仙人家
□□□盈尺□木枯谽谺□□□□□金鍾蝕十花
□□萬丈宮□□□□虵山椒望不極咸池浮□車
□□臥□鹿碧巘飛白鴉別窺城南妙□□□□嘉
□□□□□□□□□□撾□年夏秋潦湖雨冲泥沙
□□米勝珠獨□□□猳雨暘願時若稅計語髙衕
上缺春之吉

四十五、汪克寬「環谷集」補遺續

黟縣志卷十四藝文志「送汪致道蕭縣作宰序」：

「彭城郡自古爲重鎮蕭於春秋爲附庸之國隸漢爲縣實南北要衝地也皇明奄有海內四方次第削平擇選循良之材以任守令專撫字皇上愛民之深切德至渥也宗友成德自其先世爲文學家種德弗耀成德英齡穎異篤學不[illegible]既長練達世務余固知其濟時之器矣壬辰兵作成德散家財募集驍健捍禦鄉里郡將表爲黟簿治政有能聲比年令郡內訪求賢俊將授之以官太守舉以應詔公卿器其能擢主全椒簿未踰年以稱職聞陞宰徐之蕭縣行有日矣士友賦詩旅餞請余題其首酒半余餞言曰若祖若父之積蘊而未發汪氏之門其將昌大於子乎成德受學於仲宏倪先生仲宏實首科進士定宇陳公之高弟也講劘義理學有原委今而製錦男邦敬信節用以時使民之則得之素習他日政成課最必有大異於人者績狀施敎之暇問蕭叔之遺跡或因公至郡登項籍劉寄奴戲馬臺訪王元謨吳明徹李光弼張建封戰爭之所相羊蘇長翁之黃樓而題詠以紀其勝慨異日衣錦南歸余尚拭目觀之祝輓既遂書以爲序」

休寧志卷三十四「祭學士朱先生文」：

維洪武四年歲在辛亥閏十月甲寅朔越十有八日辛未鎮國上將軍駙馬都尉王克恭謹以牲酒之奠致祭于故翰林侍講學士隆隱先生朱公之靈嗚呼先生之生也有益於斯世先生之殁也遺憾於斯文立身大節耿耿不泯居鄉行義謁謁清芬惟昔奉　詔掌誥詞垣禮樂刑政日夕討論從容諫爭辭直言諤[illegible]是稽[illegible]無不陳規矩又蹈　聖眷惟親屢稱衰病辭祿安貧　皇仁俞允俾遂歸田載尋古訓茅屋青山疾痛呻吟丹鉛弗捐旁通衆流編異纂玄章句旁羅細書大編五車萬卷巨密投閒我來新安持節守邊翦寇于東平我番源旌旗朝麾夕駐石門開軒梅西對飲月前由是寤忽託交歲寒詩書仁義爰啓其端別來六載引領山嶺嗚呼哀哉茲者聞訃五內如焚昔承公教銘刻肺肝敢忘德容瞻忽後先公之云殁宜執豆籩戎役羈縻[illegible]無緣嗚呼哀哉我知先生殁有遺憾者豈不以遺書[illegible]其人耶子孫未見其衆多耶吾聞有德者後必大道尊者名必揚先生之見猶不死將與天地並立而[illegible]詞寓誠以侑薦鶴臨風再拜涕泗其滂

休寧志卷三十四「祭萬戶任君本初文」。

維[illegible]八年二月十四日統軍總管張思聰客洪都謹
樽家相陳信致祭于顯武將軍雄峰翼管軍萬戶本初
任君之靈嗚呼初克徽城識君父子君父仙遊哀傷曷
已辛君為子能承家事君學之高君才之良休陽守禦
佐我紀綱禁軍從役視民無傷百里之間疇敢擾攘自
時厥後或攻或守甘苦同心屢年之久情誼如初期功
之就我之待君如兄愛弟君之敬我靡不同濟我執我
疑君其折之我庸我疎君其決之教以詩書輔以德為
我方進益講武崇儒去年之秋從軍西征君辭後往送
我先行那知此別竟隔幽冥嗚呼哀哉君為司屬義則
弟兄訃聞千里痛割此情念君平生輕財好義善與人
交克全終始天胡不仁無祿而死軍前得書知抱微恙
日望以來豈期長往風悲飄零雨泣惆悵嗚呼哀哉我
生不辰遂失所親中流失楫半途摧輪遠地思君英靈
不昧一奠告哀冤其如在

石刻史料新編（十六），一一六七〇頁，安徽金石略，「元雙清道院記」：「在休寧，佚。」「江克寬撰」。

此篇可補遺其作品之篇名。

四十六、趙汸「東山存稿」補遺續

弘治休寧縣志卷三十七「月潭八詠」：

百頃砑重淵幅負如滿月蒼茫千山底見此蛟龍宅雲
氣起中宵悠悠接天闕沛然三日雨一洗人間熱[illegible]
溪廻千澗合峽轉群峰集陰森雙闕峙洶湧湍流急山
根有魴鱮常恐風雷入非無江湖思轂作枯魚泣[illegible]右
高閣瞰流水微風不揚波栖遲以樂飢白[illegible]遠
岸映脩竹空庭涵綠莎千載滄浪詞懷哉聊稱歌[illegible]

積雨生溪漲洪流逝滔滔饒蛟龍水怪騁躍乘波濤結
亭臨水濱稍息待渡勞斯須良易忽無為覆輕舠（右觀瀾亭）
積雪遍山林寒光蕩溪滸虛空無塵滓毫髮皆可覩玉
生宵返棹袁子晝扃户小艇獨垂竿高情付千古（右雪夜釣舟）
種樹清溪上結户在林幽周迴十畝陰俯仰三十秋不
食非其力灌園乃良籌詩以安遺子孫長樂無憂憂[illegible]
叢林好風月勝絕傳星洲蕭條兵火後共憶禪房幽伊
誰開萬劫興滅何時休百年未可料况作千歲謀（右星洲寺）
顏公超世者遺跡在茲山物和年穀豐龍駕誰能攀扶
業有奇士短檠霜月寒高科豈不羨詎知今所難

弘治休寧縣志卷三十七「初建精舍四絕」：

依樹為屋牕户小傍岩卜居烟霧深從来散地無人占
望遠登高獨自吟
山合東西無面勢水流高下少縈紆中間着箇支離漢
月朗風清得自如
隔斷紅塵三十里日高山下鳥知雲[illegible][illegible]山水無情極
一任遊人不上来
白鶴青鸞去不還紛紛遺恨付江山予齋合在何方着
只向無人處安

休寧縣志卷二十三藝文題詠「陪元帥汪侯遊嶺南龍潭」：

將軍功成不受官雅意乃在林泉間千巖萬壑兩芒屩
手攜一劍驅黃斑扶車嶺南幽絕處山奇水異誰躋攀
飛泉百丈瀉空洞下有老龍千歲蟠誅茅結屋俟歸隱
欲與神物全高閑曉尋林僧斸靈藥莫訪野老同杯盤
乘風踏月下山去一聲長嘯驚人寰卽今豺虎尚為患
眼前咫尺勞師干請公上馬一指顧縛取賊奴歸解鞍
蒼生無危郡邑定却傍老龍來掛冠

吳興趙文敏公以書翰擅天下繪事尤精唐侯子華繼之秘閣所藏第為上品自是苕霅之間家荊關而人本郭矣比歲唐侯來宰休寧有門生邵思善日侍燕閒得潛意於名家吮墨間取法一圖出輒纔奪攫之好事者弗能辨凡有求於侯而不獲者皆歸青門氏矣侯亦識焉其歎亟稱道之及返吳興載之與俱時出所作諸老於丹青者皆已動目語默然心服退乃相歎異以為善用唐法未見其比吳興雖在室之敵得心應手役筆縈唯恐後也邑主簿上元楊侯文舉善以文章品藻士思善得之尤多去年秋皇相遇於洪都留三月寓公洛陽揚公友直以隸書為進士所歸嘗為吳主一後出交友特盛青江練伯上江寧周伯寧新有詩名皆號鑒賞家見思善圖寫清麗咸奇賞不置而思善畫品籍甚江湖間

矣辛卯四月始得諸公贈言觀之因歎曰吳興畫苑法都士林而思善一至輒以所業發名可謂能不負二縣大夫之期許者雖然余聞工於音者能使師曠改容工於棊者忘為之欲乎思善有意古人則洗鍊開廓之工必有得於解衣盤礴之前者乃為叙其淵源涉歷以系詩行卷之終邑人趙汸子常書

休寧志卷三十二上「贈金彥質授官序」：

事有勢屈於前而志伸於後功沒於昔而名顯於今者是殆有天意焉非人力之可為也至正十二年江浙行省平章榮祿[illegible]兵勦群盜於[illegible]役廣德轉定徽州而吾邑人[illegible]鎮守平江路萬戶[illegible]漁金侯賓暘之子中[illegible]以[illegible]得渠帥功授[illegible]國[illegible]處榷茶副提舉人皆曰彥質[illegible]年不出鄉里[illegible]七品官一特異及可謂榮矣而不知感於天者有[illegible]夫本末惡可一言蔽哉國家[illegible]平吏民[illegible]治萬山間一闢

盜至長幼相視不知死所[illegible]從[illegible]令守亭障又寡[illegible]行見賊[illegible]志矣不可為也乃遣[illegible]託余遠山[illegible]子申微服懷入官符諜與[illegible]宵近[illegible]父子弟善亡匿無為盜所汙而已[illegible]盜[illegible]之變不可勝言獨不得[illegible]過不掠民財[illegible]丁壯為軍[illegible]明威[illegible]自言名又退[illegible]三四十餘所者也奴兒至休[illegible]甚急侯不為動潛以告余曰吾[illegible]不可[illegible]當以計[illegible]之禍福非所慮余時亦信其[illegible]見知侯終不為屈且懼動衆心乃舍之而侯之慮愈深矣從奴兒來有孫哲者收兵邑南里中為里人吳[illegible]家

實殘於盡所以不死者欲得其當為父兄報仇亦相入其言以告所善同邑諸故名家子弟及歙邑大姓得壯者[illegible]二千人期以從捕盜不備獲賊奴兒以迎官軍既而[illegible]不[illegible]諸子[illegible]遂為[illegible]相哲[illegible]始相[illegible]有謀告人曰[illegible]鎮[illegible]謀我千夫矣[illegible]之者[illegible]時事[illegible]初不知也於是賊奴兒者遂以其衆長驅犯[illegible]廣德掠常湖而東俄為官軍所敗棄其衆逃來彥直方以義士領丁壯從軍因率其鄉人起而執之夫以彥直奉親避寇間關萬狀忠義之訓又著于心其乘時一奮以德[illegible]處[illegible]慎固宜而余適以為有天意者誠念此職

承授背符[illegible]濟不亡難於廣德而率隕命於吾休寧小邑及盜[illegible]發於彥直之手豈非天欲以此昭金侯父子始終忠[illegible]國而謝邑人死義者[illegible]於九原乎盜始盡起[illegible]不稽服屬惟奴兒稍[illegible]為烏合所[illegible]使不見獲於斯則[illegible]諸郡之害未有已也既送官大吏[illegible]其功以聞於[illegible]不旬日盜復攻陷郡邑遂即侯鄉里而[illegible]馬侯挈家避難建德城中[illegible]平章公之兵亦至矣平章公按臨功失策之由盡得軍[illegible]信[illegible]以功歸金氏而彥直始有榷茶之命蓋首尾一歲而事始白夫[illegible]書務[illegible]交[illegible]此後世用武通患也苟非平章公明斷不惑[illegible]時彥直之事將闇抑不著而並時宣力者寧不觖心於動命之日乎然果非人力之所能為矣惡可謂非天也哉夫方彥直隱約憂畏時豈知終能執賊以自奮其任建德也以克全父母妻子為天幸又安知平章公之

至終能曰其功而[illegible]以[illegible]不[illegible]而天爲可望特此為然哉彥直之高祖新安主簿公宋寶祐間以武科進士卒全仕止大節而用不究大父武畧公輕財好學氣蓋全吳當事急時人曰使金武畧在庶幾能者官府卻賊既鎮撫皦然不汙而彥直以執訊聞視賈勇一朝者異矣余嘗患夫俗士以成敗論人而懷忠蓄義之家與避追微名者不可同日道也乃畧敘其終始大[illegible]著天人應符以附春秋微顯闡幽之義而並及其世[illegible]成吾彥直思其先所積甚遠不以一時功多驕於人人曰足當益樹勳猷以報國家而繼親志異時名與上述對揚愈崇則清朝賚功之典大著於天下而世之忠義者將不惑於天人之際有所觀而勸矣是則彥直所當勉者余宗世與金氏有連余先人與武畧公為布衣交患難之來鎮撫不余棄也故書其說以贈彥直[illegible]尚勿忘余言也哉

四十七、楊維禎「東維子集」補遺續

休寧志卷三十二上「送萬戶吳克敏統兵復徽城序」：

唐張巡傳未嘗不許巡之才勇忠義得於天性非詩流輩所能及也當安史之亂夫下承平日久士之習文墨議論者不知有名節風尚哥舒翰以潼關降房琯以陳濤敗巡以一書生不勝其憤率羸散之卒保丈尺之城屹然砥柱中流以截滔天之勢非其才勇忠義得於天性者能爾乎至今英風盛烈萬古猶一日也方今紅巾起淮泗蔓延江浙不啻安史之亂也所過郡縣無不彼靡任閫外之寄者往往佃撓顛頓如翰如琯者不少也忠義勇烈如巡者果獨無其人哉新安吳克敏氏去年冬謁予七者察出其所為書詩凡若干首知其有志當世者予奇其人猶未識其善武事也亦相臣招致名士講及三關之事者聞之慨然有擊楫中流之志無幾當路者以名薦相臣素聞其名遂命統士若干會諸軍於昱關予聞而益奇之其才勇忠義實有得於天性如巡者則知向所為詩皆筆墨之餘耳以克敏之文武才勇而又遇知已如相臣者克敏當以古人自期以古人自期會巡奚屬哉於其別予而去也以巡事告之至正十四年三月十有一日李黼榜老進士會稽楊維楨在錢唐之抱遺閣寫

江蘇通志稿金石二十四「嘉定州重建儒學記」。

嘉定古婁縣之析也
國朝陞州孔子宮亦從而大之在州南一百九十五步基于
宋縣令高衍孫至大庚戌州守王鐸改搆明倫堂天曆己巳
守趙道泰重建大成殿移堂殿之南士論病之擬還廟東曆
守數十而弗能變閱三十餘年天將興之固先廢之至正丙
申堂燬明年兼攝州事者太尉府分帥張元良以教授陳公
禮之請謂時論雖急兵而吾庠序之教綱常所係不可以一
曰廢也於是撙節浮費及勸率力義之家募貧丁相什伍填

江蘇通志稿　金石二十四　十

淤地成址若干畝費石隄捍水若干丈搆新堂其上前接軒
榮旁翼齋舍立教官廳於西舊西齋地也遷學廩於東舊東
齋地也與夫直廬庖湢之所靡不新爲惟先聖龕帳與大成
樂器類洛儀門未具教授陳公禮復請於貳守鎮侯張侯州
倅賀侯遂相與完而成之迺理學租以廩生徒廣購書籍以
貺經訓禮致五經師使日與弟子員討辯道義磨勵忠孝益
賓不鄙專其民將責成於作養之餘以應賓賢者之所需也
豈徒輪奐其宮以務觀美哉張侯於政尤明治要與予有疇

昔好使典書者王友諒走書幣請記且曰先生老文學幸有
一言以諗諸學者余辭弗獲則告之曰三代之學之教心而
已人心正天下無不治未有不正人心而能治天下者也堯
之授舜之授禹成湯武王之建中建極同此心也當是　比
屋有可對之俗今有士君子之行人同此心同此理也上之
入作之下之人則之以心感心以理應理固不俟夫威驅勢
迫也世教衰人失其本心至或淪於大難君子救之亦曰治
亂不一而心無不一尊君親上之出於天者未嘗滅沒也言
教者教以聖賢之心身教者教己聖賢之行況吳為州來子
故壤禮義遺風猶有漸漬之地乎民不從治吾不信已請以
是復司教者司教以復三侯時助學田者楊谿揚仁增益其
所未備者三山林震林復也鎮侯名鎮穆爾普藝字德剛國
族也張侯名經字德常世家食壇宋中書舍人忞之後賀侯
名搗字守謙函山居杰仲之子也張師字子讓州人教授字

江蘇通志稿　金石二十四　十

子約河南人兄祖仁壬午科狀元提控案牘盧以仁都目宋
思謙陸元佑皆有力於文教之事云

至正二年四月一日杭城大菑燬民廬舍四萬有畸明
年五月四日又菑作於車橋火流如鳥孛如梧衝所指
即灰𤎅且偪西湖書院在官正徒奔走莫遑救武守府
守雖亢而無所於用肅政司在院東於時憲副高昌幹
欒公重懷李公憲僉大名韓公知事廣平張公照磨睢
陽張公齊一面火扣首曰火寧焚予躬勿民灾也言一脫
口風從西北轉東南若有神憾焆而返者鬱攸熖及院
北垣即銷滅沉去又若金支赤蓋度河而溺也錄是院

與司皆按堵如故而城郭郊保賴以安全院之山長畊
陵錢璦偕城中高年尋余西湖之陰請紀其事辭弗穫
則為之言曰迅矣哉天之以火警人也敏矣哉人之以
心迴天也當鬱攸之勢卷土而至雖水犀百萬之兵莫
能敵也而憲府官併心一念卑及于躬憂及乎民而反
風息火之應捷於景響子産曰天道遠人道近人遂以
天為虛無曠邈不與人接不知其遠者在其道之近者
耳故閱槩于菑而知有天道者以此於乎吾觀劉昆事
而微於今仁人一念之利索於無為者固優於丈城表
道之力夫火者哉宋璟都督廣州民居無延燬且為立
紀頌今風紀者之德為出政之本足以迴天俾變於是
乎知有天道固宜詳錄其官氏登諸貞石以風勵有民
社者使知人之感天者至敏而天之應人者至近不遠
也於是乎書賜進士出身承事郎前台州路天台縣尹
兼勸農事楊維楨撰文

石刻史料新編第三輯（八），一二〇頁，湖州府志卷五十一，金石略六「元（按：玄）妙觀重建玉皇殿記」：

吳興[元]妙觀在子城西北一百五十步為郡官寮祝釐禱雨暘之所
本梁大同二年所建元風觀也唐神龍改龍興天寶改開元宋初改
元通大中祥符改天慶我朝改今名崇建聖殿以居　昊天玉皇之
帝至正六年殿災主觀師聞人得人攬其敗瓴斷礎不無愴然者迺
與其徒施道淸壹迺心力勇發宏願既各竭己資且募檀施得里之
大家葉德榮劉道坦等又各捐若干緡錢於是首建聖殿經始於七
年秋越明年夏六月告成肥櫨傑棟翬飛岳峙綴以朱闌覆以重櫩
規制雄大氣象森寒凡幕帟供帳之具黃金丹砂璀璨芬郁之飾視
昔有加若天上㞐常化出人世天祇地媼咸大歡喜奴隸婦女瞻仰
贊歎誠足以侈廟貌昭神休矣工徒竣事士民相與共落之穊秷在
野歌舞在塗休氣布濩無有災害人康物阜薰為太和則又相與伐
石以紀其成知觀事者錢道元介萬戶敎化公來謁記予悼吾儒之
敎政而為老釋釋氏以滅絕倫理示人以險絕之機而生生之造幾
熄惟老氏之道原乎大易大易吾聖人憂患之作也老氏者其無憂
患乎閔文法之煩稱也機譎之互角也百疾俱作萬怪橫生甚冥脊
光夏霜冬雷罔不繆盭故其立教以自然為宗以無為為有本返治
古於容城氏時田不侵畔漁不爭隈託嬰兒於巢上棲餘糧於畮首
虎豹可尾蛇虺可踐而不知為之者此老氏旨也宗其教者又隆以

昊天上帝之居巍巍觀闕與時王等而王法無所於禁亦以廣好生
之仁充元默之化也得為其徒者將推其教以拯衰世之苦則祖師
之望又豈直視黌以壽皇圖宮闕壇墠之崇又豈徒靡吾民力以侈
外觀而已哉方今聖天子追治道於黃唐之上好生之德與天同流
瘳瘵煦嫗以恬以熙民有含哺而嬉鼓腹而游老死而不知帝力之
加於我者老氏之教可以因之而廣矣既敘其事復為銘詩曰
神鼇載弁浮青紅水晶宮闕神人宮金鋪雕礎固且崇參差珠閣當
天中仰瞻倍展天人容天威咫尺下地通白雲之鄉帝乘龍翩然大
荒靈下降彩雲絪霧陛九重靈鶴萬舞來從東五方之人叩吉凶帝
怒下土叩輒從物不疵癘歲屢豐十日一雨五日風聖人體天上帝
同好生之德天同功祝聖人壽生聰聰倥侗至德還古蒙彌千萬年
天無終

四十八、劉敏中「中庵集」補遺

石刻史料新編（十九），山左金石志卷二十二「進義張公神道碑」，「賈氏墓碑」，「濟南府學加封孔子制詔碑」，卷二十三「緇川縣學加封聖號碑」，均劉氏所撰，然無碑文，四碑可補遺其作品之篇名。

四十九、張養浩「歸田類稿」補遺

石刻史料新編（十九），山左金石志卷二十四「聖惠泉記，張氏所撰，然無碑文，可補遺其作之篇名。

五十、宋濂「文獻集」補遺

歙縣金石志卷四「重修學宮碑記」：

歙地多佳山水土之生其間者或以氣節著或以道義名時有其人近代稱多士立言著書動足名家是固因山川之靈攸鍾其沉涵陶育之者非立學之所致與初學在縣署之東淳祐庚戌郡守謝堂始建至大庚戌縣尹宋節至正甲申縣丞葉琛皆葺而新之壬辰兵起歙之官廬民舍焚爇無遺而學亦廢如是

歙縣金石志　卷四　石文　五十

者十年辛丑張侯齊來爲縣慨然嘆曰歙爲文公父母之邦道德之化衣被天下雖時逢尚武而其鄉學可久廢乎遂請於指揮使王公而經營之考成於明年壬寅侯帥師儒行釋奠禮左右觀者嘆慕至於舞蹈僉謂侯之加惠吾民者深不可無紀以貽永久於是教諭江村奉幣請文惟先王之制由諸侯元子以至公卿大夫士之子使之修德學道春合諸學秋合諸射以考其藝而進退之是文事武備均出於學也所以興師必受成而行及其還也則釋奠於學而以訊馘告焉嘗岐爲二哉自先教湮微不復獲沾先王之澤之盛人徒見提鞞鼓而簡車徒者乃指爲武殊不知制勝兩楹折衝千里而有所謂詩書之帥也侯於下車之初能汲汲建學於用武之日可謂知斯道矣歙之人士尚當竭力一心惇於明體適用之學平居之時則譚俎豆而攻詩書一遇四郊有警則操戈上馬以收獻馘之功使議者咸曰是生文公之邦而無忝山川之靈者庶幾不負建學之意不然豈予之所敢知哉侯字仲賢名齊金華宋濂記

古之人臣委質事君或臨患難知有國不知有身雖之
死而弗悔英魂毅氣凛然如生□不隨亡而隕滅者其
建祠而尸祀之宜也非過也嗚嘑古之人予不得而見
矣有若濠梁耿侯其殆近是者乎侯諱再成字德甫從
吳王下江東多著勞烈自偏裨擢居帥職出鎭南徐維
續括蒼金石志卷四　十九
揚未幾遷長興以功陞江南行樞□判官階鎭國上將
軍龍鳳四年冬王躬擐甲胄帥師取金華侯掾戈爲前
鋒暨金華平栝蒼猶未入版圖地有黃龍山四周□絶
其險可恃王命侯樹栅其上以遏其衝敵屢驅兵來鬭
侯咸擣退之五年冬十一月王命胡參政大海及侯分
道攻栝蒼已而又平王遂命侯統勁卒以鎭其土當是
時民罹戰戍之久生□寢耗或竄伏於林藪間勞來安
輯至者如歸遂昌之氓屯聚山堡久不來附侯剪其渠
魁而釋其餘侯馭下以嚴軍校或斬人邱木侯逐捕而
誅之自是皆畏威出入之間雖畦蔬不敢采先是士卒
所至無論大小必徵私粟于民號曰砦粮民甚猒苦之
莫敢何問侯怒曰吾民凋瘵極矣爾曹仰食於官復剝
其膏脂邪卽往白胡參政罷之民欣欣然依不翅其親
八年春二月軍中有舊降帥本莫徭蠻部衆至數千一
旦相挻爲亂侯方與客飲聞變卽上馬收戰卒不滿二
十人迎賊罵曰俘虜奴國何負於汝汝乃反耶俘虜奴
汝急解甲降不降吾斫汝萬段以報國汝謂吾劍不利
耶賊怒欲刺侯侯運劔連斷數槊賊將躍而前正中侯

頸侯遂墮馬猶大罵不絶口而死夏四月王師四集盡
殲厥醜類以衣冠改塟侯於金陵之聚寶山事□王命
續括蒼金石志卷四　廿
侯之子天璧嗣其職仍鎭其土居無何龍□胡公深以
左右□郎中摠制是邦七邑之民咸列于庭下跽而請
曰吾儕小人微耿侯不能至于今日中心曷敢忘耿侯
今死於王事意其精忠耿耿尙挺然于天地間將立祠
以妥其靈歲時致享必御風雲而一下之庶幾有以慰
吾民之思焉胡公曰此吾志也盍成之於是命知府事
程君孔昭視其役而於侯所居之左搆堂五楹間搏土
肖侯像其中威稜言二如欲生動敞以外扇繚以周垣
丹青黝□舉中以瀗經始于九年春二月落成于夏五
月程君復奉書幣致其邑民之辭來請予文予按祭法
有曰以死勤事則祀之說者謂非特勤衆事而已也凡
以身殉國者皆得祀焉有如侯之爲人竭忠執節至死
不貳非所謂以身殉國者歟祠而奉之非惟勸忠揆之
於禮無不合者況其功德著在人心永亡而不泯哉是
皆可□而無媿者因爲作迎享送神詩三章使邦人歌
以祀焉其辭曰　侯之徠靈風思二白蜺兮黃能雙旌
曳兮六轡迴爽氣中人賁若石侯之止既燕且喜牲腯
兮醪旨瑤觥咊兮朱瑟語僊蹁二兮樂弭二侯之升無
滯窮寘無絶我衆萌□劒懲兮厲不形泰熙順則兮允
樂其生

石刻史料新編第三輯（九），四五九頁，光緒仙居集卷之四，文外篇，碑誌「故仙居陳府君墓誌銘」：

古者鼎有銘銘者自名也自名以稱揚其先祖之美而明著之於後世也嗚呼孝子慈孫欲顯其親也尙矣後世不銘之於鼎而以懸棺之石代之不自著名而假諸能言者述之其事雖殊而其心一也合之仙居有陳瑜者自縣諸生選入太學與予兒中書舍人璲交甚洽瑜方被旨覈實征稅於吉安而以父憂還瑜思有以顯其親走湖州謁教授童君冀摭其孝行成狀復持璲書走青蘿山中請予製銘樹之於墓道蓋瑜之先本金華人六世祖始遷而予與童君皆世占金華之籍鄉人之言當取信

於世此瑜之意尤加勤者也予何敢辭瑜之父諱嗣字自得母夫人青年喪夫以貞節自持自得養之無不竭其衷夫人春秋高沉痾荏苒陰虧不足以制陽痰液膠澀口鼻間氣弱不可出鬱塞無以自暢自得跪牀下噏而吐之日以爲常嗚呼汚惡人之所難近自得爲之若易易然非其心誠愛親者不能也斯事且爾則凡謹衣之煥寒藥之升降食之蚤莫宜不言而可諭矣嗚呼人子之身親體所分也何敢有焉身且不敢有則凡痒痾

疾痛舉切於心生養死藏必誠必信而無錙銖之不盡焉如自得者殆將無慊於茲也使自得享有爵位則移而達之事君也必忠惠民也必仁臨下也必寬惜爲時命所拘而所及者不過振其宗婣鄉其比鄰而已可勝嘆哉孔子之教以孝爲天經地義諄諄然著之於經予學孔子者也自得孝行有如是者烏得不揚之章之以爲世勸乎自得性嗜學幼時厄於單窶晝則注意米鹽細務夜則爇薪誦書逮長家寖饒遇有可矜輒施與不靳鄉黨稱爲善士生於元延祐乙卯正月十四日歿於國朝洪武戊午三月二十三日壽六十四卜以明年己未某月日葬於某山之原曾祖儼祖湆父宏義母陸氏元配王氏先卒繼室董氏子男子三人長瑜有文學溫溫然如玉即來徵銘者次璞次琳皆業儒子女子二適某某云銘曰家產千金浮於封君苟子道無聞愧於七尺之身三組銀黃爲卿爲郎儻昧其天常筋骸

雖彊而人心已亡君子哉若人篤孝於親瑞世之珍鳳凰麒麟惇史造文勒石墓門以揚清芬以勖其後昆

石刻史料新編第三輯（九），四五九頁，光緒仙居集卷之四，文外篇，碑誌「礲硿子碣」：

礲硿子鄭氏諱斗字德方台仙居人仙居有山高峙者曰石礲硿而礲硿子適家其下人以其德峻拔與山類因號之曰礲硿子云礲硿子少有偉氣學書未成舍去攻醫以藥人病者至視其貧即畀以藥不問直有無大疫起比舍駢首臥姻戚畏懦莫敢顧礲硿子袖藥出入疫家躬和煮治療不少有倦色人德之既而礲硿子益壯乃更悔悟謂吾先人本以儒顯聞吾可易他術襲先人名即以藥肆授族人之貧者而刻志於學凡聖賢經訓及古今成敗之籍皆探究奥密抉摘端緒身由而志存之形諸言動文辭蔚然有古風正家睦族具有典法推其餘以周卹人汲汲不厭元至正癸巳大旱民或鬻子以食礲硿子戚之擇腴田易粟富人以賑饑者數百家賴不莩死後二年海氓作亂礲硿子率鄉人避之難偕行者或攘人雞礲硿子不忍責私以貲償之後咸悔戢不敢肆盜發括蓄將犯礲硿子鄉邑礲硿子戴鐵帽杖鐵杖練習里中子弟爲隊伍以備之盜聞解去守將知礲硿子才可用遣使者持幣踣廬起礲硿子謀其軍事礲硿子知亂不可救拒弗納已而元亡礲硿子亦且老矣遂隱不復仕惟日推所聞知授其徒同姓來學者飲食之礲硿子方嚴好

有義非義者以禮開說使入於善故存而鄉人以爲師既卒咸悼惜以爲失所依礲硿年六十國朝洪武十一年二月廿有七日卒於家明年正月四日葬於七里之原礲硿子裔出漢安遠侯吉宋建隆初有名修者自永嘉徙仙居歷十一世至戶部侍郎雄飛以文學發聞於時台學祠六君子戶部其一也從子憲爲國子博士遭亂死於孝博士之兄慰實爲礲硿子之曾祖大父合父樞妣張氏宋司諫次賢之孫元慶元路教授國真之女夫蚤死以貞節稱礲硿子娶妣兄之女先八年卒三男子曰光明曰顯則曰光韜顯則黃氏出推擇爲縣弟子員貢太學選高等以鄉先生張君熙狀請銘余與台士游固知其多奇才晚乃得礲硿子焉於是知余於台士未足以盡交之也銘曰少而奇壯勇於爲愈老不衰誰執其機弗大其施有積無斲惟後之垂

廬州府志卷五十一雜文志上「禮部議功臣謚號疏」：

有元失馭四海糜沸英傑之士或率義旅或障一方泯泯紛紛莫知所屬真主奮興不期自至龍行而雲虎嘯而風若楚國廖永安等七人者皆熊羆之士膂力之臣或陷敵歿陣或遺變捐軀義與忠俱身先業隕陛下混一天下追功隆封爵祿及子孫享祀配廟庭秩報已崇易名非誇臣謹以赴敵逢難謚永安曰武閔殺身克戎謚通海曰忠烈奉上致果謚德勝曰忠毅秉世傑業封永義侯與漢光武封寇恂景丹同即用爲謚洪武六年議上八年皆加贈開國輔運推誠宣力武臣光祿大夫柱國同知大都督府事　共謚七人今

卷五十一雜文上　二三

石刻史料新編（十六），一一七一九頁，安徽金石志，「元姚和中墓誌銘」：

「無年月，在當塗，佚。」

此碑宋濂撰，可補遺其作品之篇名。

五十一、劉基「誠意伯文集」補遺

池州府志卷十藝文「送姚伯淵之清溪河泊」：

清溪之水通秋浦石白水清魚可數鯈鱨鯿鰱
魴與鱮小魚如鍼大如杵侵晨漁艇浮空來千
夫撒網雲烟回鳴榔擊楫聲如雷水怪駭喙珠
宮開課魚使者矢魚怱馮夷噓唏龍女泣琴高
赤鯉縱有神何暇超騰作人立吾觀大江之中
有壯魚名曰海豨頭如猪群行九十其朋徒歆
沫風雨候歘育風俱涖陽仙人上天去已久巫
地波濤隨處有春淵潛鱗陟頁冰時哉罔伊虐
人後小魚瑣碎懶所指大魚多膏祇自煎君不
見振振鷺白如玉沙頭見魚饑不喙一朝飛上
瑤華池紫鷰黃鵠相追隨俯視禿鶴垂六羽還
共野鳥爭腐鼠

石刻史料新編備二輯（十），七三七四頁，越中金石卷十「蕭山縣重建武佑廟記」：

餘暨東北百里爲蕭山縣其山曰北幹之山浙水帶其陰湘湖匯其陽東望會稽至于大海日之所出其上爲星紀婺女之辰故其神甚靈能袪疫癘作雲雨人有祈必應故立廟于其山尊其神曰北嶺將軍歲時祀焉宋徽宗時方臘反睦州自睦入杭具舟將度江吏民大恐怖相率禱于神比寇至卽有風逆其舟且見甲士列岸上甚衆乃止不敢渡寇平郡越州劉韐上其績于朝賜廟額曰武佑廟後

越中金石記　卷十　武佑廟記　一　蕭山

封顯應侯再封靈助顯應侯

有元至正十二年□□□□□江浙行省烽火迺于蕭山百姓驚駭奔竄市井皆空主簿趙君誠至縣甫八日仰自往西興募民禦寇而江上守兵甚寡弱無賴子皆競起爲剽刦且應賊衆洶懼君詣廟卜于神神許之吉衆心稍安君迺分遣人捕無賴子爲剽刦者悉誅之有自賊中來言賊欲遣兵攻瀏東見江岸列甲卒旗幟如睦寇欲渡時乃故畏憚無東心及賊退邑人皆德趙君曰吁茲維神之功予何庸焉明年夏大旱君往禱輒得雨衆益信神之靈而大敬趙君之能以誠感神也元統甲戌之春天大雨雹廟毀惟神所居室獨存君每至廟謂念無以報神貺迺以其俸錢作新廟邑人亦大喜爭致助十有五年春廟成爲堂三間三門兩廊像設器用備所獨存室仍其舊繚以周墉甃以瓦石植以嘉木丹堊煇暎於是吏民趨走承祀益肅以虔時三月壬寅予自杭還越過蕭山而廟適以其日成故趙君請予記按祭法有能禦大災捍大患則祀之今神能降雨澤蘇枯槁又能以陰力却賊以保全其民物所謂禦災捍患孰有大於此哉廟而祀之誰曰不宜趙君能愛其民故能以敬事神而獲其佑可尚也已予故喜而爲之記而復爲之詞俾歌以迎享送神其詞曰

青山兮幽幽綠蘿含烟兮樹木稠望夫君兮悵悠悠巖阿寂寥兮使我心愁雷爲車兮雲爲馬輕霞動兮江色赭神之來兮風振野吹竹兮彈絲女巫舞兮紛陸離奠芳體兮薦潔粢留靈脩兮畀純禧驅魃蜮兮逐狠虎弭毒癘兮時

越中金石記　卷十　武佑廟記　十

暘雨不厤成兮息桴鼓物既備兮禮無愆和熙洽兮洞淵玄爲城爲社兮式恒且堅保佑我民兮樂以永年

五十二、王褘「王忠文集」補遺

石刻史料新編（二十一），一五六九一頁，山右石刻叢編，「池神廟碑」—□□□□□□□□□神廟碑」：

延祐改元春三月癸亥
皇帝御嘉禧殿中書省臣言陜西都轉運鹽使司重修鹽廟
成當書其事于石
制曰可以　命翰林臣緯恭承
明詔竊惟　國家生財有道裕民有制其於天地山澤
之利皆所以佐　國用厚民生實經世之遠圖也故禹
貢之海濱廣斥厥貢鹽絺洪範之八政必先食貨周制太宰
以九賦斂財賄九貢致邦國之用其本蓋有所自矣謹按鹽
池在晉之河東春秋時為郇瑕氏之地以其沃饒近鹽晉人
寶之史記猗頓以鹽盬起即其處也自秦漢魏晉以降法之
禁弛鹽之盈縮因革不同唐大曆十二年韓滉判度支奏産
瑞鹽請置神祠始賜號曰寶應靈慶池其神曰靈慶公宋崇
寧四年封池之神東曰資寶公西曰惠康公封澮泉之神曰
普濟公鹽風之神曰蕩寶侯大觀二年進池神為王爵資寶
為成寶公我　聖朝之開創也
太宗英文皇帝百度肇新丞相臣耶律楚材以經費為務荐
姚行簡為解鹽使置司于路村募亭户千為之商度區畫自
是保聚益繁商賈益阜鹺課日益以增公私以為便歲癸丑
憲宗桓肅皇帝以
世祖聖德神功文武皇帝介弟之重西征大理盡畀鹽池之
利以餉軍　立從宜府於京兆俾右丞臣李德輝領其事先是
山右石刻叢編卷三十二　九
霖潦敗鹽　遣使致禱併五年之獲廼建廟于池之北阜
賜額曰弘濟後罷從宜府為陜西都轉運使司至元廿九
年改為都轉運鹽使司徙置路村罷解鹽使司大德三年秋
七月以課美　制詔加封資寶王為永澤資寶王惠康
王為廣濟惠康王普濟公曰福源靈慶公仍賜楮幣百五十
緡命行中書省歲五月朔遣官致祭夫鹽在五行為水水曰
潤下潤下作鹹所以供祭祀備膳羞資生民之用蓋不可一
日闕也昔周使周公閱聘魯設白黑形鹽辭不敢饗此禮之
重者前代解鹽墾畦沃水種之今則不煩人力而自成非若
青齊滄瀛淮浙瀕海牢盆煎煮之勞及蜀井穿鑿之艱也蓋
得天地之精英河山之靈秀瀦而為池廣袤百里停蓄凝為
大鹺皚皚漫漫浩無津涯璀璨晶明莫可名狀役夫萬餘畚

鎬雲集曾不踰旬裒如山積其利甚博終古不竭方鹺之凝
也條山之下有風谷焉每夏仲月應候而至至則吹沙石摧
林木隆隆俗謂之鹽南風又所謂濬泉者旁皆斥鹵惟此甘
洌取鹽之際炎暑蒸鬱歊渴救暍濯煩滌汙惟泉是賴人不
告病噫神矣哉傳曰今夫山一卷石之多及其廣大寶藏興
焉勺水之多及其不測貨財殖焉其以此歟凡舟車之運徧
梁雍陝洛河東河內之境數千里皆食其利會其歲之入以
緡計者二千萬至大三年同知陝西都轉運鹽使司事臣焦
榮都轉運使司副使臣喬宗亮以神祠歲久棟宇傾圮乃與
民商謀欲一新之衆翕然樂為資助終更弗果皇慶二年前
陝西都轉運鹽使臣阿失鐵木兒同知都轉運鹽使司事臣
宋天瑞相故廟西偏卜地爽塏中締正殿周阿重簷翼東西

廡前敞其閎後營寢室翬飛矢棘階阯峻整宏達靖深事將
訖工今陝西都轉運鹽使臣完顏德輝都轉運鹽司副使臣
張忽都荅兒繼至蒞職迺冠大門為樓扁曰寶慶下瞰鹵澤
回對中條東瞭大行西峙雷首陰霽朝暮翕忽變化千態萬
狀信一方之奇觀也落成之日遷永澤資寶王廣濟惠康王
于新廟葺舊廟以祀成寶公率僚屬士庶商賈咸會祠下皷
舞懌悅神人於是乎大洽矣仍以廟碑請於朝故有
是命洪惟聖朝冨有天下際天所覆亘地所載日月
之所照臨雨露之所霑濡休養生息自租賦外雖以鹽課佐

經費然斂不及民而民自足所謂國不以利為利而以義為
利也是以天下之民安其俗樂其業漸仁摩義熙熙皞皞比
隆三代其視齊管子正鹽筴以興展渠之利漢東郭咸陽孔
僅斡鹽鐵以歸大農唐之宰相領鹽鐵以判度支萬萬不侔
矣方今
聖人在上參天地之化育裁成輔相宜乎地不愛寶神相福
國以饒衍是用昭崇祀事加錫封號作新廟貌勒之金石祐
我
皇元億萬年無窮之祚神亦與享無窮之祀猗歟盛哉臣拜
手稽首而系之詩曰
乾坤亭毒　孰為綱維　萬物並育　孰窺端倪　五行
為用　水德稱首　作鹹之利　以資富有　惟古郇瑕
地貨沃饒　右限大河　南峙中條　貫沆之次　晝
野定標　匯而為池　雲蒸霧歊　結而為鹹　雪積嶕
嶢　殆出神力　民不告勞　自唐歷宋　祀事孔昭

於皇聖元　奄有萬國　山川貢珍　百神效職　靈
池之産　歲增萬億　大德三禩　封號加錫　皇慶
御極　嘉神之德　迺作新廟　新廟奕奕　于以揭虔
有嚴禮秩　神人浹和　用紀成績　繫神之休
國用皇康　既富而教　頌聲洋洋　比屋可封　遺風
陶唐　於萬斯年　寶曆無疆

五十三、危素「說學齋稿」補遺

石刻史料新編第二輯，七三四二頁，越中金石志卷九「餘姚州經界圖記」：

周官司徒之職設載師掌任土之灋縣師掌邦國都鄙
稍甸郊里之地域均人掌力政至於遂人則以土地之
圖經田野所以為其民計者至深且遠自秦壞先王之
灋阡陌既開而天下不可得而治矣故孟子之論仁政
必自經界始蓋謂是矣
國朝之有天下四方之賦各因其舊至於治野之說有
不暇詳延祐初下經理之令而郡縣並緣以厲民至有
竊弄兵戈於草閒者上下憂之遂不克竟豈非惜哉至

正二年禮部侍郎泰不華公出守紹興思有以均其賦
役謀於同僚亦皆曰然廼以餘姚州田賦未均屬同知
州事劉侯顯治其事初大德四年是州嘗覈實田稅經
而籍燬于火執事於鄉里者往往增損田畝之數變亂
賦稅之實於是富而強者享其利而安處貧且弱者罄
其家而無告積弊蝟興莫此為甚侯受檄以來出宿公
宇日一還問太夫人起居而已晝夜悉心須鬢為白田
一區印署盈尺之紙以與田主謂之烏由凡四十六萬
餘枚田後易主有質劑無烏由不信也州民嘗以其所
有田詭戶名至是懼有奪之者廼自陳經是自陳者萬
人或鬻無粮今自實多至伍佰畝者至於消積久之爭
者七千餘事侯開諭之無不感悟父子兄弟復還其天
者蓋多有焉其站戶田迷而復歸者一萬七千二百二
十餘畝俾得田之家助其役其畫田之形計其多寡以
定其賦謂之流水不越之簿其所畫圖謂之魚鱗換次
之圖其各都田畝則又所謂兜簿者焉至於列其等第
以備差徭則又所謂鼠尾冊者焉計其凡六千二百五
十餘帙綱目畢張如指諸掌侯既受代而上官挽留使
竟其事然後去然其號令之行於下如始至官非有以
服其心孰能臻此嗚呼侯之於其民可謂能為之長慮
却顧者矣侯名輝字文大汴人嘗任風紀沈厚而精練
蓋其少孤勇於植立故能堅善刻勵以成事功去是州
而羽儀於
天朝不遠矣屬余以使事至耆宿楊仲等請為文刻之

石使來者考諸至正四年六月既望　經筵檢討危素
記幷書　翰林待　制奉議大夫兼　國史院編脩官
杜本篆蓋

新安朱文公爲浙東常平使者台之士杜曄與弟知仁獲從公遊曄知仁以所聞於公者授從孫範字成之宋嘉定元年同爗舉進士自爲軍器少監奏對詳明歷官郡縣多有惠政淳祐四年理宗遣國子監主簿與郡守包恢卽家拜右丞相其制詞曰學貫聖賢之奧識明義利之分曾未八旬而卒歿世之後特贈少傅謚以清獻遲彌直坊旌異之歿之百十有八年江浙行省左司郎中劉仁本言於行省請建文獻書院於丞相所居黃巖州之杜曲以祀朱子而丞相配享别爲祠堂合祭徐溫節先生郭正肅公洎兩村先生割私田二頃以供其費行省達於朝禮部議從其請劉君以書來屬臨川危素爲之記方朱公彈節黃巖相其鹵地高下開河通江爲牐源泉常豐石湫等十有三處時其啟閉灌田數萬頃其民至今利之此其遺愛實應祀典況以聖賢之學作則垂憲兩杜先生用其親見親聞者授於丞相高明光大厥有本源故能直道正言風節彌著論者以爲澤潤民生學承道統祭法所謂以勞定國法施於民丞相實兼有之俎豆而尸祝之孰曰非宜初州之父老阮舜咨趙必皓等請建書院以祠丞相進士周君仔肩首倡其謀州上於郡府不報劉君至是乃能企儒學之正傳慕前修之清節建學立師以爲州里之望何其盛哉至正初元出黃巖拜丞相畫像於杜曲讀其遺文著其言行載之宋史今乃與聞書院之事於政府執筆以爲記又惡可辭

石刻史料新編第三輯（九），一五六頁，餘姚縣志卷十六，金石上「白水觀記」：

至治間余讀書信之龍虎山適里中朱貞一先生同館舍
其門人毛君永貞執侍左右退則過余從容款洽既去隱
餘姚山中聲迹邈不相聞後二十有八年其徒吳國珙來
京師請銘其所居四明山始詢君無恙既敘而銘之又後
一紀先生門人辥毅夫攜所刻此圖復請書其所未備於

是與君不相見者四十年矣顧余羈絆班行汩沒塵壒閒
君飄然高舉於海岸孤絕之地志慮凝重無毛髮外求於
世恆慕羨之所謂上虞令劉綱夫婦登眞隱者孔祐化錢
療鹿唐玄宗遷祠宇陸魯望皮襲美倡和宋徽宗書洞天
之牓建玉皇殿投金龍玉簡事此敘之所及者若乃舊祠
宇之所見者有升仙山升仙木雲南雲北過雲會稽志謂
謝遺塵隱於南雷今有大雷峰圖之所未有者觀圖有三
台峰雲根石屋龍湫洗藥溪潺湲洞四明郡志則云東北
百三十里涌爲二百八十峰中有三十六峰東西南北各
有門由餘姚言之爲西四明則敘所未書者宋虛靜天師
張公之門人吳眞陽學於龍虎之三華道院號曰混樸子
來遊是山徽宗以丹林郎凝神殿校籍召之不起封劉綱
升玄明義眞君其配樊夫人封升眞妙化元君丞相張魏
公與吳君門人朱孔容交表爲眞人孔容之後世以甲乙
傳次此亦敘所未書者也君構清蹕亭於瀑布之下營石
田山房以自休息在余作銘之後其賦詠留山中唐自皮
陸之前有孟東野劉文房宋有謝師厚而下若干人迨國
朝黃文獻公而下若干人君又將刻而傳之案會稽志云
俗謂之白水宮又云有白水觀碑蓋祠宇觀宇義重複故
今當稱爲白水觀余得鄉貢進士番易徐勉之保越錄越
之禍亂極矣四明之山風塵不驚君優游其間甘食而安
寢古所謂武陵桃源者信有之矣故爲之記使與銘并刻

之君字善卿辥君字茂宏相其役者潘文信盛元樸許用
和　至正二十二年三月丁未朔　危素撰

信州路總管府照磨栝蒼林君傳謁選京師以其鄉父

老之意請著銘刻諸麗陽神廟麗姓之碑按林君所述曰處之鎮曰栝蒼廟山其最尊也距城之北十里郡乘云其先白塔廟不知所始相傳嘗有浮雲在其上唐大中四年刺史徐鄧禱雨廟下隨應迺易其額曰麗陽以麗水經其南故也後八年錄事參軍姜肅攝州事度地故址之西新其祠宇而并大之中祠麗陽北山之神左白塔司土之神右巨潭北沼之龍神三神合享一祠民有水旱疾癘螟蝗盜賊兵革必禱焉其孚格如響北山之神曰靈顯廟宋元豐三年肇封凡十有二初封普利侯次博濟公次四封廣佑順澤昭應善濟王次二改封廣佑敷澤靈濟顯聖王又四改封仁文神武正福忠聖王巨潭神曰施普廟亦十有二封初四封淵應昭惠靈順康濟侯次三封孚澤顯應靈佑公又四封昭惠靈應仁烈孚佑王白塔神曰顯佑廟凡八封初四封善應孚濟宣惠助順侯次二封宣惠廣佑公又二封英顯廣利王神之配及子婦佐屬皆疏爵號通侯小君靈應之蹟班班可考其尤著者宋時應進士舉者禱夢于神窮達得失莫不先知有應夢錄傳于世咸淳中郡中饑適吳商載米數十艘相時射利未知所適遇一士乘舟海上衣冠偉甚謂吾處人麗其姓將盡糴舟中粟願趨吾郡

商許諾一夕大風徑至甌港民無轉徙之患商物色知神所為致祭而去我師取浙東既內附或震以遷卜於神戒勿動至元十四年招討趙侯初鎮守也屯戍尚少章焱季文龍挾淮軍為亂陳於城東州人大恐會萬戶帥師遠來至麗水縣境晝霧四塞既止舍俄一老父指之曰城圍甚急招討遣千戶來求援乘其所不料此奇計也萬戶即起營千戶前導繇徑路突其圍焱軍大亂既定萬戶問所遣千戶何在趙侯曰萬戶來且不知千戶非吾遣也或曰得非麗陽神之所為乎及詣祠見佐神貌象衣色類所見千戶逈視之汗猶浹背其著靈多

類此云
國家詔守吏致祭名山大川之在祀典者大德五年主
者上其事請祀神從之延祐二年請加封於是靈顯廟
易正福爲廣佑曰仁文神武廣佑忠聖王神父廣福公
加廣福裕後公神母慈惠協應顯慶助佑夫人易封聖
善慈惠顯應助佑夫人神妻助正妃加主中助正妃神
子協佑助順廣惠侯易封紹靈協佑廣惠侯神子婦協
慶夫人加助惠協慶夫人施普廟昭惠靈應仁烈孚佑
王易封昭德靈惠仁烈孚佑王顯佑廟英顯廣利王加
協忠英顯廣利王佐神羿侯助靈顯佑協惠輔正侯進

爵爲公
命書焜煌神人悅豫士民之祈報者無虛日余嘗以事
道出麗陽觀乎栝蒼之山鴻蒙旁薄綿亘數百里爲一
郡之望其出雲雨見怪物禦菑捍患實應祀典我
國家事神治人益有
祖宗之成法惟麗陽之神適在東越而寵賁優渥神貺
益昭於乎盛哉余不佞備官詞林謹述其事而爲之銘
銘曰
聖王制禮秩祀有常名山大川神怪攸藏維栝之山望
臨一郡靈秀攸鍾允作雄鎭報功司土龍見而雩三神
合食樂康以娛在昔勝國數著奇績通侯小君封爵赫
奕
皇受
天命用兵越邦蠢爾冥頑負固弗降晝霧晦昏若有神
告彼潰倒戈摧拉凶暴載錫褒諡守臣之言增高益崇
繇我
聖元神眷此方田有黍稷癘氣廓清兵燹滅息歲祀終
古唯神是依醴酒旣潔牲牢腯肥水孕精金山蔭喬木
伐鼓吹簫惠爾多福肅肅靈旗御龍來娛
天子萬壽秩禮孔時史氏著銘爰刻貞石誦厥成功昭

示無極

蒲城王氏同居者七世矣延祐天歷兩旌其門書之皇朝經世大典至順三年始建祠堂於所居之東後二十有三年族之長名理者謀諸子姓及鄉人之賢者以臨川危素嘗爲史官宜請篆銘刻石用著不朽以傳示子孫迺使從子澄城主簿訥走京師踵素之門會素被命治田雄霸訥又走雄之新城感其誠恪具述其終始而銘焉按王氏自唐末五季已同居五世金元光兵亂舉族奔竄倉卒相失後有諱縠者年四十餘始還故鄉生子曰顯政寬簡好

施爲無長幼貴賤舉得其歡心未始相時射利以利己而病人生五子恩志恕忠惠皆慈祥樂易性勤稼穡不干仕進顯政之治命曰吾身後若等毋分財異產以敗吾家法諸子克承先訓弗敢廢墜孫十四人璧璽瑛恩之子也瑜志之子也瑄瑀琦琪恕之子也璋琛琇忠之子也理瑛瑢惠之子也共十有四人處於家者璧璽瑛瑄琪琛琇瑢瑜瑀理或力田以治生或讀書以肄業出而仕者琦嘗辟吐蕃宣慰使司令史瑛任將仕郎延安路總管府知事璋廉直敢言累官奉議大夫行宣政院經歷最知名訥之父也初志謂其弟忠曰吾家族屬殆二千餘指蒙國家覆露休養得安於田里苟不擇諸子之才器者使之從政其可乎因令璋從鄉先生學賓遣赴京師筮仕得贈其父承德郎鳳翔府判官理與琛顓總家

政庭無間言盡心生產家用益饒或有貸金穀不能償者數折劵貰之家以完富者多其力焉璧璽無子瑛生祥瑜生誠諒瑄生詢訓誨謙瑀生諧誼琪生詒訢讀諳琦生讚璋生訥譓謠琛生諄諶琇生議詵誘理生謙瑛生諾詡誼瑢生譁謁多力本務學諒諾嘗爲校官議詒累應進士舉諒博雅好修處家稱平譓肇昌帥府辟爲行人而訥號爲明暢有才來求文者也祠堂之楹四高深皆二十尺廣倍高深之數歲時祭奠執事莊敬曾子曰愼終追遠民德歸厚王氏有焉素既傳其世序之詳於太史鄭鉤而論次之且爲銘曰　吁嗟生人一本而分教化淪替民心棼棼世降俗衰禮義交慝箕裘耰鋤誶語德色納民軌物在乎時君聖喆建極俾共還諄粤有王氏蒲城聚族五世同居閨門肅睦仁皇在內海內承平表厥宅里實揚休聲三十餘年六世七世積久彌長巧算莫計惟鳳翔公有子登朝氣節剛直凛焉風標繩繩孫子麟趾厥美互學

並耕以綏福祉載樹先祠居室之東高墉有屹環植柏松我行我郊春雨霜露迺筮良辰中其情慷婦子咸集籩豆在筵卒事無失其儀弗愆先王所都遺澤漸盡惟茲關中渾渾未泯移風易俗麟趾關睢西土之人視此令儀豈惟一邦不變天下立石刻詩爰績變口

五十四、陶宗儀「南村詩集」補遺

委羽山志卷三「委羽山紀事」：

吾台之黃巖諸山觚絡相聯自縣治南陸行四五里有委羽山焉昂如翔鸞舞鳳俛若伏龜蹲虎長林欝欝幽澗泠泠千態萬狀不可槩其勝中藏洞穴道家所謂空明洞天是已有好奇賞眞之士秉燭而入行兩日不能窮聞櫓聲而返山産方石大者侶骰子小者比粟粒故老相傳昔有靚妝美女當風清月朗時消揺於竹樹之下或變服扣里人門求水火里人異其狀密尾之迤邐從洞中入因以爲怪遂穢其地越日家忽自燬室廬一空惟妻子僅免遂流離他處人謂穢仙境所致自是仙女不復出矣予幼時尚及見其所焚故址茲特紀其事云

五十五、餘論：文淵閣四庫全書元人別集方志之金石志藝文志若干令人矚目之問題

一、篇名互歧

（一）石刻史料新編第二輯（一四），一〇一六三頁，濬縣金石錄卷下，元好問抱「金故少中大夫御史程君墓碑」。遺山集卷二十一「御史程君墓表」，篇名互歧。（二）石刻史料新編第三輯（九），二〇五頁，上虞縣志校續卷四十，金石，任士林撰，「上虞縣蘭穹山福仙禪院記」。松鄉集卷一「蘭芎山福仙禪院記」，篇名互歧。（三）石刻史料新編第三輯（一二），四二九頁，貴池金石志卷之七，趙孟頫撰「天冠山碑」。松雪齋卷五「天冠山題詠二十八首」，篇名互歧。（四）石刻史料新編（一六），一二一九〇頁，湖北金石志，趙孟頫撰「九宮山重建欽天瑞慶宮記碑」。松雪齋集卷七「九宮山重建欽天瑞慶宮記」，篇名互歧。（五）當塗縣志卷之二十八，藝文志，吳澄撰「丹陽書院養士記」。吳文正集卷三十七「丹陽書院養士田記」，篇名互歧。（六）石刻史料新編（二十三），一七一九四頁，汧陽述古編金石篇，楊奐撰「汧陽玉清萬壽宮洞真真人于先生碑並序」。還山遺稿卷三「洞真真人于先生碑並序」，篇名互歧。（七）石刻史料新編（二十一），一五五七八頁，山右石

刻叢編卷二十七，劉因撰「澤州長官段公墓誌銘」，靜修集卷八「澤州長宮段公墓碑銘」，篇名互歧。（八）歙縣金石志卷四，胡炳文撰「徽州鄉賢祠記」。雲峰集卷二「鄉賢祠記」，篇名互歧。（九）石刻史料新編（二十一），一五八一四頁，山右石刻叢編，黃溍撰「元故御史□□□資政大夫右丞上護軍追封平陽郡公謚靖徐公神道碑並序」。文獻集卷十六「御史中丞贈資政大夫中書右丞上護軍追封平陽郡公謚文靖徐公神道碑」，篇名互歧。（十）明萬曆池州府志，一一八六頁，吳師道撰「隱山寺匾記」。乾隆建德縣志「隱山寺匾誌」，篇名互歧。（十一）石刻史料新編（二十一），一五五六六頁，山右石刻叢編卷二十七，姚燧撰「大元故延安路兵馬總管袁公神道碑銘並序」。牧庵集春十七「袁公神道碑」，篇名互歧。（十二）石刻史料新編（十六），一二二〇二頁，湖北金石志，程鉅夫撰「大天一真慶萬壽宮碑」。雪樓集卷五「均州武當山萬壽宮碑」，篇名互歧。（十三）石刻史料新編（十七），二六〇〇頁，粵西金石略卷十四，「陳孚桂林棲露洞題名」。陳剛中詩集卷二「題水月洞」篇名互歧。（十四）兩浙金石志卷十五，袁桷「慶元路鄞縣廟學記」。清容居士集卷十八「慶元路鄞縣學記」篇名互歧。（十五）弘治休寧縣志卷三十七，楊載撰「題黃秋江釣月卷」。楊仲弘集卷三「題秋江釣月圖詩卷」，篇名互歧。（十六）弘治休寧縣志卷三十七，范梈撰「題黃秋江釣月卷。范德機詩集卷七「題黃隱君秋江釣月圖」，篇名互歧。（十七）兩浙金石志卷十七，黃溍撰「元重刻徐偃王廟碑後記」。文獻集卷七上「徐偃王廟碑後記」，篇名互歧。（十八）石刻史料新論（十七），一二八三四頁，閩中金石志卷十三，貢師泰撰「重修福州路記」。玩齋集卷七「重修福州治記」，篇名互歧。（十九）道光歙縣志卷九之三，宋濂撰「新建縣學記」。文獻集卷二「歙縣孔子廟學記」，篇名互歧。（二十）廬州府志卷五直，雜文誌上，宋濂撰「又跋合肥令呂君新刻孝經集註後」。文獻集卷十四「跋新刻孝經集註後」，篇名互歧。（二十一）廬州府志卷五十一，雜文上，宋濂撰「又跋馬性圖後」。文獻集卷十四「跋李伯時馬性圖」，篇名互歧。（二十二）括蒼金石志卷十二，宋濂撰「龍淵義塾碑」。文獻集卷四「龍淵義塾記」，篇名互歧。（二十三）合肥縣志卷三十四，宋濂撰「徐將軍廟碑」。文獻集卷十六「獅子山徐將軍廟碑」，篇名互歧。（二十四）光緒婺源縣志卷五十八，藝文三，紀述三，王褘撰「重建文公家廟記」。王忠文集卷九「重建徽國文公朱先生家廟記」，篇名互歧。（二十五）正德常州府志續集，史一八一至二六六頁，危素撰「昭先錄序」。說學齋稿卷三「昭先小錄序」，篇名互歧。（二十六）湖北金石志卷十四，危素撰「蘄州蘄春興學頌」。說學齋稿卷一「蘄春縣興學頌」，篇名互歧。（二十七）黟縣志卷十六藝文志，唐元撰「黟山雜詠」。筠軒集卷八「黟川雜詠」，篇名互歧。（二十八）黟縣志卷十四，楊維禎撰「倪仲宏先生士毅改葬誌」。東維子集卷七「倪仲宏先生改葬誌」，篇名互歧。（二十九）休寧縣志卷三十四，汪克寬撰「學生任本初哀詞」。環谷集卷二「哭任本初言辭有序」，篇名互歧。（三十）黟縣志卷十四，汪克寬撰「橫岡重修汪王廟碑記」。

環谷集卷七「黟縣橫岡忠烈廟碑」，篇名互歧。（三十一）廬州府志卷五十一，黃溍撰「余廷心篆書後」。文獻集卷十二「題余廷心篆書後」，篇各互歧。（三十二）池州府志卷十一，吳師道撰「忠烈趙公祠記」。禮部集卷十三「忠節祠碑」，篇各互歧。（三十三）池州府志卷九「過五溪橋」，雁門集卷二「過五溪」，篇各互歧。（三十四）蕪湖縣志卷五十九，雜識、詩，許有王「神山夜雨」。至正集卷十三「神仙雨」，篇各互歧。（三十五）石刻史料新編（十八），一三九四四頁，安陽縣志金石錄卷十二，馬祖常「邢尚書墓碑」。石田文集卷十一「致仕禮部尚書邢公神道碑銘」，篇各互歧。（三十六）歙縣金石志卷三，鄭玉「新安章氏二孝女廟碑」。師山集卷六「章孝女雙廟碑」，篇各互歧。（三十七）赤城後集卷六，劉基「重建天妃廟記」，誠意伯集卷九，「台州路重建天妃廟碑」，篇各互歧。（三十八）休寧縣卷之二十三，藝文、題詠，趙汸「屏山樓」，東山存稿卷一「屏山即事，時周明府來訪」，篇各互歧。（三十九）兩浙金石志卷十八李孝光「元清風嶺王烈婦祠碑」，五峰集卷一「王貞婦傳」，篇各互歧。（四十）當塗縣志卷二十八，藝文，傅與礪「采石山」，傅與礪詩集卷二「經采石」，篇名互歧。（四十一）池州府志卷九，藝文、詩，貢師泰「娥眉亭」，玩齋集卷四「蛾眉山」，篇各互歧。

二、內容互歧

（一）蕪湖縣志卷五十九，雜識，詩，張憲「玩鞭亭」：「野烏壓營營作聲」。玉笥集卷一「玩鞭亭」：「畸烏壓營營作聲」，內容互歧。（二）歙縣金石志卷三「新安章氏二孝女廟碑」：「章預二女」，師山集卷六「章孝女雙廟碑」：「章頂二女」，內容互歧。（三）石刻史料新編（十八），一三九四四頁，安陽金石錄卷十二，馬祖常「邢尚書墓碑」、「公諱秉仁」。石田文集卷十一「致仕禮部尚書神道碑銘」：「泰定二年四月十四日，致仕禮部尚書邢公卒……。按狀，公諱秉仁。」內容互歧。（四）萬曆池州府志卷八，藝文、記，均載吳師道，任「建德知縣」時，所撰二「重修池州路學記」，且一為七百八十二字，一為二百八十九字，內容互歧。（五）兩浙金石志卷十八，李孝光「元清風嶺王烈婦祠碑」：「王婦者，臨海人。至元十三年，王師南下，王婦夫舅姑，俱被執。」五峰集卷一「王貞婦傳」：「至元十三年，王師至，貞婦……。」內容互歧。

三、字誤缺字

（一）歙縣金石志卷三「鄭令君廟碑」：「鄭令君廟碑者，歙人祀其故令鄭君于廟也。」故「今」為「令」之誤。蓋既稱故令，安可用「今」。按一縣之長，自漢至唐，稱縣令。後人每以古代之職稱，稱其今職。（二）兩浙金石志卷十七「元長興州重修學官碑」，楊維禎撰。東維子集卷十二「長興州重修宮學記」，故「官」為「宮」之誤。（三）姚燧牧菴集卷二十「山南廉訪副使馮公道碑」。「道碑」，當為「神道碑」之誤。蓋碑銘中，從未見用「道碑」者。（四）萬曆池州府志卷八「藝文、記、重修池州路學記，元吳師道，建德知縣。」按元史卷九十一「百官七」：「諸縣……，上縣，秩從六品，達魯花赤一員，尹一員……。中縣，秩正七品，不置丞，餘悉如上縣之制。」故元代稱「縣尹」，而非「知縣」。萬曆池州府志謂：元吳師道，任「建德知縣」誤。（五）石刻史料新編（十五），戴咸弼輯，東甌金石志卷九，「溫州重建廟學碑」，「溫州路重建廟學記」：「承事郎江浙等處儒學提舉□謙撰並書」。按菊潭集卷二「韻會舉要書考序」：「文宗……至順二年春，敕應奉翰林文字，臣余謙校正。明年夏，上進賜旌其功。余氏今提學江浙，以書見質……。元統乙亥（後至元元年）……孛朮魯翀序」。萬曆杭州府志卷六十一「名宦一、元、江浙儒學提舉」：「余謙，字峻山……。早為蒙古字學教授，改翰林國史院編修官，除江浙儒學提舉……。」浙江通志一百一十六卷「職官六、元、江浙儒學提舉司」：「樊萬。余謙。葉李，字太白，錢塘人。孫朝端。孔洙，以上世祖時任。趙孟頫，字子昂，吳興人。鄧文原，見前，以上武宗時任。楊剛中。段天祐，以泰定時任。宇文公諒，字子貞，歸安人，以上文宗時任。陳旅，字衆仲，莆田人，副提。吳直方，副提舉。黃溍，見前。班惟志。陳遘。李祁，字一初，茶陵人，副提舉。王大本。鄧元祐。楊翮，字文學，江寧人。魯淵，字道源，淳安人，副提舉。李恒，副提學。洪欽，副提舉。錢惟善，字思復，錢塘人。劉基，字伯溫，青田人，副提舉，以上順帝時任。白珽，字廷玉，錢塘人，副提舉。楊敬慎，字仲禮，臨海人。范霖，字君澤，縉雲人。徐永之。葉廣居，字居仲，副提舉。趙孟堅。孔瀛，副提舉。鄧衍，副提舉。龔璛，字子敬，高郵人，副提舉，己上未審其次。」萬曆杭州府志卷之八「會治職官表一、元、江浙儒學提舉」：「世祖至元初，樊萬。五年，余謙。十四年，葉李……。」均言余謙曾任江浙儒學提舉。故□謙，應乃余謙。復按萬曆杭州府志謂：余謙世祖至元五年，任江浙儒學提舉。浙江通志，謂其世祖至元間，曾任斯職，誤。蓋孛朮魯翀，為余氏同僚，且為其撰序。故其言，余氏後至元元年，任江浙儒學提，遠較前二者之言，更為可信。至於何以致有此失，當因視後至元，為世祖之至元使然。此外，歸田類稿卷十三「江浙等處儒學提舉柯君墓誌銘」：「君諱謙，字自牧，柯姓……。延祐初，陞承事郎，饒州路餘干州判。未上，制授江浙儒學提舉……。」然萬曆杭州府志，浙江通志「儒學提舉司」，均不載此事，故又為其一失也。

（六）石刻史料新編十五冊，李遇孫輯，括蒼金石志卷九「處州路重修儒學教授廳之記」：「翰林口侍講學士，奉議大夫，知制誥，同修國史，張伯厚記。」「右碑教授廳碑……，翰林院侍講學士奉議大夫知制誥同修國史張伯厚作記。」按雪樓集卷十七「翰林侍講學士張公墓誌銘」、「公名伯淳，字師道……。今上龍飛，詔命多出其手。進階奉訓大夫，仍先職，知制誥同修國史……。明年，進奉議大夫……。大德四年，即家拜翰林侍講學士……。」二者之職官相同。復按所著，養蒙文集卷三「處州路重修教授廳記」，亦載此文：「魯泮宮既修，繼以復周公之宇。頌之作，所以著其能者也。顧何人哉？余友天台童君……。君名應椿。」內容悉同。故碑文之作者，與李氏所言之張伯厚，均為張伯淳之誤。（七）圭齋文集卷十「曾秀才墓誌名」，故疑「名」為「銘」之誤。

引用書目

1.元、元遺山　遺山集　四十卷　附錄一卷　商務印書館　文淵閣四庫全書
2.元、任士林　松鄉集　十卷　商務印書館　文淵閣四庫全書
3.元、趙孟頫　松雪齋集　十卷　外集一卷　商務印書館　文淵閣四庫全書
4.元、吳　澄　吳文正集　九八卷　附錄一卷　商務印書館　文淵閣四庫全書
5.元、楊　奐　還山遺稿　二卷　考歲略一卷　附錄一卷　商務印書館　文淵閣四庫全書
6.元、劉　因　靜修集　十五卷　續集三卷　商務印書館　文淵閣四庫全書
7.元、胡炳文　雲峰集　八卷　商務印書館　文淵閣四庫全書
8.元、黃　溍　文獻集　十卷　商務印書館　文淵閣四庫全書
9.元、姚　燧　牧菴集　三六卷　附年譜一卷　商務印書館　文淵閣四庫全書
10.元、程鉅夫　雪樓集　三十卷　附年譜一卷　商務印書館　文淵閣四庫全書
11.元、陳　孚　陳剛中詩集　三卷　附錄一卷　商務印書館　文淵閣四庫全書
12.元、袁　桷　清容居士集　五十卷　商務印書館　文淵閣四庫全書

13. 元、楊　載　楊仲弘集　八卷　商務印書館　文淵閣四庫全書
14. 元、范　梈　范德機詩集　七卷　商務印書館　文淵閣四庫全書
15. 元、貢師泰　玩齋集　十卷　拾遺一卷　附錄一卷　商務印書館　文淵閣四庫全書
16. 元、唐　元　筠軒集　十三卷　商務印書館　文淵閣四庫全書
17. 元、楊維禎　東維子集　三十卷　卷首一卷　附錄一卷　商務印書館　文淵閣四庫全書
18. 元、汪克寬　環谷集　八卷　商務印書館　文淵閣四庫全書
19. 元、吳師道　禮部集　二十卷　附錄一卷　商務印書館　文淵閣四庫全書
20. 元、薩都剌　雁門集　四卷　商務印書館　文淵閣四庫全書
21. 元、許有壬　至正集　八一卷　商務印書館　文淵閣四庫全書
22. 元、馬祖常　石田文集　一五卷　附錄一卷　商務印書館　文淵閣四庫全書
23. 元、鄭　玉　師山集　八卷　師山遺文五卷　附錄一卷　商務印書館　文淵閣四庫全書
24. 元、張　憲　玉笥集　十卷　商務印書館　文淵閣四庫全書
25. 元、許　謙　白雲集　四卷　商務印書館　文淵閣四庫全書
26. 明、宋　濂　文獻全集　三二卷　商務印書館　文淵閣四庫全書
27. 明、王　禕　王忠文集　二四卷　商務印書館　文淵閣四庫全書
28. 明、危　素　說學齋稿　四卷　商務印書館　文淵閣四庫全書

29. 明、劉 基 誠意伯集 二十卷 商務印書館 文淵閣四庫全書
30. 明、馮從吾 元儒考略 四卷 商務印書館 文淵閣四庫全書
31. 明、宋 濂 元史 二百一十卷 商務印書館 文淵閣四庫全書
32. 明、武 億 安陽縣金石錄 十二卷 新文豐出版社公司 石刻史料新編（十八）冊
33. 清、羅福頤 滿州金石志 六卷 新文豐出版社公司 石刻史料新編（二十三）冊
34. 清、羅振玉 金石萃編未刻稿 三卷 新文豐出版社公司 石刻史料新編（五）冊
35. 清、畢 沅 山左金石志 二四卷 新文豐出版社公司 石刻史料新編（十九）冊
36. 清、杜春生 越中金石志 十卷 新文豐出版社公司 石刻史料新編第二輯（十）冊
37. 清、楊世沅 句容金石志 十卷 附錄一卷 新文豐出版社公司 石刻史料新編第二輯（九）冊
38. 清、張 維 隴右金石錄 十卷 附校補一卷 新文豐出版社公司 石刻史料新編（二十一）冊
39. 清、胡聘之 山右石刻叢編 四十卷 自卷二六至四十卷 新文豐出版社公司 石刻史料新編（二十一）冊
40. 清、胡聘之 山右石刻叢編四十卷 自卷一至二五卷 新文豐出版社公司 石刻史料新編（二十）冊

41. 清、汪　鋆　十二硯齋金石過眼錄　十八卷　新文豐出版社公司　石刻史料新編（十）冊
42. 清、沈　壽　常山金石志　二四卷　新文豐出版社公司　石刻史料新編（十八）冊
43. 清、陸心源　吳興金石志　十六卷　新文豐出版社公司　石刻史料新編（十三）冊
44. 清、張仲炘　湖北金石志　三十卷　附補遺二卷　新文豐出版社公司　石刻史料新編（十六）冊
45. 清、周學濬　湖北金石略　十卷　新文豐出版社公司　石刻史料新編第三輯（十）冊
46. 清、武樹善　陝西金石志　三十卷　附補遺二卷　新文豐出版社公司　石刻史料新編（二十二）冊
47. 清、段松苓　益都金石志　四卷　新文豐出版社公司　石刻史料新編（二十）冊
48. 清、趙紹祖　安徽金石略　十卷　新文豐出版社公司　石刻史料新編（十六）冊
49. 清、葉為銘　歙縣金石志　十四卷　新文豐出版社公司　石刻史料新編（十六）冊
50. 清、江蘇通志稿　江蘇金石志　二四卷　新文豐出版社公司　石刻史料新編（十六）冊
51. 清、牛　斌　定襄金石考　四卷　新文豐出版社公司　石刻史料新編第二輯（十三）冊
52. 清、戴咸弼　東甌金石志　十卷　附補遺一卷　附錄一卷　新文豐出版社公司　石刻史料新編（十五）冊
53. 清、徐元梅　嘉慶山陰志　不分卷　新文豐出版社公司　石刻史料新編第三輯（九）冊

54. 清、嚴　觀　江寧金石記　八卷　附待訪目二卷　新文豐出版社公司　石刻史料新編（十三）冊
55. 清、黃　瑞　台州金石錄　十二卷　附甎錄五卷　闕訪四卷　新文豐出版社公司　石刻史料新編（十五）冊
56. 清、許傳霈　海寧州志稿　四二卷　新文豐出版社公司　石刻史料新編第三輯（七）冊
57. 清、陳　詩　湖北金石通志　九卷　新文豐出版社公司　石刻史料新編第三輯（十三）冊
58. 清、顧燮元　汧陽述古編金石編　一卷　新文豐出版社公司　石刻史料新編（二十三）冊
59. 清、袁登庸　亳州金石志　不分卷　新文豐出版社公司　石刻史料新編第三輯（十二）冊
60. 清、鄒伯森　括蒼金石志補遺　四卷　新文豐出版社公司　石刻史料新編第二輯（十）冊
61. 清、李遇孫　括蒼金石志　十二卷　附續志四卷　新文豐出版社公司　石刻史料新編（十五）冊
62. 清、王壽頤　光緒化居集　二四卷　附仙居志後　新文豐出版社公司　石刻史料新編第三輯（九）冊
63. 清、馮登府　閩中金石記　十四卷　新文豐出版社公司　石刻史料新編（十七）冊
64. 清、謝啟昆　粵西金石略　十五卷　新文豐出版社公司　石刻史料新編（十七）冊
65. 清、陳棨仁　閩中金石略　十五卷　附考證五卷　新文豐出版社公司　石刻史料新編（十七）冊

66. 清、熊象階　濬縣金石錄　二卷　新文豐出版社公司　石刻史料新編第二輯（十四）冊
67. 明、胡昌賢　委羽山志　六卷　中國道觀志叢刊續編
68. 明、程敏政　弘治休寧志　三八卷　存三二卷　書目文獻出版社　北京圖書館古籍珍本叢刊
69. 明、江尚寧　嘉靖徽州府志　二二卷　書目文獻出版社　北京圖書館古籍珍本叢刊
70. 明、謝　鐸　赤城後集　三三卷　存三二卷　書目文獻出版社　北京圖書館古籍珍本叢刊
71. 明、李思恭　萬曆池州府志　十卷　成文出版社　中國方志叢書
72. 清、張　海　乾隆當塗縣志　二三卷　成文出版社　中國方志叢書
73. 清、丁廷楗　康熙徽州府志　十八卷　成文出版社　中國方志叢書
74. 清、馬步蟾　道光徽州府志　十七卷　成文出版社　中國方志叢書
75. 清、梁啟讓　嘉慶蕪湖縣志　二四卷　成文出版社　中國方志叢書
76. 清、左　輔　嘉慶合肥縣志　三六卷　成文出版社　中國方志叢書
77. 清、何慶釗　光緒宿州志　三六卷　成文出版社　中國方志叢書
78. 清、尹　煥　乾隆廬州府志　七卷　成文出版社　中國方志叢書
79. 清、張祥雲　嘉慶廬州府志　五四卷　成文出版社　中國方志叢書
80. 清、黃雲修　光緒廬州府志　一百二卷　成文出版社　中國方志叢書
81. 清、廖騰煃　康熙休寧縣志　八卷　成文出版社　中國方志叢書
82. 清、許起鳳　乾隆建德縣志　十卷　成文出版社　中國方志叢書

83. 清、吳甸華　嘉慶黟縣志　十七卷　附續志　成文出版社　中國方志叢書
84. 清、邵遠平　元史類編　四二卷　廣文書局
85. 清、顧嗣立　元詩選　初集，卷首，甲至壬集　二集，甲至壬集　三集，甲至壬集　中華書局
86. 民、柯劭忞　新元史　二百五十七卷　開明書店　二十五史
87. 民、徐誼密　蕪湖縣志　六十卷　成文出版社　中國方志叢書
88. 元、劉敏中　中庵集　二十卷　商務印書館　文淵閣四庫全書
89. 元、張養浩　歸田類稿　二十二卷　商務印書館　文淵閣四庫全書
90. 元、張伯淳　養蒙文集　十卷　商務印書館　文淵閣四庫全書
91. 元、孛朮魯翀　菊潭集　四卷　新文豐出版公司
92. 明、陳　善　萬曆杭州府志　一百一卷　成文出版社　中國方志叢書
93. 清、嵇曾筠　浙江通志　二百八十卷　商務印書館　文淵閣四庫全書
94. 清、席　范　乾隆壽州志　十四卷　成文出版社　中國方志叢書
95. 清、曾道唯　光緒壽州志　三十八卷　成文出版社　中國方志叢書
96. 清、鄭交泰　乾隆亳州志　十三卷　成文出版社　中國方志叢書
97. 清、任壽世　道光亳州志　四十四卷　成文出版社　中國方志叢書
98. 清、鐘　泰　光緒亳州志　二十一卷　成文出版社　中國方志叢書

附錄：感謝三名校收藏所敬贈之拙作及昔日曾購藏拙作多種

收藏证书

尊敬的 袁冀 先生：

承蒙惠赠

《袁冀元史论文全集》

1套10册，

所赐典册，必妥为收藏，珍如拱璧，及时整理，沾溉学林。

谨致此证，以表谢忱。

武汉大学图书馆

2015年11月17日

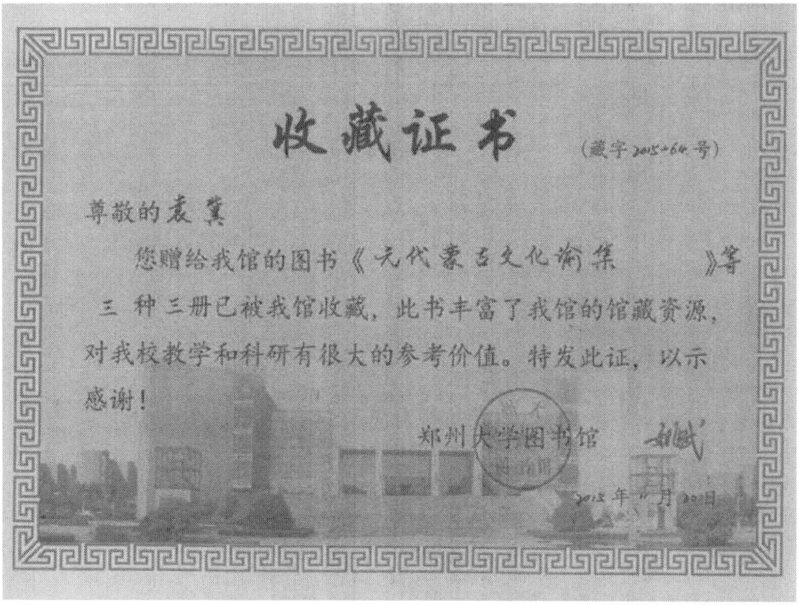

收藏证书 （藏字2015+64号）

尊敬的袁冀

您赠给我馆的图书《元代蒙古文化论集》等三种三册已被我馆收藏，此书丰富了我馆的馆藏资源，对我校教学和科研有很大的参考价值。特发此证，以示感谢！

郑州大学图书馆

2015年11月20日

感谢状

袁冀 先生：

承赐《程雪楼评传》等两册，已分编入藏，以飨读者。

先生厚爱，泽被馆藏，沾溉学子，惠及当代，功垂未来。谨奉寸缄，特致谢忱！

祈盼 您继续俯以鼎力，关心敝馆馆藏，时时鞭策垂教！

敬祝 您 福体安康，阖府迪吉！

南京大学图书馆

2015年12月4日

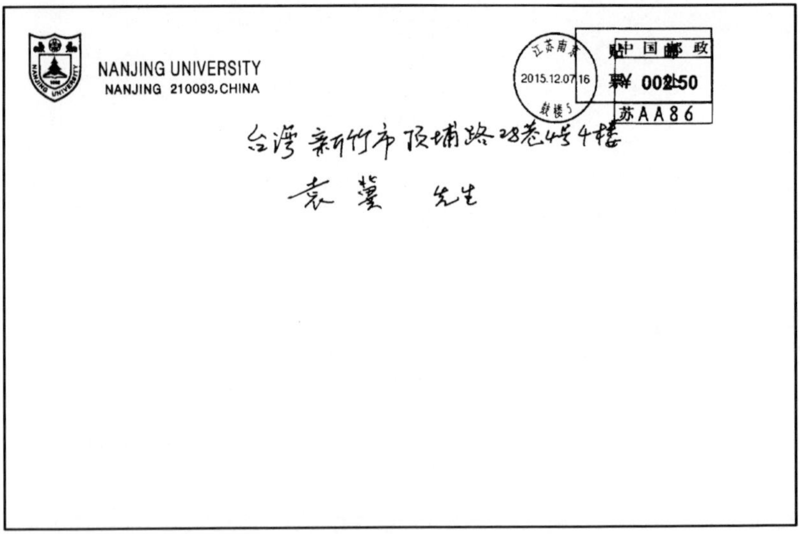

作者著作目錄

一、論　文

1. 論蒙古的軍事制度及其特色　戰鬥月刊　六卷五期　四七・五
2. 蒙古的謀略戰對俄羅斯之影響　軍事雜誌　八十六期　四八・四
3. 元太祖班朱尼河誓眾考略　大陸雜誌　十九卷十二期　四八・一二
4. 李文田元秘史註之探討　反攻月刊　二三一期　五十・六
5. 新元史蠡測　大陸雜誌　二十二卷十一、十二期　五十・六
6. 元代玄教考略　政治學術季刊　一卷一、二期　五十、一二
7. 東平嚴實幕府人物與興學初考　大陸雜誌　二十三卷十二期　五十・一二
8. 詩歌中之晚元國情　中華青年　三卷二期　五一・六
9. 十三世紀蒙古習俗與塞北部族習俗之比較　中國內政　三十二卷五期　五一・六

10. 新元史蠡測之二　政治學術季刊　一卷三、四期　五一・九
11. 試擬元史張易傳　大陸雜誌　二十五卷七期　五一・十
12. 說元代史治　中國內政　二十四卷五、六期　五一・一一
13. 元代的行省制度　中國內政　二十五卷四、五期　五二・五
14. 元代的站赤　中國邊政　創刊號　五二・六
15. 元初河漕轉變之研究　大陸雜誌　二十七卷四期　五二・八
16. 元代歲幸上都記要　中國邊政　二、三期　五二・一二
17. 元代兩京間驛道之考釋　政治學術季刊　三卷一期　五三・一
18. 劉秉忠行事編年　大陸雜誌　二十八卷十二期　五三・六
19. 元代　城董氏評述　中國邊政　四、五、六期　五四・三
20. 金元之際江北人民之生活　大陸雜誌　三十卷五期　五四・三
21. 元代的國子學　中國內政　三十卷一、二期　五四・七
22. 元代衛輝地位之研究　中國邊政　十三、十四期　五五・九
23. 元代法律之特色　法律評論　三十二卷十一、十二期　五五・一二
24. 劉秉忠論略　大陸雜誌　三十三卷十一、十二期　五五・一二
25. 元代斡脫官錢與羊羔兒利　反攻月刊　二九八期　五六・一

26. 成吉思汗大雅薩法典與中原地區關係之蠡測　中國邊政　十七期　五六・三
27. 十三世紀蒙古飲酒之習俗儀禮及其有關問題　大陸雜誌　三十四卷五期　五六・三
28. 元王惲驛赴上都行程校註　大陸雜誌　三十四卷十二期　五六・六
29. 元代之畏吾兒　反攻月刊　三〇七期　五六・十
30. 元史箚記　大陸雜誌　三十五卷十二期　五六・一二
31. 十三世紀蒙古戰士之戰技　反攻月刊　三一七期　五七・三
32. 十三世紀蒙古馬之訓練及其對蒙古帝國的影響　中國邊政　二十三期　五七，十
33. 十三世紀蒙古人之婚姻制度及其有關問題　大陸雜誌　三十七卷十期　五七・一一
34. 元代蒙人之喪葬制度　中國邊政　二十四期　五七・一二
35. 十三世紀蒙古戰士之裝備　大陸雜誌　三十八卷一期　五八，一
36. 十三世紀蒙古之屯住與遷徙　反攻月刊　三二四期　五八・三
37. 略論秋澗大全集對元代道教研究之價值——元王惲年譜之一　中國邊政　三十三期　六十・三
38. 論秋澗大全集所顯示之元代政治與社會——元王惲年譜之二　反攻月刊　三四八期　六十・三
39. 元許魯齋之風範評述　國立編譯館館刊　創刊號　六十・十

40. 元代真大道教考　大陸雜誌　四十三卷四期　六十・十
41. 論元代玄教勃興之因素——元代玄教考之一　智慧　四卷三期　六一・四
42. 試補宋元學案之靜修學案——元劉靜修年譜之一　國立編譯館館刊　一卷三期　六一・六
43. 元太祖生卒年代與壽期考　智慧　四卷十一期　六一・八
44. 元劉靜修學養詩文與人品風節評述——元劉靜修年譜之二　國立編譯館館刊　一卷四期　六一・一二
45. 元代海運考釋　東方雜誌　復刊六卷十二期　六二・六
46. 元代玄教道侶交遊唱和考——元代玄教考之二　中華文化復興月刊　六卷十一期　六二・一一
47. 元代玄教宮觀教區考——元代玄教考之三　中華文化復興月刊　七卷一期　六三・一
48. 元名儒劉靜修行事編年——元劉靜修年譜之三　國立編譯館館刊　二卷四期　六三・三
49. 元代玄教弟子法孫考——元代玄教考之四　中華文化復興月刊　七卷四期　六三・四
50. 元吳草廬學養詩文造詣考——元吳草廬評傳之一　國立編譯館館刊　四卷二期　六四・一二
51. 從元朝祕史論成吉思汗及蒙人之道德觀念　中國邊政　六十三期　六七・九
52. 元代定鼎中原後帝王之遊獵生活　國立編譯館館刊　七卷二期　六七・一二

53. 十三世紀蒙古之婦女地位　中華婦女　二十九卷五、六期　六八・三
54. 程雪樓之學養詩文及其政教思想　中國邊政　七十三期　七十・三
55. 程雪樓在元代之貢獻　中國邊政　七十五期　七十・九
56. 程雪樓行事編年　國立編譯館館刊　十卷二期　七十・一二
57. 藏胞為炎黃子孫西藏為中國領土　中國邊政　八十期　七一・一二
58. 從卡若遺址之發現論西藏永為中國領土　中國邊政　叢刊之四　七二・三
59. 雜談有關元史五事　東方雜誌　復刊十八卷一期　七三・七
60. 十三世紀蒙人之「驅口」——奴隸與俘虜　中國邊政　八十九期　七四・三
61. 從元朝祕史論十三世紀蒙人之軍事思想　中國邊政　九十期　七四・六
62. 有關元史四事述要　中國邊政　九十四期　七四・九
63. 有關元史箚記四則　東方雜誌　復刊十九卷三期　七四・九
64. 十三世紀蒙人之宗教信仰及其有關問題　中華文化復興月刊　十八卷十一期　七四・一一
65. 十三世紀蒙古大軍轉戰萬里所向克捷之三大特色　中國邊政　九十二期　七四・一二
66. 從元朝祕史論十三世紀蒙人之文學　中國邊政　九十三期　七五・三
67. 十三世紀蒙人之政治特色　東方雜誌　復刊二十卷二期　七六・五
68. 十三世紀蒙人之世官制度　東方雜誌　復刊二十卷十一期　七五・八

69. 元代西方文物東傳中原初考　中國邊政　九十九期　七六・九
70. 元代蒙人之娛樂　中華文化復興月刊　二十卷十期　七六・十
71. 十三世紀蒙人之戰術戰略　中正學刊　九期　七六・十
72. 十三世紀西方文物東傳蒙古初考　東方雜誌　復刊二十卷六期　七六・一二
73. 元代蒙古汗（帝）位繼承制度之演變及其流弊　中國邊政　一〇二期　七七・六
74. 從元詩中論蒙人節慶之漢化　東方雜誌　復刊二十二卷五期　七七・一一
75. 十三世紀蒙人之貿易政策　中國邊政　一〇四期　七七・一二
76. 元代蒙人生活之轉變　東方雜誌　復刊二十二卷八期　七八・二
77. 元代和林之風貌　中國邊政　一〇五期　七八・三
78. 十三世紀蒙人之祭祀及其有關問題　中國邊政　一〇六期　七八・六
79. 十三世紀蒙人之教育　東方雜誌　復刊二十二卷十二期　七八・六
80. 元代宮廷大宴考　東方雜誌　復刊二十三卷三期　七八・九
81. 靜修先生文集詩箋　中國邊政　一〇七期　七八・九
82. 有關元史八事記要　東方雜誌　復刊二十三卷十一期　七九・五
83. 元代蒙人之衣著髮式　中國邊政　一一一期　七九・九
84. 從元詩論元代宮廷之飲食　中國邊政　一一二期　七九・一二

85. 元代官制之特色　中國邊政　一一四期　八十・六
86. 元代蒙古人漢化考　中原文獻三八卷四期　三九卷一期九五、十　九六、一
87. 元詩中之大都風情
88. 試補「欽定日下舊聞考」之元宮室考
89. 「安南即事」考釋
90. 陳孚驛赴安南行程考釋
91. 論元秘史在語言學中之價值
92. 元代之泉州

二、論　著

1. 蒙古戰史　大眾出版社　四八・一　一〇三頁
2. 元許魯齋評述　商務印書館　六一・九　一六六頁　五十九年承國家科學會補助完成
3. 元太保藏春散人劉秉忠評述　商務印書館　六三・二　二〇二頁　六十一年承國家科學會補助完成
4. 元史研究論集　商務印書館　六三・九　三八三頁　九五、九、再版
5. 元吳草盧評傳　文史哲出版社　二一六頁　六十二年承國家科學會補助完成

6.元史論叢　聯經事業出版公司　六七・九　三〇九頁　七五、一、再版　五十七、六十年承國家科學會補助完成
7.程雪樓評傳　新文豐出版公司　六八・七　一一九頁　六十三年承國家科學會補助完成
8.王秋澗年譜　待出版　五十八年承國家科學會補助完成
9.元代蒙古文化論集　商務印書館　九三・五　二八五頁
10.元代蒙古文化論叢　元史哲出版社　九三、七　三〇九頁
11.元史探微　文史哲出版社　九八、四　四一一頁
12.補文淵閣四庫全書之元人別集　文史哲出版社　九九、二增訂一刷　五一四頁

袁冀傳略

袁冀，原名國藩，一九七三年，奉命更今名。一九二三年生，世居虞城縣舊縣城之東二街，東馬道，五處四合院中。城南十里之袁庄，則為族人聚居之地。

祖父諱松嶺，深獲鄉黨鄰里敬愛，由昔日大門所懸之匾四幅，可以明證。因兄弟五人，故分居於五處宅院中。父諱茂昌，字瑞亭。善繪畫，工山水，復長於音樂。曾任縣立簡易師範，中小學美術音樂教師。王美、陳寶璋、蔡潤溪、李延朗、宋子芳等，均嘗從之受業。朱維清、陳次軒、盧濟若等，則為訂交之知友。母劉氏，諱大節，持家勤儉，故能積為小富。子女五人，一子在台，四女均已落戶，東北黑龍江省邊陲之地。母氏亦以高壽百歲，世逝於斯。

小學畢業，適逢抗日戰爭發。故初中、高中、大學，均在流亡中度過。復由於就讀之學校，不斷遷徙，以及升學之所需。故自開封，而豫東南之商城，豫西南之鎮平，內鄉之夏館，淅川之上集，內鄉之西峽口，而至四川之重慶。其間，顛沛流離之艱險，生活困苦之窘迫，僅從徒步奔波兩千餘里，即可概見。然得攬豫顎川陝，山川之壯麗，誠屬萬幸！

一九四八年，因緣際會，奉派為本縣之縣中校長，時年僅二十五歲。以當時之情形，若要辦好學校，首要能聘請優秀之老師，以期確保教學品質之良好。次則須要尊重禮遇老師，使其甘於悉心教學，而心無旁騖。復因時局不靖，一定要按時發薪，以確保老師生活之安定，為達成此三項目標，首先赴商邱，選聘因戰亂，山東各地，移居至此之優秀老師。蓋故邑乃偏僻之小縣，待遇不豐，唯有陷入困境之他們，始肯屈就。次則決定不支領校長之薪資，移作尊崇老師各項開支之用。如學期結束，宴請全體老師、職員，以答謝其悉心教學之辛勞。平時，老師之公私集會，購買茶點，以為聯歡。生病不適，則買些雞、肉等補品，以為慰問。因家境尚稱寬裕，又在家鄉任職，並不需要此一收入，以維生計，故能有此決定。三則斯時法幣，業已崩潰。縣府員工，已改發食糧。縣中老師，每月小麥三百斤。然因欠糧者眾，縣府時有欠薪之情形。因此，為能按時發薪，遂向縣府請求，將縣南較富鄉鎮，一部份之稅糧，撥交縣中。由學校事務人員，及借調之縣警一人，自行徵收。並向欠稅之鄉親，愷切說明，此稅糧乃縣中老師之薪資。為使家鄉之子弟，能獲的良師之教育，不可拖欠。若不繳納，老師之生活，無以為繼，拂袖而去，將是對吾鄉子弟，最大之傷害。幸而，執行以來，尚能差強人意。

縣中學生，來台者約四十餘人。師生間，時相過從。其中范桂馨，留學美國，獲博士學位。李連生、王思虞、鄭培均，陳愛民，曹九連，升任上校軍官。李尚武，任公路局高雄站站長。王寶俊，任警界分駐所主管。周玉斌等，因從事建築而致富。他們來台之初，均甚年幼。小者僅十五六歲，大者亦不過十七八歲。赤手空拳，無任何憑藉，能有今日，誠屬難能可貴，令人讚佩。非艱苦奮鬥，安能至此！至於其他同學，亦各有工作，成家立業，均有良好之表現。

一九四九年，江南已朝不保夕，乃投效軍旅，隨軍來台。一九五一年，考入政戰學校研究班一期。畢業後，奉派編譯科科員。國防部辦理教官試教合格，遂改任戰鬥團教官。因該團成立伊始，毫無圖書設備。故一九五六年，請調空軍官校教官。蓋以其藏書甚豐，舉凡一九三六年以前，商務印書館、中華書局、開明書局，所出版之叢書、類書、方志，均曾加以典藏。

既任教官，當盡心教學，並力求能成為一位，授業解惑之優良教師。當時認為，為達到此一境界，首要廣泛蒐集，與教材有關之資料，以求其博。如此，既可增加教學之深度、廣度。而且，遇學生提出問題，亦可對答如流，不至手忙腳亂。其次，對於教材，及其有關之資料，要能熟記，不必手執教材，邊看邊講。因熟能生巧，熟方能使龐雜之資料，靈活運用，揮灑自如，拈手即來。亦唯有熟，始能敘事清楚，說理明白。提綱挈領，條理分明。設若生澀，忘東忘西，許多資料，因臨時慌張，亦不能為已所用。同時，因博而熟，授課時，雖不帶教材，亦可滔滔不絕。既不遺漏教材之內容，又有補助教材之增添，尤能獲得學生之信賴與尊敬。因有三分傻氣，故所有教材與相關資料，均能加以背誦。亦因此，三十年前之學生許巴萊，不唯已獲博士學位，且已腰纏萬貫，創業有成。仍記憶清新，並言：「上課從不帶教材，除增補之資料外，與教材一字不差。」大一中國通史，每週兩小時，接觸有限，竟能使之印象，如此深刻，當由乎此。

一九五六年，年已三十有三，乃決心致力於學。然力學，首須確立努力之方向。幾經深思，以為自己，既非科技出身，故無力從事理工方面之研究。復因閱讀外文圖書之能力欠佳，兼以當時，既無力，亦無法購得新出版之外文圖書。因此，凡源自西方之學術與思想，如政治學、經濟學等，亦不宜作為選項之目標。最後，因圖書之易於取得，而閱讀寫作之能力，亦無問題，遂決定從事史學之研究。然通史，範圍太廣。斷代史中之先秦史、秦漢史、唐史、宋史等，名家輩出。故選擇少有人研究之元史，作為一生努力之目標。

方向既定，遂檢閱空軍官校、陸軍官校、高雄市圖書館，有關元史之所有藏書，以備日後研究之用。而李文田所注之元朝秘史，馮承鈞所譯註之馬可波羅行紀，張穆之蒙古游牧記，尤大有助於元史研究目錄學之瞭解。

為鞭策自己之努力，故當時將奔赴之目標，訂得頗高。希望有朝一日，自己能成為深具建樹，頗有貢獻，地區性之著名學者。此舉雖屬狂妄，然由於法乎其上，得乎其中，故不得不將目標，力求其高。期能激勵奮起之勇氣、力行之決心。使來日，能近似而及之。

自長女出生，以至幼子六歲入學，十五年間，改採夜讀。每天自晚上七時，至凌晨二時乃止。幼子既已就學，為增加家庭之收入，妻遂至中學任教。由於兼任導師，早出晚歸。若仍委以家務，豈能荷負！所幸，斯時已升任副教授，課程不多，又無須上班，故接手全部家事。操持家務，雖不重，然繁瑣費時，加以又要騎自行車上課。故日間仍無法讀書，不得已，又夜讀十五年。三十年之苦讀，因有目標，故能不以為苦。因有收穫，故能引以為榮。欣然為之，甘之如飴。然長期睡眠不足，又何以為繼。故每天盡量設法，補睡兩小時。由於斯時年輕，又加疲乏。一經躺下，即能很快入睡，且睡得深沉。子女雖吵，亦影響不大。

經多年之努力，閱讀之範圍，日益廣。研究之領域，亦日益寬。故能於大陸雜誌、東方雜誌、國立編譯館館刊、中華文化復興月刊、中國邊政、中國內政、反攻月刊，中華婦女，發表有關元史之論文九十三篇。商務印書館、聯經出版事業公司、新文豐出版事業公司，文史哲出版社、大眾出版社、出版元許魯齋評述，元太傅藏春散人劉秉忠評述，蒙古戰史，元史探微，元史研究論集，元史論叢，元吳草廬評傳，程雪樓評傳，元代蒙古文化論集，元代蒙古文化論叢、補文淵閣四庫全書之元人別集十一種。且自一九六八年，至一九七四年，曾連續七年，均獲國家科學會之獎助，以從事元史之研究。在當時，除少數之名家外，能連續申請七次，均能獲得國家科學會之批准者，並不多見。此外，兩岸學者，如姚從吾院士、蕭啟慶院士，侯家駒教授、洪萬生教授、葉鴻灑教授、大陸白壽彝教授、王子今教授、羅賢佑教授、陳智超教授、徐吉軍教授、朱鴻林教授、劉紅博士、劉曉博士、姬沈育博士等，均曾參考其著作。且門人弟子中，陳盛文、孔學敏、任渝生等升任中將。邢有光、許巴萊、徐光明等，則為獲得國內外博士學位之學人。

二〇〇四年之八月十五日，應邀至呼和浩特市之內蒙古大學，參加為期四天之第四次蒙古學，國際學術討論會。與會之中外學者，兩百餘位。分別來自日本、韓國、外蒙古、俄國、烏克蘭、芬蘭、波蘭、土耳其、匈牙利、德國、英國等十三個國家。大會分蒙古語文、蒙古文學、蒙古歷史、與綜合四組討論，並發表論文兩百餘篇。

元代宮廷大宴之情形，資料頗為缺乏。然元人文翰之吟詠中，卻保有殊多珍貴之記錄。其中尤以大宴之地點、衣著、儀禮、飲食、娛樂，與夫特有之習俗為然。故據此，於大會中，提出「元代宮廷大宴考」之論文報告，不僅頗受大會所矚目，亦間接說明，從史學觀點，以論元詩，不失為擴大蒙古學研究範疇，方向之一。

由於蒙古學之研究，深獲肯定，兼以年已八十有二，故頗受大會之禮遇與尊重。內蒙古自治區政府副主席，約見大會代表六人，即為其中之一。大會合照時，復受邀至第一排就坐。晚會結束，又與其他代表登台，向該校藝術學院，表演之全體同學，握手致謝，並攝影留念。

同時，蒙古學院名譽院長，蒙古學泰斗，曾派專人，贈送其簽名巨著，使之獲益匪淺。波昂大學研究所教授斐慕真博士，亦再三與之接觸，以謀深談。大陸教育部人文社會科學重點研究基地，內蒙古大學，蒙古學研究中心，教授兼主任，齊木德道爾吉博士，復譽之謂：「您文學基礎深厚，我們正需要此種人才。」此外，大陸「中國民族報」，台灣「自由時報」，均有專訪之評論報導，分於九月二十四日，八月二十三日刊出。二〇〇五年春，更承齊木德道爾吉博士讚之謂：「元代宮廷大宴考，非常具有特色，對我們的研究，有很大的幫助。」孟夏又言：「將預留篇幅，以待大作。」博士為蒙古學國際馳名之學者，承蒙如此評論，深感榮幸之至。

今蒙古史研究第八輯，業於當年之六月，由中國蒙古史學會主編，蒙古學研究中心支助，內蒙古大學出版社出版。十六開本，計載中外學人之論文二十九篇，凡四百二十頁。且拙作「元代官廷大宴考」，為去歲八月十五日，內蒙古大學、第四次蒙古學、國際學術討論會，所提報之兩百餘篇論文中，幸蒙全文刊出者。

治學，當然會遭遇諸多困難，三十餘年前，曾研究元代兩京間之交通。並據元詩，撰成「元代兩京間驛道之考釋」，載於一九六四年一月之政治學術季刊。復據秋澗大全集之「中堂記事」，完成「元王惲驛赴上都行程紀要」，刊於一九六七年六月之大陸雜誌。且此二文，曾為內蒙古大學，蒙古學研究中心，所主編之「元上都研究文集」，加以轉載。雖擬據「扈從集」，再撰「元代兩京間之輦道考釋」，然輦道所經之若干地名，如黑石頭、頡家營、鄭谷店、泥河兒、雙廟兒、平陀兒諸地，雖遍閱大明一統志、讀史方輿紀要、古今圖書集成、嘉慶重修大清一統志、畿輔通志、察哈爾通志、口北三廳志、蒙古遊牧記、宣化府志、宣化縣志、赤城縣志、懷來縣志、龍門縣志、北征錄等，均不得其解。一九九一年，曾思趁赴大陸探親之便，加以實地考查。然因地處偏僻，交通、衛生、安全，均不無可慮，兼以年近七十，終未能成行。以致此文，三十餘年，無法完成。所以，治學，殊非易事。雖一生力學，仍有諸多力猶未逮之處。

一九五五年，在台結婚。妻趙肅莊，大學畢業，曾任記者，長於散文小品，為東北名宿之長女。風行全國之「塞上風雲」，即以乃父之事功，所拍之電影。婚後家居，撫育子女。待幼子讀小學，復出任中學國文教師。因學養頗佳，復熱心教學，故學生甚為愛戴。至今仍有學生，時時與之聯絡。退休後，習畫十餘年，成績斐然。同學同事親友，輒衷心讚譽，戲呼為「才女」。

育有四女一子，四女均大學畢業，皆有頗佳之歸宿。長婿企管學士，家中富有土地，現任台灣著名工程公司經理。次婿美國電機碩士，現任美國國際著名半導體公司副總裁。三婿化學學士，企管碩士，現任德國化學公司，東北亞與中國地區總經理。四婿建築學士，家中富有，十餘年前，已投資移民加拿大。幼子宏道，美國電機碩士，台灣金經碩士，五年前，曾任美國電子公司，中國地區總經理，現任澳洲著名電子公司，台灣與中國地區總監。媳曾麗美，靜宜大學外文系畢業，曾任新竹市光復中學，高中部英文教師。孫女欣隅、祥齡，孫偉翔，分別就讀於高中、國中、小學、均聰慧活潑可愛。

一生雖飄泊四方，艱辛倍嘗。然任教，則為大學教授，比敘高級簡任文官。治學，則著作甚豐，為著名元史專家。加以耄年身體健康，生活寬裕。子女卓然成材，均屬高職位，高薪資之人員。故晚年，心情愉悅，老景堪慰。語云：「天道酬勤」，又謂：「勤能補拙」，誠其一生之寫照。